JOGANDO XADREZ COM OS ANJOS

FABIANE RIBEIRO

SÃO PAULO
2012

UNIVERSO DOS LIVROS

Diretor editorial
Luis Matos

Editora-chefe
Marcia Batista

Assistentes editoriais
Bóris Fatigati
Raíça Augusto
Raquel Nakasone

Revisão
Beatriz Crespo Dinis
Letícia Vendrame
O. A. Secatto

Arte
Camila Kodaira
Karine Barbosa

Capa
André Siqueira

Dados Internacionais de Catalogação na Publicação (CIP)
(Câmara Brasileira do Livro, SP, Brasil)

R484j Ribeiro, Fabiane.

Jogando xadrez com os anjos / Fabiane Ribeiro – São Paulo : Universo dos Livros, 2012.
400 p.

ISBN 978-85-7930-323-4

1. Infância. 2. Ficção. 3. Drama. I. Título.

CDD B869.3

Universo dos Livros Editora Ltda.
Rua do Bosque, 1589 • 6º andar • Bloco 2 • Conj. 603/606
Barra Funda • CEP 01136-001 • São Paulo • SP
Telefone/Fax: (11) 3392-3336
www.universodoslivros.com.br
e-mail: editor@universodoslivros.com.br
Siga-nos no Twitter: @univdoslivros

Esta história fala de anjos, em todos os sentidos em que eles possam existir em nossas vidas.

À pessoa que mais amo no mundo e que esteve ao meu lado em todos os momentos, tornando tudo possível, minha mãe, Viviane...
ofereço.

Àqueles que estiveram comigo e ajudaram a tornar este sonho possível, amigos e irmãos do coração, Aline, Gabriela, Marília, O. A. Secatto e à Editora Universo dos Livros...
agradeço.

Ao meu tio Junior, que me ensinou a jogar xadrez; aos meus amados avós, Odete e Jair, que me tornaram o que sou; e ao anjo que é dono do meu coração e me inspira...
dedico.

A todos eles, anjos em minha vida, ofereço, agradeço e dedico o *Jogando xadrez com os anjos.*

Cada um de vocês trouxe os mais sublimes sentimentos à minha vida. Emprestei-os às páginas a seguir.

É divertido observar uma criança brincando. As crianças vivem em seu mundinho próprio e o veem como algo sério, dotado de muito sentido. Sorrimos para elas. As crianças conseguem aceitar nossos sorrisos. Se zombamos delas, porém, elas fogem de nós e não hesitam em se esconder. Como adultos, há muito perdemos a chave que abre as portas da beleza desse mundo infantil. Podemos observá-lo à distância, sentir a alegria e a atmosfera de aventura que fluem tão espontaneamente da imaginação da criança, mas não podemos entrar nesse mundo. Nós o perdemos para sempre. Já estivemos nele um dia, mas, ao longo do caminho da vida, perdemos a chave para abrir as portas desse mundo.

Joseph F. Girzone

1

O XADREZ DE CRISTAL

É um reino lindo. O império branco possui peças transparentes. Através de cada uma delas podemos enxergar a próxima. Já as pretas, reluzem o jogo todo. Você viu, papai? Se olhar atentamente para cada uma das peças pretas, verá o tabuleiro refletido inteiramente nelas e a ameaça do exército inimigo.

Ela abriu os olhos pela manhã e, em poucos instantes, lembrou-se de que era sábado, seu dia preferido. Levantou-se da cama e olhou através da janela. A neve da noite cobrira a rua, assim como os telhados e muros das casas vizinhas, comprovando que o inverno na Inglaterra viera com intensa força naquele início de ano, em 1947. Anny vestiu um agasalho por cima do pijama, colocou uma touca e um par de pantufas e saiu de seu quarto, no momento em que o relógio apontou oito horas da manhã.

Foi até o quarto dos pais, que se encontrava com a porta entreaberta, e espiou. Eles ainda dormiam. Apesar do frio que fazia, ela sentiu-se quente e feliz por saber que eles estavam ali. Sentiu que aquele seria mais um dia em família, daqueles que ela tanto amava. Desceu as escadas de sua casa e rumou para a cozinha, pois, embora tivesse apenas oito anos, já aprendera a fazer o café da manhã preferido de seus pais.

Após meia hora, ela subiu novamente as escadas, entrou silenciosamente no quarto, aproximou-se do ouvido da mãe e disse:

– Mamãe, eu fiz panquecas.

Cindy moveu-se vagarosamente na cama, esticou os braços e, finalmente, abriu os olhos. A filha a contemplava com um sorriso e, então, pulou em seu pescoço, dando-lhe um abraço de bom-dia.

O pai acordara do outro lado da cama. Anny foi até ele, também lhe deu um forte abraço e disse:

– Venha logo papai, você não vai querer que as panquecas esfriem.

Alguns minutos depois, a família estava reunida na mesa para o café preparado por Anny:

– As panquecas estão de fato muito saborosas, querida – disse o pai.

A garota sorriu feliz, enquanto também saboreava a sua panqueca.

– Estão mesmo – concordou Cindy –, só não entendo por que você insiste em nos chamar cedo aos sábados. Ainda estamos exaustos pela semana de trabalho. Você é uma ingrata, Anny, isso sim!

– Não sou ingrata, mamãe – respondeu a garota, olhando para baixo e ameaçando choro.

– É, sim. Além do mais, você só sabe reclamar da nossa falta de tempo – completou Cindy, imponentemente.

– Eu não vou mais reclamar. Já estou me acostumando a estar com vocês somente aos sábados. Então eu acordei cedo hoje, para não perdermos tempo.

Cindy colocou mais um pedaço de panqueca na boca e continuou o assunto:

– Você só sabe se queixar, Anny. Queixa-se até da professora que vem educá-la na semana!

– Eu não gosto da senhora Jane! Ela briga comigo e não me deixa brincar.

– Se ela briga é porque você dá motivos. Jane é a melhor professora da cidade, não poderíamos garantir a você uma educação melhor!

– Eu queria ir para a escola e ter amigos.

– Já explicamos isso tantas vezes – disse a mãe, agora brava com a situação que se repetia. – Seu pai e eu também recebemos nossa educação em casa e nos saímos muito bem. É perda de tempo ir à escola quando se pode pagar por uma educação de alta qualidade sem sair de casa, ainda mais nesses tempos. A Guerra acabou, mas o perigo ainda ronda as ruas e todos mantêm os filhos dentro de casa. Além do mais, você é muito nova para ter amigos.

– Cindy, por favor – pediu o marido –, vamos encerrar esta discussão sem sentido.

A mulher resolveu calar-se e concentrar-se em terminar sua panqueca. Anny, por sua vez, perdera o apetite e começara a chorar. O pai, então, disse a ela:

– Se você enxugar as lágrimas e terminar sua refeição, eu lhe darei um presente que trouxe da viagem dessa semana.

– Um presente, papai? Que presente? – Ela disse alegremente, enxugando a face.

– Surpresa. Está no quarto de brinquedos, eu o coloquei lá quando chegamos, durante a madrugada. Só está esperando que você o desembrulhe.

– Jefferson, você mima demais a menina. Ela já tem mais brinquedos do que precisa.

– Mas desta vez não é apenas um brinquedo, é algo que ela levará para toda a vida.

Anny sorria, já nem se lembrava da discussão com a mãe alguns minutos atrás. Comeu rapidamente sua panqueca e pulou da cadeira:

– Podemos ir abrir o meu presente?

– Claro que sim! – Disse o pai.

– E depois podemos ir brincar?

– Anny, nós temos que trabalhar – disse enfaticamente a mãe. Depois, dirigindo-se ao marido: – Jefferson, você não esqueceu que ainda temos que realizar aqueles contatos, não é? Eles disseram que de segunda-feira não pode passar.

– Não esqueci, Cindy, mas hoje é o único dia em que combinamos que não pensaríamos no trabalho.

– Mas o combinado pode ser desfeito se necessário. Você ouviu quando nos disseram a urgência do trabalho desta semana, não queremos perder clientes tão bons e que, além de tudo, pagam acima do que pedimos.

– Eu não sei até que ponto vale a pena ganhar tanto dinheiro, não temos um dia de paz! – Disse Jefferson, aborrecido.

– Você fez a sua escolha. Aliás, nós fizemos. Agora não há mais volta – falou Cindy, lançando-lhe um olhar penetrante e autoritário.

– Está bem, você tem razão. Mas se eu não descansar hoje, não terei forças para as viagens da semana! E vamos parar com esta conversa na frente da Anny.

A garota ouvia sem entender o que os pais falavam. Já levara tantas broncas e causara brigas por questionar sobre o trabalho deles que nem ousava tornar a perguntar. Ela apenas se concentrou naquilo que queria:

– Hoje é sábado e vocês viajaram a semana toda! – Insistiu Anny. – Eu fiquei esperando por vocês.

– Cindy, podemos arrumar aqueles contatos amanhã. Vamos passar o dia com ela, nós prometemos. Eu juro que preciso de um dia sem pensar no serviço – disse Jefferson.

– Está bem – cedeu a mãe.

Anny correu para abraçá-la. Então, pegou sua mão suavemente e guiou-a para o andar de cima, junto ao pai, onde se localizava seu quarto de brinquedos.

Era um cômodo espaçoso e requintadamente decorado. Suas paredes eram rosas e brancas, invejavelmente lisas e com desenhos de ursos e palhaços por toda volta. Havia prateleiras com brinquedos de todos os tipos: bonecas, bichos de pelúcia, jogos, livrinhos de colorir e tantas outras coisas que chegava a ser muito para uma criança só. Almofadas coloridas ficavam espalhadas pelo chão e havia também livros para crianças que estavam começando a ler.

Em cima de uma pequena mesinha de centro, onde Anny costumava sentar-se para desenhar ou fazer as lições que a senhora Jane passava, havia um bonito embrulho lilás, com uma fita de cetim.

A garota reconheceu-o como o presente que o pai trouxera e correu para alcançá-lo. Delicadamente abriu-o, de modo a não estragar o papel e a fita que o embrulhavam. Ela terminou de abrir e ficou admirando. Era uma bonita caixa de madeira.

– Abra a caixa – disse o pai.

Havia duas fendas, também de madeira, que, quando abertas, revelavam um grande tabuleiro branco e preto, com quadrados intercalados e, em cada uma das laterais que se abrira, havia um veludo cor de vinho, onde ficavam peças de um jogo, de um lado brancas e, do outro, pretas.

Os olhos de Anny brilharam, embora ela não soubesse o que era aquilo.

– É um jogo de xadrez – explicou o pai. – Eu adorava jogar quando era mais novo e achei que você também iria gostar. Ninguém ganhava de mim.

– Xadrez – disse a garota –, que nome lindo.

Ela pegou as peças e examinou-as entre os pequenos dedos:

– São tão bonitas – disse.

– São de cristal – falou Jefferson. – É o jogo mais lindo que já vi, eu não poderia deixar de comprá-lo.

– Por que há peças diferentes? – Perguntou Anny, examinando o conjunto.

– Há muito para se saber sobre um jogo de xadrez, minha filha, eu vou lhe ensinar. Porém, é um jogo que exige muita atenção e também raciocínio, levará um tempo para que fique boa. Mas se você puxou a mim, será invencível!

– A mamãe também joga xadrez?

– Não – disse Cindy –, mas confesso que gostaria de aprender. Acredito que seja um jogo de desafios e, como seu pai sabe, eu os adoro.

– Ótimo – Jefferson falou animado. – Então, vou ensinar primeiramente os nomes das peças e a posição de cada uma delas no tabuleiro.

Mãe e filha ouviam os ensinamentos do pai sobre o jogo. Anny sorria de felicidade, não apenas pelo presente, mas pelas horas ao lado das duas pessoas que tanto amava. Ela prestava atenção em cada dica que o pai dava sobre o jogo e, no fim da manhã, já sabia onde cada peça deveria se situar, seu nome e sua importância. A garota organizou as peças no tabuleiro corretamente: de um lado as brancas e, do outro, as pretas, sendo parabenizada pelos pais.

– Você aprende rápido, Anny! – Disse Jefferson.

– É realmente muito esperta; e o jogo, muito interessante – disse Cindy –, mas por hoje chega; eu vou preparar o almoço.

A mãe desceu, deixando Anny e o pai sozinhos no quarto de brinquedos.

A garota debruçou-se sobre a mesinha e ficou contemplando o bonito jogo que ganhara.

– Você vai ficar apenas olhando? – Perguntou o pai. – Vamos começar a jogar, enquanto sua mãe prepara a comida.

– É tão real... – Disse a menina, ainda debruçada, olhando fixamente para o tabuleiro. Ela parecia estar em outro mundo.

– O quê, filha? – Perguntou o pai, olhando para as peças na mesma direção que a garota.

– As peças. São tão bonitas que parecem ter vida.

– Como um exército imperial pronto para duelar com o império vizinho – Jefferson acompanhou-a em sua imaginação.

– Exato – disse a garota. – E cada peça é um soldado com uma função diferente. Mas todas têm o mesmo objetivo: proteger o seu rei.

– Senão, o jogo acaba. E, dessa forma, acaba o sonho também – falou Jefferson.

– Não, papai. Quando acabar o jogo, outro se iniciará, e os dois impérios voltarão a duelar pelo seu rei. Um novo sonho se construirá sobre o tabuleiro.

Jefferson não sabia o que responder. A filha parecia tão concentrada no que dizia.

Ela continuou a falar:

– É um reino lindo. O império branco possui peças transparentes. Através de cada uma delas podemos enxergar a próxima. Já as pretas, reluzem o jogo todo. Você viu, papai? Se olhar atentamente para cada uma das peças pretas, verá o tabuleiro refletido inteiramente nelas e a ameaça do exército inimigo.

– Eu vi, sim. Por isso lhe disse que este foi o jogo mais lindo que já encontrei. Além das peças de cristal, o tabuleiro é tão lustroso que podemos ver a sombra de cada peça sob ela mesma.

– É como se fossem quatro exércitos duelando, e não apenas dois! – Completou Anny.

– Exatamente, filha! E também podemos ver o reflexo do rosto do jogador que está comandando o império oponente.

– Eu estou vendo você, papai! E olhe – ela aproximou-se mais do tabuleiro –, também vejo meu rosto refletido!

Anny ria e dizia:

– Este é o melhor presente que já ganhei.

Ela abraçou o pai e beijou-lhe o rosto.

– Melhor que a sua ovelha de pelúcia? – Perguntou Jefferson.

Anny pensou e correu para seu quarto, que era o cômodo ao lado do de brinquedos. Poucos instantes depois, voltou trazendo uma ovelha, com a qual ela dormia abraçada todas as noites e que já parecia um tanto velha. Correndo para o colo do pai, disse:

– Não sei, papai. Você sabe o quanto eu gosto da Tiara. Ela me faz companhia quando você e a mamãe viajam.

– Eu sei, querida. Esta ovelhinha, a Tiara, foi o primeiro presente que eu lhe dei. Eu estava em mais uma dessas viagens a serviço no dia em que você nasceu. E quando eu soube que havia chegado a minha menina, comprei a ovelhinha e vim o mais rápido que pude para o nosso país.

– Onde você estava, papai?

– Em Portugal.

– Puxa! Um dia eu também quero ir! O que é Portugal, papai?

Jefferson sorriu e disse:

– É outro país, querida. Muito bonito também.

– Você conhece o mundo todo, papai?

– Quase todo.

– Eu também quero!

– Você vai, querida, quando tiver mais idade.

– Oba! – Ela deu mais um beijo no pai e continuou a dizer: – Papai, eu ainda não conheço nada, só fico dentro de casa.

Jefferson ficou em silêncio por alguns instantes. Aquele era o assunto que mais o perturbava. Olhou para a filha, que mantinha um olhar triste ao lembrar-se de sua realidade, e disse por fim:

– Anny, você sabe que eu e sua mãe somos muito ocupados e precisamos trabalhar muito para lhe garantir uma boa vida. Mas, quando você crescer, também irá sair desta casa e conhecer o mundo. Foi assim comigo, eu só saí quando me tornei adulto. A partir de então, não parei mais de viajar.

– Mamãe diz que eu não posso sair por causa da Guerra.

– E ela tem razão. O conflito acabou há apenas dois anos, o mundo ainda vive um momento muito delicado. E esse não é o cenário ideal para uma garotinha como você.

Anny insistia em continuar o assunto:

– Papai, você trabalhou na Guerra?

– Querida, você é muito nova para entender sobre meu trabalho e, principalmente, sobre a Guerra. Quando tiver mais idade, entenderá sobre o serviço meu e de sua mãe.

– Vocês ajudam as pessoas, papai?

– Filha, vamos mudar de assunto.

– Está bem – concordou Anny. – É que você e a mamãe são tão bons, trabalham tanto, que eu imagino que devam ajudar muitas pessoas. A professora Jane disse que depois da Guerra muitas famílias precisam de ajuda.

– Na verdade, filha, as pessoas sempre precisaram de ajuda. Mas realmente, após a Guerra, a vida piorou para muitas famílias. O assunto é muito delicado.

– Eu quero ajudar as pessoas, assim como vocês!

Jefferson parou, pensativo, por um instante, depois falou:

– Eu não disse que nós ajudamos as pessoas, Anny. Já pedi para você não insistir em querer saber de nosso trabalho tão cedo, você é muito jovem e não entenderia. Mas uma coisa eu lhe garanto: você terá o emprego que sonhar, porque é uma menininha muito especial.

O homem estava aflito e pensativo, chegou a estremecer quando Anny ameaçou fazer mais uma pergunta.

– Papai?

– Sim?

– É verdade que há lugares muito diferentes para se conhecer?

– Muitos lugares, Anny, você nem imagina. Castelos, mares, montanhas, cidades, florestas, povos diferentes, idiomas diferentes. Há muito neste mundo – respondeu o pai, aliviado que a conversa estivesse tomando outro rumo.

Anny ficou em silêncio, mergulhada nos próprios pensamentos, como se estivesse imaginando tudo que o pai dizia.

– Você sabia que o primeiro torneio internacional de xadrez aconteceu em Londres, uma cidade grande e linda, próxima da nossa? – Perguntou Jefferson, mudando de assunto definitivamente.

– Há torneios de xadrez? – Indagou Anny, animada.

– Claro que há.

– Puxa, eu quero participar!

– Então, para isso, você precisa praticar bastante. Vamos jogar? – Perguntou o pai.

– Vamos!

Anny foi para sua cadeirinha na pequena mesa e, junto ao pai, iniciou a partida. A garota ainda tinha muito que aprender sobre xadrez, mas já amava o jogo.

Fosse pelo reino lindo, todo quadriculado e com personagens maravilhosos, que agora se projetava em sua frente; fosse pelos momentos divertidos aprendendo as regras com o pai; ou fosse pelo fato de Jefferson tê-la presenteado com algo tão lindo: tudo era motivo para ela amar o seu xadrez de cristal antes mesmo de conhecer todas as regras.

Para ela, a regra principal era clara: deixar-se mergulhar naquele mundo novo, que representava uma felicidade que antes lhe era desconhecida.

A cada peça que movia sobre o tabuleiro, ela parecia estar vendo uma disputa real, em uma terra mágica e longínqua, na qual os bispos, as torres, os peões, os cavalos e a rainha duelavam heroicamente para proteger o seu rei.

Cindy apareceu no quarto de brinquedos, chamando-lhes para o almoço.

Os três tiveram uma gostosa refeição em família, com direito até a sobremesa. Então, Anny teve uma ideia:

– Vamos ao quintal ver a neve que caiu durante a noite?

– Só se for agora, antes que comece a nevar novamente – falou Cindy.

Os pais e a garota saíram da grande casa onde viviam. Na verdade, Jefferson e a esposa viajavam pelo mundo devido ao trabalho e ficavam quase todos os dias da semana sem ver a filha. Uma moça vinha cuidar de Anny e da casa de segunda a sexta, seu nome era Melanie. Três vezes na semana Anny tinha lições com a senhora Jane. Portanto, a pequena família se reunia apenas aos finais de semana, sendo que, aos domingos, os pais costumavam trancar-se no escritório para trabalhar, deixando a filha em seu quarto de brinquedos sozinha o dia todo.

A casa era muito grande para três pessoas. Sua decoração era rústica, elegante e tipicamente inglesa. Havia quartos que estavam sempre desocupados, pois eles nunca recebiam visitas. Os pais e irmãos de Jefferson eram as únicas pessoas que vinham visitá-los antigamente, embora já estivessem há alguns anos sem dar notícias. Anny nunca entendera o motivo de não ver os demais familiares. Lembrava-se de que o pai e o avô haviam tido sérias discussões a respeito do serviço de Jefferson e Cindy e, a partir de então, os avós e demais parentes mudaram-se para outro país e ela nunca mais teve notícias. Mas este era outro assunto que, segundo os pais, ela ainda era muito nova para entender. Na casa também havia duas grandes salas, sendo que em uma delas se encontravam uma aconchegante lareira, uma televisão, e o lindo piano de Cindy. No andar de cima ficavam os quartos de Cindy e Jefferson, e também o de Anny, além do escritório e do quarto de brinquedos. Apesar de a casa ser enorme, o último era o local preferido da garota. Era um universo feito e decorado todinho para ela. Ali ela podia ser quem quisesse – uma rainha, uma fada ou qualquer outro personagem que sua imaginação ditasse. Como também podia ser ela mesma – livre, desimpedida; afinal, estava em seu próprio mundo.

Do lado de fora, a casa era da cor verde-claro, circundada por muros altos, exceto o dos fundos, que era menor. Possuía uma bela garagem coberta, onde Jefferson guardava seu invejável Cadillac vermelho, e havia também um lindo e bem cuidado gramado. Aos fundos da casa ficava uma pequena área com um balanço.

Porém, naquele sábado, a neve cobrira todo o gramado verde, tingindo tudo de branco ao redor.

A área onde estava o balanço era coberta, de modo que pouca neve invadira o local pela noite.

Os três foram até a área, deixando profundas pegadas na neve conforme andavam. Anny subiu em seu balanço. Cindy costumava empurrá-la, fazendo-a sentir que voava.

A mãe embalou-a, enquanto cantava uma canção, com sua doce voz. Jefferson ficou sentado contemplando a neve por vários minutos, ouvindo a esposa e o ranger do balanço.

A canção era uma velha conhecida de Anny, a mãe sempre cantava a mesma letra toda vez que a neve chegava. Fato muito esperado por Anny todos os anos.

Apenas com os lábios, para não interromper a voz de Cindy, ela balbuciava as palavras simultaneamente à mãe:

– ... E quando a neve se for, vou lembrar de você... Faça chuva ou sol, vou sorrir ao pensar, que a levo em meu coração...

Com a também suave melodia do tempo, os instantes passaram ligeiros, com pressa, como quando fazemos algo que amamos...

– Preciso colocar óleo nesta corrente – disse Jefferson, referindo-se à corrente que sustentava o balanço, e quebrando a melodia dos instantes –, está rangendo muito.

Anny ouviu o que o pai dissera, embora sentisse que estava em outro mundo, onde só havia felicidade e todos os dias ela podia estar com os pais, jogar xadrez com Jefferson e ser embalada por Cindy. Seu coração sorria.

– Estou cansada, tivemos uma semana muito difícil – disse a mãe. – Acho que precisamos descansar um pouco.

– Eu posso me deitar com vocês? – Perguntou Anny, descendo do balanço.

– Você não prefere descansar no seu quarto?

– Não, mamãe. Quero ficar com vocês. Hoje é sábado, lembra? Eu posso cantar desta vez, até você pegar no sono.

– Você também vai cantar para mim? – Perguntou o pai.

– Claro, papai!

– Então está bem, você pode ir se deitar em nossa cama!

Anny subiu alegremente até o quarto dos pais. E, conforme o prometido, deitou-se entre eles e passou a mão entre os cabelos da mãe, enquanto cantava suavemente para os dois.

Eles pegaram no sono rapidamente, mas ela continuou a cantar e a acariciar a mãe.

– Quero que eles continuem a me ouvir da terra dos sonhos, para onde vamos quando dormimos.

Ela continuou cantando por muito tempo. Olhava para os rostos dos pais adormecidos e só interrompia o canto quando dizia:

– Obrigada, Papai do Céu, pela mamãe e pelo papai e por estarmos juntos. Obrigada pelos sábados.

O amor dela pelos pais era maior que o mundo. Era do tamanho do seu coração.

Era um amor tão lindo e suave que parecia uma prece.

■

Eles jantaram e depois foram para a sala da lareira, aquecendo-se do frio que fazia no exterior da casa. Havia voltado a nevar.

No cômodo também havia uma pequena televisão em preto e branco e com poucas opções de canais, o modelo mais moderno até aquele ano.

A família assistia ao programa favorito, que passava todos os sábados no início da noite. Anny estava deitada no colo do pai, abraçada com sua ovelha Tiara, até que pegou no sono.

Acordou quando Jefferson tentou levá-la para dormir no quarto.

– Eu não quero ir. Acabou o sábado. Quero ficar com vocês.

– Mas você está morrendo de sono – disse carinhosamente o pai.

– Mas não quero ir, papai, não quero!

– Vamos fazer assim, eu fico no seu quarto até que você durma, está bem?

– Está bem – respondeu Anny.

– Então dê um beijo na sua mãe antes de subirmos.

Anny deu um abraço na mãe e um demorado beijo em sua bochecha:

– Boa noite, mamãe.

– Boa noite, Anny – disse Cindy.

Ela pulou no colo do pai e eles foram para o andar de cima, onde ficava o quarto da garota.

Jefferson ajeitou a filha na cama e cobriu-a. Então, ficou sentado, apenas olhando para ela.

– Papai?

– Fale, querida.

– Por que eu não posso ter uma irmãzinha?

– E para que você quer uma irmãzinha?

– Para brincar comigo enquanto você e a mamãe estão trabalhando – falou Anny, graciosamente.

– Filha – respondeu Jefferson –, esse é um assunto complicado. Mas acredite, você não terá uma irmãzinha.

Anny ficou pensativa, então continuou:

– Mas é um sonho que tenho, papai. E quando temos um sonho, devemos acreditar. Não é isso que você me falou uma vez?

– Sim, Anny, eu falei isso e é verdade. Porém, esse é um sonho que não depende de você e, infelizmente, querida, é um sonho que não se realizará – falou Jefferson, começando a ficar irritado.

– Papai?

– Fale, Anny.

– Conte uma história de rainha para mim?

– Rainha? Você nunca pediu para eu contar algo sobre rainha, por que disse isso agora?

– Porque quero uma história de rainha, como no xadrez. A rainha que protege o rei e lidera um exército para defendê-lo!

– Mas eu não sei muitas histórias de rainha, querida – disse o pai.

– Aposto que sabe. Você já viajou quase o mundo todo, duvido que não tenha visto uma rainha.

Jefferson queria alimentar as imaginações da filha, então, começou a fantasiar:

– Pensando bem, eu vi uma rainha uma vez, sim.

– E como ela era? – Perguntou Anny, com os olhos brilhando.

– Linda, poderosa e muito apaixonada pelo seu rei.

– E ela lutava junto aos bispos para defendê-lo? – Perguntou a menina.

– Não só aos bispos, mas juntos às torres, aos peões e a dois valentes cavalos!

– Conte mais, papai!

O homem foi inventando situações sobre uma rainha, seu rei, o amor que eles tinham um pelo outro e a batalha que travariam em seu nome... Em uma terra linda e muito distante.

Anny foi lentamente fechando os olhos. Já não conseguia resistir ao sono. Então, o pai, percebendo que ela adormecera, deu-lhe um beijo, apagou a luz e saiu do quarto.

Naquela noite ela sonhou com rainhas, reis, cavalos, bispos, torres, peões e um reino quadriculado, branco e preto, onde tudo era de cristal.

O sonho havia sido tão real que ela acordou com sons martelando forte em sua mente. Eram os sons dos cascos dos cavalos, guiados por cavaleiros bondosos, que duelavam ao lado da rainha para proteger o seu rei e ela.

Porém, um segundo barulho ecoou na mente de Anny assim que ela despertou. Era o barulho dos pais, que haviam se levantado para trabalhar, como sempre faziam aos domingos. Ela sentou-se na cama e contemplou o próprio rosto no vidro da janela. Era uma menina pequena para sua idade, miúda, como seu pai dizia, mas era saudável. Tinha a pele bem clara, os olhos verdes, lábios grandes e rosa e cabelos castanhos que caíam até os ombros, bem finos, lisos e retos, além de uma franja que cobria toda a testa. Ela ficou observando sua projeção na janela e a neve que, mais uma vez, cobrira tudo do lado de fora. Observou também uma foto que mantinha na cabeceira da cama: era um retrato dos pais. Ela se achava muito parecida com eles. Tinha a pele branca e os olhos claros da mãe; os lábios salientes e cabelos lisos do pai – a cor escura dos cabelos era também herança de Jefferson, já que Cindy possuía longos fios dourados, que enfatizavam ainda mais sua face rosada, tornando-a uma mulher de beleza deslumbrante.

Anny se orgulhava de parecer com os pais, amava-os muito.

Em instantes, reviveu em sua mente o dia anterior, que passara junto a eles.

A neve branquinha era um cenário propício, juntamente ao xadrez de cristal magnífico que ela ganhara e que, a partir de agora, seria o elo eterno da pequena rainha com seu rei Jefferson. Tudo embalado pelas doces melodias de Cindy e pelos suaves toques da mãe ao balanço, enquanto Anny parecia viajar para uma terra onde tudo o que existia era felicidade.

– Que bom seria se todos os dias fossem sábado – ela pensou.

Foi então que ouviu a voz de Cindy, trazendo-a de volta à realidade. Percebeu que os pais conversavam.

Anny resolveu ficar na cama e escutar:

– Não podemos continuar fingindo que está tudo bem – dizia a mãe.

– Ela tem apenas oito anos, Cindy.

– Não importa. Ela terá que viver a realidade, é bom que já se acostume com ela.

– Acho desnecessário aborrecer a Anny com isso agora.

– Mas só faltam duas semanas.

– Exato. É muito tempo para a preocuparmos desde já. Você viu como ela está feliz, não quero estragar isso.

– Você a mima demais, quero só ver como será quando tudo mudar.

– Não vai mudar – disse Jefferson.

– Não seja bobo, você sabe que vai. Nós somos o mundo dela. Por isso acho bom já deixá-la preparada. Pare de mimar a garota, parece que você está cada vez mais carinhoso com ela e esse não é o combinado! Parece até que está sendo mais gentil com a Anny por peso na consciência!

– Eu tenho, sim, peso na consciência, e você deveria ter também! E faça-me o favor, você acha que é mimá-la passar um dia da semana com ela?

– Você entendeu o que estou dizendo. Trazendo o xadrez justo agora que estamos passando por essa fase de mudanças! Ela vai sofrer ainda mais assim.

– Já que o sofrimento é inevitável, por que antecipá-lo em duas semanas? – Indagou o marido.

– Está bem, no próximo final de semana falaremos. Aí será um meio termo: não contaremos agora como eu quero, e nem na última hora como você deseja.

– Certo, Cindy, você venceu. Daqui a uma semana iremos conversar com a Anny.

– Acho bom você ir se desapegando, afinal de contas, fizemos a nossa escolha, como eu vivo tendo que lembrá-lo – disse a mulher secamente.

Anny tremia em sua cama ao ouvir aquelas palavras. Seu coração estava acelerado. Ela não entendia sobre o que eles falavam, mas sabia que não era coisa boa.

Jefferson não respondera à última colocação de Cindy, então, a esposa continuou:

– Eu falei com a senhora Jane.

– E o que ela disse? – Perguntou o marido.

– Eles vão querer mais dinheiro do que planejávamos, mas ela concordou.

Os pais andavam enquanto conversavam e Anny percebeu que se dirigiam para o escritório. Antes de fecharem a porta, contudo, Anny percebeu que haviam mudado de assunto e falavam algo sobre uma mulher que ela não conhecia.

– Helen – disse Cindy. – Helen vive na França.

– Será agradável percorrer novamente as avenidas francesas – disse Jefferson mais animado –, você se lembra, Cindy, daquela vez...

Então, fecharam a porta e Anny já não pôde ouvir mais nada do que falavam. A garota levantou-se de sua cama e foi até o corredor, viu que os pais de fato haviam se trancado no escritório e que o som de suas palavras fora abafado, de modo que ela não podia compreendê-las.

A tarde de domingo passou como de costume. Os pais mal saíram do escritório e Anny ficou no quarto de brinquedos entretendo-se de maneiras diferentes, sempre em companhia de sua ovelha Tiara. Naquele dia ela tinha uma nova distração: o jogo de xadrez.

Anny ficou muito tempo admirando o tabuleiro e as peças de cristal e até tentando jogar sozinha:

– Vou surpreender o papai. No próximo sábado, terei treinado e estarei muito boa!

Mas, mesmo em meio a tantos brinquedos, ela não parava de pensar na conversa que ouvira pela manhã. Os pais iriam conversar com ela no próximo sábado, a senhora Jane estava envolvida, mas ela não fazia ideia do que pudesse ser. Embora sentisse que não era notícia boa. Ouvira atentamente quando eles disseram que Anny iria sofrer.

À noite, o pai foi novamente colocar a filha para dormir e encontrou-a já deitada, abraçada a Tiara. Ela tirou um pequeno papel de baixo das cobertas e estendeu-o para o pai.

Ele observou. Era um desenho feito pela filha naquela tarde.

– São a rainha Anny e o rei Jefferson! – Disse a garota, explicando o desenho.

O homem olhava para a folha, sem conseguir dizer uma palavra. Estava tentando se controlar.

– Eu fiz este desenho para você levar nas suas viagens, papai, e não esquecer que eu sempre vou fazer de tudo para protegê-lo.

O pai continuava em silêncio.

A menina aprendera o intuito do jogo de xadrez e a disputa dos dois exércitos para proteger o seu rei. Jefferson se lembrou das peças de cristal e de como aquele reino fascinara a filha, que, agora, entendia tudo melhor que ele próprio. Olhou para o pequeno pedaço de papel e sentiu desconforto ao pensar em como tudo estava prestes a mudar na vida de Anny e que tudo era sua culpa... Não teve como conter as lágrimas, que teimavam em cair. Em seu interior travava-se uma disputa, como em uma partida infinita de xadrez. O que o confortava era pensar que todas as pessoas, assim como ele, têm o bem e o mal em seus corações. Era um duelo sem fim.

– Por que você está chorando, papai?

– São lágrimas de felicidade, querida – ele disse, mentindo.

– Você não gostou do meu desenho?

– Pelo contrário, gostei muito. Irei levá-lo comigo... Sempre.

Anny sorriu. O pai apagou a luz e rapidamente a garota adormeceu.

■

Anny abriu os olhos pela manhã e lembrou-se de que era segunda-feira, o dia de que ela menos gostava. Faltava a semana inteira até que voltasse a ver os pais. Ela se arrumou e desceu para o café. No caminho passou pelo quarto de Cindy e Jefferson, estava vazio e com a cama arrumada. Sentiu um aperto no coração. Olhou pela janela do corredor, de onde podia ver a garagem. Também estava vazia. Mesmo sabendo que todas as segundas-feiras, quando acordava, eles já haviam partido, Anny sempre olhava para a garagem com alguma esperança de que naquela semana eles não precisassem ter ido viajar, mas tal fato nunca havia ocorrido. Ela desceu as escadas e foi para a cozinha, onde encontrou uma moça de pele morena clara, cabelos negros presos em um coque, avental azul e sapatilhas. Era Melanie, a pessoa contratada para cuidar de Anny e da casa durante a semana. A mesa estava pronta para o café da garota.

– Bom dia, querida, como foi o final de semana? – Perguntou Melanie.

– Perfeito! Eu ganhei um jogo de xadrez do papai, brincamos no balanço e assistimos à televisão!

– Nossa, parece ter sido realmente muito bom.

– Você quer ver meu xadrez depois do café? – Perguntou Anny.

– Claro. Eu acho xadrez um jogo muito interessante, embora não saiba todas as regras.

– Eu já sei algumas. Papai disse que aprender xadrez é difícil. Você pode jogar comigo?

– Sinto muito, Anny, há muito trabalho para fazer na casa esta semana. Mas você pode subir e jogar depois do café.

– Está bem – disse a menina, aborrecida.

– E não se esqueça de que hoje à tarde a senhora Jane vem para ensinar-lhe mais uma lição.

A garota lembrou-se da conversa entre a mãe e o pai que escutara no dia anterior e que envolvia a senhora Jane.

– Melanie, o que o papai e a mamãe estão querendo me contar?

– Eu não sei, Anny, como eu poderia saber?

– É que você também é adulta, então eu achei que soubesse.

– Mas eu não sei. E de onde você tirou que eles querem lhe contar algo? – Perguntou Melanie, olhando fixamente para a garota.

– Eu os ouvi conversando. Eles vão me falar no próximo sábado. Mas parece que não será algo bom.

– Bobagem. Deixe de pensar assim. Seus pais jamais falariam algo que a machucasse.

– É verdade – falou a garota –, eles são muito bons.

– Exato. Agora, se você já terminou seu café, pode ir brincar.

Anny subiu rapidamente para o quarto de brinquedos. O jogo de xadrez estava em cima da mesinha. A garota pegou sua ovelhinha Tiara, colocou-a ao lado do tabuleiro para fazer-lhe companhia e passou a manhã toda entretida com o jogo de cristal.

À tarde, como fazia todas as segundas, terças e quintas, Jane veio à casa para dar aulas particulares a Anny. A garota gostava de estudar e aprender. Achava Jane uma senhora muito rude e sem paciência, mas já se acostumara com o seu jeito. Ela era uma mulher de meia idade; estava sempre com os cabelos presos, óculos e batom vermelho.

– Hoje vamos continuar com as lições do alfabeto. Você tem lido para fixar o que estamos estudando?

– Tenho – disse Anny.

– Você sabe que leitura é uma questão de prática, então eu lhe trouxe mais alguns livros apropriados para a sua idade.

– Sim, senhora.

– Muito bem, vamos começar a aula – disse Jane.

– Senhora Jane, o que a senhora sabe sobre a Guerra?

– Que pergunta mais descabida, Anny! Hoje vamos estudar as letras!

– Sim, mas eu queria saber sobre a Guerra.

– E por qual motivo?

– Porque quero conhecer a profissão do papai.

– E quem disse que o seu pai está envolvido com a Guerra? Ela já acabou há dois anos. Agora, pare de se intrometer no que não deve e se concentre na lição de hoje!

Anny olhou para os livros à sua frente e tentou se concentrar, embora seus pais sempre lhe viessem ao pensamento. A semana estava apenas começando e ela já sentia falta deles.

■

A Torre Eiffel era o pano de fundo e, à medida que a mulher tentava se concentrar em acender seu fino cigarro, o vento insistia em apagá-lo. Irritada com as tentativas frustradas, ela guardou-o na bolsa vermelha adquirida há uma semana e apertou os passos. Havia poucas pessoas na rua, o inverno também já condenara os franceses àquela época do ano. Seu último pensamento havia sido a pressa em esconder-se do vento cortante para acender o cigarro em paz, até que algo a atingiu com uma velocidade tão impactante que fez seu corpo girar, no mesmo instante em que caía aos pés da torre mais linda do mundo, pagando por um erro que cometera alguns anos antes.

■

Anny passava horas olhando pelas janelas da casa, na esperança de que o Cadillac vermelho de seu pai aparecesse mais cedo.

Ela queria conhecer essa tal saudade, personificá-la. Dizer a ela que fosse embora e que dissesse aos pais como gostaria que eles estivessem sempre por perto.

– A vida é como uma partida de xadrez, se não se consegue em um dia, deve-se tentar no dia seguinte, e nunca deixar de acreditar – Anny dizia para Tiara.

Ela podia ver um pedaço da rua à frente de sua casa que, nos últimos dias, estava sempre coberta de neve. Quando estava no quarto de brinquedos, a vista apontava para os fundos, e ela via apenas uma parte da casa vizinha. Sua mãe dissera que ali vivia a senhora Jane com o seu marido Hermes. Mas era tudo sempre muito silencioso e Anny via apenas as janelas do fundo, que sempre estavam fechadas. Era uma casa muito menor que a sua e era verde também, porém bem escura e de aspecto triste. Do quarto de brinquedos, Anny podia ver também um pequeno jardim que havia nos fundos da casa de Jane, mas ele estava tão malcuidado que parecia nem ter mais vida.

– Que casa estranha – pensou Anny. – A senhora Jane não deve ser uma pessoa feliz.

Os dias se seguiram normalmente durante aquele gélido fim de janeiro. Anny teve suas lições, conversou com Melanie, brincou na neve, leu ao lado de Tiara e jogou xadrez. Na sexta, ela já estava muito melhor no jogo e não via a hora de o pai chegar para mostrar-lhe como evoluíra.

– Vou ser uma campeã de xadrez e papai vai se orgulhar de mim – ela dizia para a ovelhinha.

Na sexta à noite, Melanie colocou Anny para dormir, junto de Tiara. A garota estava sorridente e disse à mulher:

– Não estou com sono, mas quero dormir logo.

– Por quê? – Perguntou Melanie.

– Porque assim as horas passam mais rapidamente e, quando eu acordar, será sábado e eles já terão chegado.

– Então, tente dormir, querida.

– Eu não estou com sono agora, não consigo parar de pensar que eles estão a caminho.

– Mas você tem que dormir para estar bem disposta quando acordar amanhã – disse Melanie.

– Você está certa – falou Anny, sorrindo. – Boa noite.

– Boa noite.

Melanie apagou a luz e saiu do quarto, deixando Anny sozinha na escuridão da noite fria.

Porém, a garota demorou muitas horas para pegar no sono. Ela pensava em como seria o sábado ao lado dos pais, fazia planos e sorria de felicidade ao imaginar que, quando acordasse, eles já estariam lá.

O sono de Anny aquela noite não foi dos mais tranquilos. Ela teve visões misturadas de ruas onde nunca estivera, pessoas que nunca conhecera, barulhos fortes e gritos de dor. Acordou arfando, abraçou Tiara e dormiu novamente. Então, voltou a sonhar e, desta vez, estava próxima a um local com muitos aviões (aqueles pássaros grandes que levam as pessoas para todos os cantos do mundo, segundo a professora Jane lhe ensinara). De repente, viu surgir o Cadillac vermelho de Jefferson:

– Papai, mamãe! – Ela acenava para eles no sonho. – Eu estou aqui!

Ela não viu claramente o que aconteceu, mas um forte estampido, como se tivesse acontecido um acidente na rua, fez as imagens se embaralharem e o rosto bondoso de um jovem apareceu em sua visão. Tratava-se de um rapaz que ela nunca havia visto. Era muito bonito e possuía expressões bondosas, pele morena, bochechas rosadas e lábios grossos. Anny não pôde deixar de reparar que ele usava uma boina marrom na cabeça.

Ela acordou assustada, abriu os olhos e olhou para o relógio. Eram quase oito horas. Deu um salto da cama, com o coração acelerado de felicidade: era sábado novamente! Tal fato a fez esquecer-se da noite agitada que tivera e do rosto bondoso do rapaz com quem sonhara há pouco.

Foi rapidamente para o quarto dos pais e, quando abriu a porta, deparou-se com aquilo que mais temia: eles não estavam ali. Ela olhou em todos os cantos do quarto, embaixo da cama, dentro do armário e não viu a maleta que o pai sempre carregava.

Procurou em todos os cômodos do andar de cima, então desceu correndo as escadas e, após mais uma busca pela casa toda, percebeu que estava sozinha. Ela buscou Tiara e ficou olhando pela janela da sala, abraçada à sua ovelhinha.

A neve caía do lado de fora e a rua estava deserta. As lágrimas rolavam por sua face e ela apertava Tiara com força contra o peito, dizendo:

– Eles vão chegar. Eu sei que vão.

Anny foi buscar sua cadeirinha, que ficava no quarto de brinquedos, e colocou-a encostada à janela da sala, que dava para a rua, de onde ela poderia ver quando o Cadillac vermelho chegasse.

Ela não comeu naquele dia. Não brincou. Não jogou xadrez. Não saiu de sua cadeirinha. Não se desgrudou de Tiara. As horas passaram, sem que Anny deixasse de olhar para a rua e estremecesse ao ouvir o ruído de um carro, mesmo distante, na esperança de que pudessem ser eles. As lágrimas ainda teimavam em escorrer, e ela dizia em um sussurro para Tiara – e, sobretudo, para si mesma:

– Logo eles estarão aqui.

As horas se passavam e a solidão e o silêncio caíam sobre a pequena. A noite chegou e Anny estava com sono, com fome e com frio.

Mas nada se comparava ao vazio que ela sentia. As lágrimas já haviam secado, mas a tristeza só insistia em aumentar.

O tempo poderia ser um herói e trazer Cindy e Jefferson para perto de Anny. Mas também poderia ser – e estava sendo – um carrasco, intensificando sua própria lentidão, arrastando os segundos como em um infinito mar de esperas em que a menina mergulhara...

Porém, nem uma única vez ela se permitiu pensar que eles não chegariam. Ela sabia que estavam a caminho, eles não a abandonariam; eram muito bons. Algo devia ter acontecido para que se atrasassem.

– Foi só um atraso, Tiara, só um atraso.

A garota estava lutando para não adormecer na pequena cadeira, quando de repente um novo ruído de automóvel adentrou a rua. Ela ficou de pé, pela primeira vez em horas. Sentia que desta vez eram eles, seu coração lhe dizia. Foi então que o Cadillac vermelho parou em frente à casa e adentrou a garagem. Anny correu até a porta e contou os segundos até que a maçaneta girasse:

– Mamãe, papai! – Ela gritou, abraçando-os antes mesmo que eles entrassem.

Os pais não corresponderam ao entusiasmo da garota e tinham expressões diferentes e sérias.

– Eu sabia que vocês iriam chegar! – Ela gritava.

Jefferson foi o primeiro a dizer algo:

– Anny, nós tivemos uma mudança de planos no serviço e viemos apenas lhe dar uma notícia que já deveríamos ter dado. Precisamos ajeitar algumas coisas antes de partirmos novamente.

– Então não vamos jogar xadrez? Eu treinei tanto, papai, quero que você veja!

– Não, querida, não vamos mais jogar.

– Nunca mais? – Disse Anny, começando a chorar mais uma vez.

– Querida, você tem que ser forte – o pai falou, começando a chorar também.

– Mamãe, o que está acontecendo? – Ela virou-se para Cindy, na esperança de que aquilo tudo fosse mentira.

– Anny, vamos nos sentar no sofá para conversar.

Jefferson chorava, porém não mais que Anny. Então, foi Cindy quem falou:

– Seu pai e eu tivemos uma proposta de mudança no emprego que seria a realização de todos os sonhos que eu e ele sempre tivemos. É uma proposta irrecusável, você entenderia se fosse mais velha. Então, nós resolvemos aceitar, porém...

Cindy respirou fundo, e continuou a dizer:

– Teremos que nos dedicar e viajar ainda mais.

– Mas vocês continuarão vindo aos sábados? – Perguntou Anny.

– Apenas em alguns, querida – disse Jefferson. – Escute, Anny, não tem sido fácil, mas eu e sua mãe fizemos a nossa escolha.

– Eu espero, papai, eu espero vocês voltarem – disse a garota, chorando ainda mais.

– Você não entendeu, querida – falou Jefferson –, nós iremos voltar uma vez ao ano apenas, para ver você e a casa.

– Então Melanie irá ficar comigo o ano todo?

– Não, não será assim.

– Mas vocês querem que eu fique sozinha? – Perguntou Anny. As lágrimas escorriam sobre sua face com mais intensidade que nunca.

– Não, querida, também não seria justo – disse Jefferson. – Você irá viver com outra família, onde terá companhia todos os dias, pessoas para cuidar de você, e continuará tendo suas aulas. Amanhã, você irá para sua nova casa.

– Não! – Anny dizia. – Minha casa é aqui! Eu posso ficar sentadinha, esperando vocês voltarem. Eu prometo que não vou fazer bagunça, papai, eu não sairei da minha cadeirinha até que vocês voltem.

– Eu sei, querida, mas um ano é muito tempo.

– Não importa, eu vou esperar por vocês, todos os dias – a garota chorava tanto que o ar chegava a lhe faltar.

– Vamos subir e nos deitar, estamos exaustos, e amanhã será um longo dia – disse Cindy.

Anny não dizia mais nada. A notícia havia sido um choque tão grande que ela mal conseguia abrir a boca. Foi para seu quarto em silêncio, com a face vermelha de tanto chorar. Deitou-se em sua cama e o pai a cobriu. Ele já não chorava. Deu um beijo na filha e apagou a luz.

Jefferson e Cindy também não trocaram mais uma palavra e deitaram-se um ao lado do outro. De repente, a porta do quarto se abriu e Anny entrou. Ela subiu na cama e deitou-se entre eles.

A mãe a olhava sem falar nada. Então, Anny, que já parara de chorar, disse:

– Eu vou cantar para você dormir, mamãe, e para você também, papai.

– Certo, querida – disse Jefferson.

A garota passou os dedos entre os cabelos dourados da mãe, como costumava fazer, e então perguntou:

– Daqui a um ano, quando vocês chegarem, podemos jogar xadrez?

– Sim, Anny – falou a mãe.

– E podemos brincar no balanço?

– Podemos fazer tudo o que você quiser – respondeu Jefferson.

– Um ano é muito tempo, papai?

– Sim, é muito tempo, Anny, por isso teremos que ser fortes.

– Eu não tenho medo, papai. Eu sei que vou conseguir esperar o tempo que for necessário e logo chegará o dia em que você e a mamãe estarão aqui comigo novamente.

Cindy disse lentamente:

– Eu preciso dormir; durma também, Anny, amanhã teremos muito para fazer.

– Eu não vou dormir, mamãe, vou ficar olhando você e o papai cada instante. Não quero perder um segundo ao lado de vocês.

Cindy deu um beijo na filha e, em pouco tempo, ela e o marido estavam adormecidos. Anny continuou a cantar e a observá-los. Ela passava as mãozinhas no rosto da mãe e do pai, querendo memorizar cada linha:

– Daqui a um ano estarei com vocês de novo – dizia sussurrando.

E as lágrimas voltavam a rolar sobre sua delicada face, enquanto ela cantava pela noite:

– Quando a neve cair, vou estar com você... E quando a neve se for, vou lembrar de você... Faça chuva ou sol, vou sorrir ao pensar... Que a levo em meu coração...

2

CASTELO EM RUÍNAS

Ela olhava para aquele lindo castelo que, em instantes, tornara-se apenas ruínas e sentia seu coração doer ao pensar que algo poderia acontecer a seu pai, que tudo em sua vida estava desmoronando, assim como aquele castelo. Seu rei, seu pai Jefferson, corria perigo e ela não era capaz de cumprir a promessa que lhe fizera, de protegê-lo para sempre. Foi então que uma figura conhecida surgiu no meio daquelas ruínas e começou a andar na direção de Anny...

A manhã chegou sem que Anny percebesse que havia adormecido em meio à sua canção. Porém, logo o desespero tomou conta de seu ser: ela estava sozinha na cama dos pais.

Pensamentos terríveis passaram em um breve instante pela cabeça da garota, até que Jefferson saiu do banheiro, dirigindo-se a ela:

– Bom dia, filha, é hora de arrumarmos suas coisas para a mudança.

Assim, a realidade caiu como um peso sobre a menina. Não podia suportar a ideia de passar ainda mais tempo longe dos pais. Porém, tentou espantar a tristeza para aproveitar aquele dia:

– Mas ainda temos o dia juntos, não é, papai?

– Na verdade só algumas horas, Anny. Eu e sua mãe precisamos partir o mais rápido possível.

– Papai, onde está a mamãe?

– Arrumando as coisas no andar de baixo.

Anny ficou aliviada, então disse algo que lhe ocorrera na noite anterior:

– Papai, eu tomei uma decisão.

– Uma decisão? Qual? – Perguntou Jefferson.

– Já que vocês disseram que não posso ficar aqui sozinha, decidi que vou junto com vocês.

– Anny – disse Jefferson com uma expressão séria, aproximando-se da garota –, você não pode ir.

– Por quê, papai?

– Nossa vida será incerta, não teremos uma casa fixa. Você não pode crescer em uma confusão dessas.

– Eu não me importo, desde que esteja com vocês.

Jefferson abraçou fortemente a filha e então lhe disse:

– Não torne as coisas ainda mais difíceis. Estamos pensando no seu bem, querendo deixá-la com uma família de confiança, onde você possa crescer e ter uma vida normal. Eu juro que estamos fazendo o que é melhor para você.

– O melhor para mim é estar com vocês.

– Isso é o que *você* acha, Anny, mas você é muito nova para entender. Apenas confie em mim – falou Jefferson.

A garota começou a chorar.

– Não chore, querida, você não confia em mim?

Os lábios de Anny tremiam, impedindo-a de falar.

– Não confia? – Insistiu o pai.

– Confio, papai, claro que confio! – Ela disse finalmente, entregando-se a mais um abraço e chorando agarrada a Jefferson.

– Papai, posso escrever uma carta para vocês? A professora Jane pode me ajudar, assim manteremos contato!

– Eu já disse, Anny, não sei onde estaremos. Iremos viajar muito.

– Vocês vão visitar os meus avós?

– Não, querida, creio que não.

Anny já havia esgotado todas as suas perguntas e viu que não havia o que fazer para mudar a decisão dos pais.

– Está bem, papai, eu confio em você e não vou mais ficar triste por ter que ficar na Inglaterra e esperar.

– Muito bem, então seque essas lágrimas e venha nos ajudar a arrumar as malas.

– Papai? – Falou suavemente a garota.

– Sim, Anny?

– Eu amo você.

– Eu também te amo, minha filha, e sabe o que eu já coloquei na minha mala?

– O quê?

Jefferson foi até o centro do quarto e pegou a maleta que sempre o acompanhava nas viagens. De um pequeno bolso lateral tirou uma folha de papel dobrada e entregou-a para Anny.

A filha estendeu o papel e visualizou o desenho que fizera há uma semana.

– É o rei Jefferson – ela falou sorrindo.

– E a rainha Anny – completou o pai. – Vou levá-los comigo aonde for.

■

A família passou as horas seguintes arrumando tudo para a mudança. Cindy estava muito nervosa, pois não queria se esquecer de nada de que pudessem precisar durante o trabalho, e a insistência de Anny em querer ficar grudada a ela só aumentou o seu mau humor.

– Anny, pela milésima vez, também sentirei saudades de você! Agora me deixe arrumar as malas!

A garota ficou chateada a princípio, mas depois entendeu que o trabalho dos pais era muito importante e que ela deveria deixar a mãe arrumar as coisas tranquilamente.

Ela resolveu subir até o quarto de brinquedos. Era o único cômodo que ainda não tivera suas coisas encaixotadas, então, a menina foi em busca do pai para pedir-lhe ajuda.

Jefferson estava subindo as escadas, quando encontrou Anny:

– Filha, está tudo pronto. Já colocamos suas roupas e livros nas malas.

– Era sobre isso que eu queria falar, papai. Nós nos esquecemos de colocar os meus brinquedos.

– Não, Anny, seus novos pais não permitiram que você leve brinquedos.

– Não fale isso nunca mais! – Berrou Anny, sentando-se em um degrau da escada e começando a chorar compulsivamente.

– Desculpe, filha – falou Jefferson –, eu posso tentar convencê-los...

– Eu não quis dizer sobre os brinquedos – falou Anny –, quis dizer que eles não são meus novos pais! Você e mamãe são meus únicos pais!

O choro aumentava a ponto de Cindy ir ver o que estava acontecendo e voltar ainda mais mal-humorada a seus afazeres, após constatar que a filha estava chorando novamente.

– Sim, Anny, desculpe-me, somos seus únicos pais. Porém esta nova família cuidará de você enquanto estivermos trabalhando e queremos que você se sinta bem com eles – disse Jefferson, tentando acalmá-la.

Anny, porém, não parava de chorar.

– Filha – disse o pai, agora um tanto impaciente –, você tem que ficar calma. Não quero partir sabendo que ficará chorando por nossa causa. Quero que você seja a menina corajosa e alegre que sempre foi.

A garota continuava com a carinha triste, porém entendeu o pedido do pai e fez força para parar de chorar.

– Está bem, papai. Você tem razão. Eu vou ficar feliz e esperar você e a mamãe voltarem.

– Muito bem. Então vamos ao quarto de brinquedos, vou pedir que a nova família deixe você levar pelo menos os seus preferidos – falou Jefferson.

Anny ficou mais animada e foi com o pai escolher os brinquedos que levaria para a casa nova.

Assim que chegaram ao quarto de brinquedos, Anny agarrou seu tabuleiro de xadrez de cristal e disse:

– Vou levar o xadrez, assim posso praticar até que você volte, papai!

– Isso mesmo, Anny. Dessa forma, quando eu chegar, poderemos jogar juntos! – Respondeu Jefferson, fazendo a filha sorrir de felicidade. – Bem – continuou ele –, agora escolha apenas mais um.

– A Tiara! – Disse Anny, animada.

Ela buscou sua ovelhinha e desceu para o andar de baixo com o pai, onde a mãe já os aguardava com as malas prontas.

Assim que Cindy viu a filha carregando o xadrez e a ovelha, disse para o marido:

– Jefferson, eles foram bem claros quanto a levar apenas o necessário!

– Eu sei, Cindy, mas ela vai levar apenas estes dois brinquedos. Todo o resto ficará aqui.

– Mamãe, por que não posso levar todos os meus brinquedos? – perguntou Anny.

– Não sei ao certo – falou Cindy –, mas sua nova família é muito boa e responsável, tenho certeza de que eles têm bons motivos.

– Será que é porque eles têm muitos brinquedos lá? – indagou Anny.

Os pais ficaram em silêncio. Então a garota continuou:

– Aposto que é por isso! Eles já devem ter brinquedos, por isso não querem que eu leve mais. Há crianças lá para eu brincar?

– Não sei, Anny – falou o pai seriamente –, mas creio que não. Mas isso não é o mais importante. O que realmente importa é que o casal cuidará muito bem de você até retornarmos.

– Qual é o nome do casal que cuidará de mim, papai?

Mas no momento em que Anny fez tal pergunta, a campainha tocou e Cindy foi atendê-la, dizendo:

– Você vai descobrir agora. Tenho certeza de que gostará.

A garota olhava atentamente para a porta, ansiosa para conhecer as pessoas com as quais iria morar, porém, assim que a porta se abriu, Anny assustou-se:

– Senhora Jane, o que a senhora está fazendo aqui?

– Eu vim buscá-la, querida – respondeu a mulher.

– Mas hoje não é dia de lições, por que você veio me buscar? – perguntou Anny, confusa.

– Seus pais não lhe contaram? Você irá morar comigo e com o meu marido Hermes a partir de hoje.

Anny olhou para os pais esperando que fosse mentira, porém nenhum dos dois se manifestou. Então, ela agarrou o pai e disse:

– Papai, a senhora Jane e o seu marido Hermes são mesmo a minha nova família?

O pai disse que sim. Cindy, por sua vez, veio abraçar a filha, dizendo:

– Eu sabia que você iria adorar a surpresa, querida!

– Mas eu não adorei... – Anny começou a dizer, quando foi interrompida pela mãe:

– Bem, senhora Jane, mais uma vez, muitíssimo obrigada. Viajaremos tranquilos em saber que Anny estará em boas mãos.

– Não precisa agradecer, Cindy! – Falou Jane. – Anny e eu seremos como mãe e filha! Eu não pude dar um filho a meu marido, então estamos muito felizes por recebê-la em nossa casa. Podem ir tranquilos, pois a garota será muito feliz conosco!

Jane, então, foi até Anny, que ainda agarrava o pai com força, e disse-lhe, pegando em uma de suas mãozinhas:

– Vamos, querida, meu marido está ansioso esperando por você.

Anny foi lentamente desgrudando-se de Jefferson e deu-lhe um último beijo; depois beijou a face da mãe também.

De mãos dadas com a senhora Jane, ela dirigiu-se até a saída de sua casa, ambas carregando as poucas malas da menina.

Antes de cruzarem a porta, ela olhou mais uma vez para os pais, e falou:

– Que o Papai do Céu acompanhe vocês em suas viagens, papai e mamãe. Eu amo vocês, estarei esperando.

Uma lágrima rolou por sua face. Então, Jefferson disse:

– Nada de lágrimas, você prometeu.

Anny secou a lágrima que caíra, e falou:

– Certo, papai. Não vou mais chorar, desculpe.

Ela e Jane, então, saíram e dirigiram-se para a pequena casa aos fundos.

■

Anny e Jane chegaram à pequena e escura sala da casa. Um homem estava sentado no sofá escutando rádio.

Hermes era casado com Jane há duas décadas. Eles não conseguiram ter filhos e, com o passar dos anos, se acostumaram tanto com a ideia de que nunca seriam pais que nunca mais tocaram no assunto. Ele era um homem sério, que tinha menos idade do que aparentava. Sua barba era tão malcuidada que chegou a dar nojo em Anny quando ela o olhou de perto. A garota pensou que ele não tinha alegria de viver quando olhou dentro de seus olhos pela primeira vez, deparando-se com uma expressão vazia e cansada, de quem espera pouco e entrega pouco à vida.

Anny entrou timidamente na nova casa, olhou para a pequena e escura sala e não pôde fazer uma cara de felicidade perante o que via. O cômodo era pequeno, porém havia tantas coisas nele que seu aspecto era de total desleixo. Os sofás ficavam no centro da sala, em volta de um móvel antigo, onde estavam a televisão e o rádio, além de algumas fotos velhas e desgastadas pelo tempo. Havia também estantes com livros e objetos espalhados, além de ferramentas por todo lado, visto que Hermes era marceneiro. As pequenas janelas que davam para a rua eram cobertas por pesadas cortinas marrons, contribuindo para a escuridão e tristeza daquela casa.

– Não é tão aconchegante como o palácio onde você vivia, não é menina? – Essas foram as primeiras palavras de Hermes a Anny.

Ela o havia visto uma vez, já há algum tempo, quando ele fora acompanhar Jane em uma visita a Cindy. Porém, Anny não se lembrava de tê-lo achado tão rude e assustador. Seu estômago deu uma reviravolta, conforme aumentava seu nervosismo.

– O que foi? Perdeu a fala? – Hermes insistiu.

– Não, senhor – disse a garota.

– Então, o que foi? Não gostou de sua nova casa? – ele continuou.

– Gostei sim, senhor – falou Anny –, é... É encantadora.

– E quem lhe ensinou a mentir desse jeito? Esta casa não tem nada de encantador, mas é o que temos, e é o que você tem de agora em diante. Vá para o seu quarto com essas malas e depois volte para que eu e minha mulher digamos as novas regras que você terá.

– Sim, senhor – falou Anny.

Ela pegou suas coisinhas e saiu da sala, porém, quando viu, estava numa pequena cozinha, com piso e paredes marrons, uma mesa redonda central e armários velhos nas paredes. Então, ela deu alguns passos para trás e disse:

– Senhor Hermes?

– O que foi?

– Eu não sei onde é o meu quarto.

– Mal chega e já começa a dar trabalho – falou Jane, antes que Hermes respondesse.

Anny seguiu a senhora por um pequeno corredor lateral que se localizava entre a sala e a cozinha. Nele, havia três portas. Uma delas era do banheiro; outra, do quarto do casal, e a porta mais ao fundo era do novo quarto de Anny.

A casa era muito menor que a de Cindy e Jefferson, porém não era isso que incomodava a menina desde o primeiro instante em que ela colocara seus delicados pezinhos no local. O que mais a entristecia era que a felicidade não parecia conhecer Jane e Hermes. Era como se ela se recusasse a passar pela porta de entrada; como se não fosse uma convidada do casal.

Jane abriu a porta do pequeno quarto, que ficava ao fim do curto corredor, sem dizer nada, e deixou Anny sozinha carregando suas coisas para dentro.

A garota olhou ao redor e tudo o que viu foi um minúsculo quarto, com aspecto escuro e frio, que lembrava solidão. Cheirava a solidão. Era da cor da solidão.

Não havia nada além de uma pequena cama e um armário velho. Anny sentou-se na cama por um instante. Em nada lembrava a sua antiga. A nova era bem menor, dura e cheirava a mofo, visto que aquele quarto nunca fora usado. Havia uma pequena manta vermelha, muito fina para o inverno que fazia, e um travesseiro que em nada se comparava ao que ela possuía antes e ficara na sua casa.

Havia também uma janela, com uma pesada cortina, igual às que existiam por toda a casa, e Anny resolveu espiar através dela. O consolo estaria naquela vista. Seu coração começou a bater forte ao perceber que dali poderia ver sua verdadeira casa. A casa que era sua e de seus pais; a casa onde era feliz. Ela podia ver o fundo, com as janelas grandes e bonitas, a área coberta com o balanço e o gramado tingido pela neve, no qual, uma semana antes, ela andara feliz com os pais sem saber o destino que a aguardava.

Anny deteve o olhar na janela do quarto de brinquedos por um instante e desejou estar lá. Desejou que tudo fosse um pesadelo, que ela iria acordar e ver que estava em sua cama quente e confortável, que era sábado e poderia jogar xadrez com os pais e brincar no balanço.

Foi então que uma rude voz a trouxe à realidade:

– Menina, por que está demorando tanto?

Era Hermes, chamando-a para a sala.

Ela foi até o local, onde o casal a esperava. Anny foi sentar-se no sofá, ao lado de Jane, quando esta lhe disse:

– O que você está fazendo? O sofá é só para a família.

– Mas eu pensei que vocês fossem a minha nova família.

Jane gargalhou e disse:

– Não me faça rir! Nós estamos fazendo um favor a seus pais apenas, um favor muito bem pago, eu diria – ela completou com expressão de contentamento –, porém, não pense que terá a vida boa que tinha antes. Eu e meu marido não temos idade, paciência ou tempo para crianças, então trate de seguir todas as regras, senão será mandada para um orfanato. É pela bondade de nossos corações que a acolhemos aqui; não sei se percebeu, mas você é como um peso inútil para seus pais, eles não têm o que fazer com você, então, aceitamos ajudá-los. Portanto, a regra número um é: aqui não é a sua casa, você não tem os mesmos direitos que nós.

Anny olhava para o chão, em pé, em frente ao casal e ao sofá, no qual fora proibida de sentar-se; ela tinha vontade de chorar, mas lembrou-se da promessa que fizera ao pai e resolveu ser forte, por mais difícil que fosse. Apenas disse:

– Sim, senhora.

– E quando eu me referi a não ter os mesmos direitos, eu não quis dizer apenas do sofá; você não tem direito a utilizar nossos aparelhos, como o rádio e a televisão; não tem direito de sentar-se à mesa conosco, suas refeições serão apenas após as nossas; não tem direito de se dirigir a nós a menos que seja estritamente necessário, e deve utilizar o banheiro à noite, quando eu e meu marido já tivermos utilizado, está claro?

– Sim, senhora Jane.

– Muito bem – a mulher continuou –, a regra número dois é que, além de fingir para nós que não existe, você deve realmente não existir para ninguém de fora. São ordens do próprio Jefferson. Ou seja, você não deve colocar a cara na janela que dá para a rua, não deve jamais sair da casa. Ninguém vem nos visitar, exceto minha sobrinha Nicole, e, quando ela vier, você deve se esconder em seu quarto e não fazer som de espécie alguma.

– Sim, senhora Jane.

– Sua vida – Hermes foi quem começou a falar agora – será em seu quarto e, quando você quiser tomar um ar, deve ir para o jardim nos fundos da casa e não nos dar trabalho.

– E quanto às suas lições – falou Jane –, eu lhe ensinarei quando tiver tempo. Estou pegando aulas a mais, então não teremos um compromisso fixo. Quando for possível eu lhe dou umas lições, enquanto isso você deve continuar lendo e treinando sozinha. Tenho muitos livros, irei passar-lhe um por semana. Assim, quando seus pais voltarem, você já estará alfabetizada por completo.

– Sim, senhora Jane.

– Bem – continuou a mulher –, agora o mais importante. Você tem, a partir de hoje, algumas obrigações na casa. Eu e meu marido ficamos fora quase o dia todo, então, quando chegarmos, queremos a louça lavada, enxaguada e guardada, a casa varrida e tudo limpo e em seu devido lugar. Você encontrará todo o material de que precisa na cozinha, inclusive as vassouras.

– Mas, senhora Jane, eu não sei fazer essas coisas... – Anny começou dizendo.

– Por acaso você é burra? Ou apenas mimada? Não há mistério algum. É só passar os panos e as vassouras, garanto que no primeiro dia já aprenderá.

– Sim, senhora Jane.

– Acho que é só – falou a mulher.

– Ah – disse Hermes –, não queremos barulhos, brincadeiras ou risos. Queremos continuar com nossa vida como era antes de você chegar. Agora vá arrumar seu quarto e volte para almoçar quando eu e Jane tivermos terminado a nossa refeição.

Anny dirigiu-se para o pequeno quarto e começou a arrumar suas coisinhas dentro do armário. Trouxera roupas, alguns livros, o jogo de xadrez e a sua ovelhinha Tiara. Não levou muito tempo para arrumar tudo, então, resolveu ir até o jardim para conhecê-lo.

Chegou aos fundos da pequena casa, onde havia dois canteiros com flores murchas e neve por todo lado.

– Está feio e malcuidado – pensou Anny –, será um desafio trazer vida a esse jardim. Mas sei que, com esforço, conseguirei deixá-lo lindo e colorido.

A garota ficou feliz em saber que teria uma distração, porém, só poderia de fato cuidar do jardim quando o inverno fosse embora. Ela adorava neve, mas pela primeira vez estava torcendo para que ela fosse embora mais cedo.

Fazia tanto frio que a menina resolveu entrar para aquecer-se. Antes, contudo, lançou um olhar à Casa Grande (como resolvera apelidar sua verdadeira casa) e seu coração partiu-se em tristezas.

Era um alento saber que veria seu verdadeiro lar em todos os momentos que desejasse; porém seria também cruel vê-lo e não poder estar nele. Sua vida real estava tão próxima, mas tão distante.

Ela pensou que não suportaria. Entretanto, ao pensar nos pais e, principalmente, na promessa que fizera a Jefferson, respirou fundo e disse a si mesma que seria capaz.

Foi para o seu novo quarto.

Anny acomodou-se na pequena cama e cobriu-se com a manta vermelha. Ficou ali em silêncio, exceto pelos barulhos de seu estômago reclamando de fome, e esperou até não mais ouvir os sons de pratos e talheres na cozinha. Então, concluiu que Jane e Hermes tivessem acabado de almoçar e foi comer.

A cozinha estava realmente vazia. Ela viu as panelas sobre o fogão e serviu-se. Sentou-se sozinha à mesa e almoçou. A solidão era a mesma que tinha quando vivia na Casa Grande. Durante a semana ela costumava fazer as refeições sozinha lá também. Contudo, ela sabia que chegaria sábado e, com ele, seus pais; e o mais importante: ela estava em seu verdadeiro lar, o local que mais amava no mundo. A solidão tinha o mesmo nome, mas não a mesma face.

A comida não era ruim, porém não era tão saborosa quanto a de Melanie. Ela acabou a refeição e lembrou-se de cumprir sua primeira tarefa: arrumar a louça. Percebeu que Hermes e Jane também haviam deixado seus pratos sujos para ela lavar.

Anny abriu a torneira e a água fria congelou o seu corpo, como se milhares de facas afiadas lhe cortassem a pele frágil; sem querer, ela emitiu um pequeno gemido de dor ao ter que lavar a louça naquela água extremamente gelada.

Jane chegou à cozinha para ver o que estava acontecendo. Olhando para Anny, disse com um sorriso nos lábios:

– Ah, sim, estamos com um probleminha para aquecer a água. Terá que se acostumar com ela fria.

A garota respirou profundamente. Pensou nos pais: onde eles estariam, o que estariam fazendo, se também estariam pensando nela. Tentou manter a alma quente com aqueles pensamentos para, dessa forma, amenizar o impacto da água congelante na qual colocava as mãos delicadas e pequenas para lavar a louça.

– Me ajude, Papai do Céu, eu preciso conseguir. Eu prometi ao papai que seria forte, ele tem que se orgulhar de mim quando voltar.

■

– Por que vocês demoraram? – Um homem falava, em tom áspero.

– Desculpe, senhor, não vai se repetir. Tivemos que ir para casa e dar um destino à nossa filha.

– Vocês sabem muito bem que, para esta profissão, não podem pensar em família!

– Sabemos, senhor, e garantimos que não irá se repetir.

– Espero que não, Jefferson, para o seu próprio bem e o de sua esposa. Agora, vamos aos negócios. A próxima tarefa é arriscada e temos ainda poucas informações, vocês terão que se virar. Precisamos do serviço completo em cinco dias no máximo! Se conseguirem em menos tempo, melhor ainda. Depois já temos um novo serviço para cumprir em outro país. As passagens estão aqui, e as informações também. Podem ir.

O casal deixou a sala e foi rapidamente para o aeroporto.

O homem que estava dando as instruções ficou no local, acompanhado de um ajudante magricela, que não ousava dizer uma palavra.

– Interessante – falou o homem –, muito interessante... Garantiram-me que eles eram profissionais excelentes, mas mostraram inexperiência ao deixar escapar uma informação valiosa: eles têm uma filha. – O homem riu. – Pensaram que eram espertos e que nos enganariam, dizendo, quando os contratamos, que não tinham família.

O homem refletiu por alguns instantes, depois continuou:

– Bem, se eles falharem, já sabemos onde agir.

■

Anny dormira tantas horas que nem percebeu a noite chegar e, com ela, mais neve. Acordou devido ao frio que sentia e resolveu colocar mais roupas. Pensou que pedir mais cobertas não estava na lista de seus direitos e resolveu não falar nada com Jane e Hermes. A manta vermelha era ainda menor e mais fria do que ela supunha.

O segundo dia na casa nova foi pior que o primeiro. Ela sentia uma nova semana se iniciar, trazendo consigo sua dura realidade: ela, agora, vivia em uma casa desconfortável e que nunca poderia chamar de lar, onde não era bem-vinda e não poderia levar uma vida normal; os pais estavam longe e iria demorar muito para que voltassem; ela sentia-se sozinha, presa, e pensava que sua presença não passava de um estorvo.

Era difícil, mas Anny tentou afastar tais pensamentos e se ocupar com as tarefas da casa.

Pegou a vassoura pela primeira vez e começou a varrer o chão. Era desajeitada no início, porém, as tarefas foram se tornando prazerosas, pois a mantinham ocupada e faziam as horas passar mais rapidamente.

Os dias foram transcorrendo da mesma forma. Todos os dias agora eram iguais. Não havia sábado, não havia expectativas nem mudanças na vida de Anny. Ela cuidava da casa e de suas obrigações, fazia as refeições sozinha. Enfrentava a água fria todos os dias. Vestia várias roupas – camada sobre camada – para se proteger do frio, especialmente ao cair da noite. Lia. Jogava xadrez com Tiara. Tinha que esperar para usar o banheiro apenas quando Hermes e Jane já haviam ido se deitar – o que quase a fizera urinar na cama certa vez. Sentava-se entre os canteiros do jardim cobertos de neve e observava as flores que um dia existiram naquele local, mas que agora pareciam não ter vida – ou vontade de viver. Não falava com Hermes e Jane, na verdade mal os via, apenas sabia que eles estavam em casa quando escutava o barulho do carro do senhor Hermes chegando.

Em uma das tardes, enquanto lia debruçada em sua dura cama, Anny começou a sentir fome e pensou em procurar algo para comer.

Saiu do quarto e percebeu que não havia barulho algum na casa. Foi, então, até a cozinha e abriu o armário. Viu pacotes de biscoitos no local e decidiu levar alguns para o quarto.

Deitou-se novamente em sua cama e começou a comer, enquanto voltava a repousar os olhos sobre as páginas dos livrinhos.

A porta do quarto se abriu bruscamente, assustando a garota. Jane entrou, dizendo:

– Eu ouvi um barulho na cozinha... – Ela levou os olhos até os biscoitos e disse ferozmente: – O que é isso? Você está roubando comida?

– Não, senhora Jane, eu não roubo nada, apenas estava com fome.

– Achei que tinha sido bem clara quanto às regras nesta casa. O que eu disse sobre comida?

– Disse que eu deveria comer quando você e seu marido não estivessem na cozinha, e eu não os vi por lá, então achei que poderia...

– Então tirou conclusões erradas, garota! – Bradou Jane. – Eu disse que você não é da família. Suas refeições são o almoço e o jantar apenas. Espero que agora compreenda que não tem direito a lanches, biscoitos, cafés ou qualquer refeição extra. Está claro desta vez ou terei que tomar medidas mais drásticas?

– Está claro, senhora Jane, por favor, me desculpe.

– Agora passe para cá esses biscoitos e vá buscar uma vassoura, você derrubou farelos no chão de seu quarto.

Anny fez o que Jane ordenou, sentindo o estômago revirar-se, clamando por comida.

Aos poucos o inverno foi se diluindo no tempo e abrindo caminho para um clima mais ameno e amigo das flores. Anny foi percebendo que a neve diminuía diariamente, até desaparecer por completo. Percebeu que o sol estava mais claro e que não precisava mais usar tantas roupas para amenizar o frio. Em uma das noites, após fazer suas orações, pedindo forças para continuar sua espera, e pedindo bênçãos para seus amados pais, ela percebeu que já podia dormir com apenas um par de meias, o que a deixou muito feliz.

Tiara era sua companheira fiel. Acompanhava-a nas tarefas de cuidar da casa, nas leituras e nas tardes sentada no jardim, observando a Casa Grande.

– Lá está ele – Anny dizia para a ovelhinha em uma tarde nos fundos da casa –, lá está o nosso balanço... Lembro-me da última vez em que mamãe me empurrou; eu me senti tão feliz. Foi no mesmo dia em que papai me deu o xadrez de cristal. É a melhor lembrança que tenho: *aquele* sábado.

A menina abraçava Tiara e falava com ela, visto que não tinha ninguém mais para conversar. Seu mundo era tão pequeno, era restrito a poucos cômodos de uma pequena casa e a uma solidão infinita. Porém, Anny, como toda criança, sonhava. Passava horas fantasiando momentos felizes com os pais, momentos em que conhecia o mundo ao lado deles e podia ajudar as pessoas e espalhar a felicidade. Dessa forma, seu mundo se tornava grande, porque seus sonhos eram grandes, e ela tornava-se mais feliz, mais próxima do Papai do Céu e mais próxima dos pais.

Anny jogava xadrez diariamente. Não era tão divertido como jogar com o pai, e praticar sozinha tinha suas limitações, mas ela foi se acostumando. Abria o tabuleiro sobre o chão do quarto e debruçava-se sobre ele, sentindo falta do conforto que tinha quando jogava em sua mesinha no quarto de brinquedos, cuja janela podia ver, pois sempre deixava as cortinas abertas para ver seu verdadeiro lar. Ela colocava Tiara em frente ao tabuleiro, fazendo-lhe companhia, e começava a jogar.

Aquela tarde ela estava cansada de jogar sozinha e mais que nunca desejou que tivesse uma companhia agradável, embora soubesse que era impossível. Sabia que Jane e Hermes não eram companhias agradáveis e que jamais jogariam xadrez. Então, resolveu ficar observando as peças, em silêncio.

Lembrou-se da alegria ao ganhar o jogo e das palavras do pai: "É um jogo de xadrez. Eu adorava jogar quando era mais novo e achei que você também iria gostar. Ninguém ganhava de mim".

Observou as peças atentamente e viu os quatro exércitos que se formavam devido às imagens refletidas no lustroso tabuleiro. Viu as peças de cristal, uma através da outra, e viu a si própria, também através das imagens refletidas... Lembrou-se do rosto do pai... Era como se o reflexo de Jefferson permanecesse no tabuleiro, para sempre. Deu-lhe um abraço em pensamento. Fechou os olhos para fingir que ele estava ali com ela, ensinando-lhe a jogar xadrez. Então, começou a imaginar a rainha que ele conhecera em uma terra longínqua: "Linda, poderosa e muito apaixonada pelo seu rei."

Anny, sem perceber, pegou no sono e voou até um reino maravilhoso, onde tudo o que havia era xadrez. Tudo que existia ali era esperança e felicidade, porque ela era a rainha daquele lugar e duelaria, se fosse preciso, para defender seu rei, Jefferson.

Anny andava por entre o imenso gramado quadriculado branco e preto. Ela trajava um lindo vestido, sapatilhas e um laço no cabelo. Tudo na garota era xadrez, assim como tudo ao seu redor. Ela parou sobre o piso quadriculado e observou a paisagem de seu reino, o qual chamou de Reino Xadrez: havia torres gigantes, bispos e peões, como em seu jogo, todos eram de cristal, mas possuíam vida. Os súditos andavam livremente pelo reino; eram as peças do jogo de Anny, em tamanho gigante. Os exércitos, contudo, não pareciam duelar, viviam harmoniosamente. Havia pássaros, cavalos, esquilos e outros animais, todos em tons de branco e preto também; além das águas de textura xadrez que corriam pelo reino, formando um bonito e diferente riacho que murmurava ao percorrer todo o reinado. Árvores com folhas da mesma coloração estavam espalhadas pelo local, e seus frutos eram também brancos e pretos. Anny estava encantada com tudo aquilo. Seu reino era xadrez, seus súditos eram de cristal, tudo era maravilhoso. Sentiu-se feliz como há muito não se sentia e andou alegremente pelo tabuleiro gigante que formava o gramado infinito de seu reino.

Naquele local, os exércitos coexistiam em paz, as peças brancas e as pretas eram amigas e duelariam apenas se fosse preciso, conforme os comandos da rainha Anny.

Porém, faltava algo. Em meio a tanta felicidade, a menina sentia que ainda faltava algo para completá-la... Ela pensou o que poderia ser e imediatamente ouviu uma doce e conhecida voz... A voz de Cindy. Ela estava acompanhada por um ranger infinito da corrente de um balanço. Porém, apesar de ouvi-los claramente, não era possível localizá-los.

– Mamãe – ela falou –, mamãe, onde você está? Eu não consigo vê-la.

Por um instante, Anny ficou imóvel no gramado quadriculado ouvindo aquela doce voz e aquele ranger do balanço que lhe transmitiam paz, sem saber se eles estariam realmente por perto, ou se vinham de seu coração.

Os sons pareciam vir de todas as direções ao mesmo tempo.

Anny encontrou um grupo de cavaleiros e disse:

– Senhores, vocês viram a minha mãe?

– Sinto informar, Vossa Majestade, mas não vimos sua mãe. Podemos procurá-la, todavia, se esse for o seu desejo.

– Não, podem deixar que eu mesma procuro, obrigada – ela disse.

Um dos cavaleiros, o de sorriso mais amplo, fez uma reverência de cima do cavalo, dizendo:

– Como quiser, minha bondosa rainha, mas seria mais rápido procurá-la se utilizasse o meu cavalo.

Anny pensou, nunca havia chegado perto de um cavalo. Sentiu vontade de experimentar e pensou que realmente aquela seria a forma mais rápida de encontrar Cindy.

– Eu aceito, cavaleiro, mas você pode me ajudar?

– Claro, Vossa Majestade, dê-me a sua mão – disse bondosamente o cavaleiro, com uma voz que tocou o coração de Anny, como se ele fosse um velho e querido conhecido. Ele usava trajes completamente brancos, destoando de sua face morena. Seu cavalo também era branco e lindo como a neve. Era uma peça de cristal, era o cavalo do exército branco do jogo de xadrez da pequena rainha.

Quando o cavaleiro aproximou-se ainda mais e a ajudou a subir no cavalo, ela pôde ver seu rosto claramente. Era um rapaz de pele morena, bochechas rosadas, lábios grossos, olhos negros assim como seus cabelos. Tinha um rosto muito bonito e bondoso.

– Eu conheço você – ela disse ao juntar-se a ele no dorso do animal –, só não me lembro de onde.

– Creio que ainda não havíamos nos encontrado, Majestade – disse o rapaz.

– É, devo estar enganada, mas seu rosto bondoso é familiar – disse a rainha Anny. – Bem, vamos procurar minha mãe, cavaleiro; é só seguir os sons.

– Seu desejo é uma ordem, minha rainha.

O cavalo branco começou a correr sobre o gramado xadrez e Anny adorou a sensação de sentir o vento batendo na face. Sentiu-se livre como nunca estivera na vida. Eles percorreram imensos campos quadriculados, por infinitos instantes. Anny perdera completamente a noção de tempo e espaço na companhia daquele bondoso cavaleiro. Porém, por mais extensos e magníficos que fossem os domínios da rainha, não havia sinal de Cindy, nem do balanço, embora seus sons estivessem cada vez mais claros. Viram torres, peões, outros cavaleiros, montanhas, cachoeiras, castelos e tudo mais que Jefferson contara à Anny que existia no mundo. Percorreram longos gramados quadriculados. Por todos os lugares onde passavam, as peças reverenciavam a rainha Anny e seu cavaleiro, e eles continuavam a perseguir a doce voz de Cindy e o convidativo ranger do balanço em alta velocidade. O reino era imenso e dava a Anny a sensação de alegria; ela sentia-se em paz naqueles gramados, que constituíam um tabuleiro gigante.

Tudo ao redor era quadriculado, exceto as peças, que eram brancas ou pretas, dependendo do exército do qual faziam parte - ah, claro, e com exceção do sol brilhante e do céu azul, que eram lindos e intensos, ampliando a sensação de infinito daquele reino magnífico. Anny, olhando ao redor, pôde perceber que centenas de peças viviam naquele reino, sob o imenso sol amarelo que o governava; não apenas dois exércitos, e sim infinitos eram seus súditos, e o seu reino não possuía fim.

A rainha desejou fortemente que houvesse alguém para ajudá-la a compreender o que era aquele reino e, dessa forma, encontrar sua mãe. Ela fechou os olhos sentindo a brisa e, então, quando tornou a abri-los, percebeu que havia surgido uma nova figura, que a contemplava do gramado xadrez. Era também uma peça gigante de cristal, e quando eles aproximaram-se, Anny reconheceu-o como um dos bispos do exército preto.

– Senhor Bispo – ela disse –, como posso encontrar a minha mãe?

– Minha rainha, este é o seu reino, ele é do jeito que Vossa Majestade determinar – falou o Bispo.

– Eu não entendo – respondeu a rainha Anny.

Então, o cavaleiro ajudou-a a descer do cavalo, e ela pôde aproximar-se ainda mais do sábio Bispo. Ele tentou ser mais claro:

– O Reino Xadrez é real porque você quer que seja, minha rainha.

– Então, ele não existe de verdade? – perguntou Anny, tristemente.

– Absolutamente – falou o Bispo –, é claro que existe. Todas as fantasias das crianças são reais. Assim como este reino. Ele existe dentro de você apenas, o que o torna ainda mais puro e verdadeiro.

– Ele parece um tabuleiro de xadrez sem fim – falou a rainha.

– E é, Vossa Majestade – continuou o Bispo –, ele é um tabuleiro com proporções infinitas. Não há limites para as fantasias e para os sonhos. Tudo aqui é xadrez porque é assim que você se sente, rainha Anny. O jogo de xadrez que você ganhou de seu pai é o presente mais valioso, que a faz lembrar-se dele e de um maravilhoso dia juntos. Portanto, rainha, tudo o que é felicidade dentro de você é traduzido em xadrez. E isto me faz admirá-la ainda mais enquanto seu súdito: ver o tamanho da felicidade que existe em seu interior, diante das dificuldades de sua vida. Seu reino é infinito, porque assim é o seu coração.

– Mas como você sabe o tamanho da minha felicidade? – indagou Anny.

– Através de tudo que existe aqui – falou o Bispo –, como este reino é o reflexo de suas fantasias e de seus sentimentos, tudo ao nosso redor reflete a grandiosidade de sua alma, minha pequena rainha. Você compreendeu?

– Não – falou Anny, sorrindo. – Você fala engraçado, senhor Bispo, eu não consigo entender sua mensagem ao certo, mas sei que você é bom.

– Obrigado, minha rainha – o Bispo fez uma nova reverência –, você realmente ainda é muito jovem para entender o real significado deste reino. Ele, na verdade, é você, e não há tarefa mais difícil que compreender a nós mesmos. O que é uma pena, porque quando tiver mais idade e puder compreender isto tudo de maneira mais clara, provavelmente não irá querer mais voltar. Nós, os personagens que habitamos os sonhos, geralmente somos esquecidos quando as crianças tornam-se adultos. Eu posso simplificar dizendo que isto tudo existe e é real em você, e eu sou apenas uma figura em seu subconsciente, ou seja, tudo aqui é verdadeiro e será pelo tempo que você quiser. E há uma coisa que eu faço questão de que você saiba, rainha Anny.

– E o que é, senhor Bispo?

– Vossa Majestade é muito pequena no tamanho, mas é muito grande no coração. Compreendeu?

– Compreendi – disse Anny, feliz – Mas se isto é um tabuleiro, por que vocês, as peças, conseguem andar livremente? Eu pensei que os bispos só andassem em diagonal e que cada peça tivesse uma maneira diferente de se movimentar no tabuleiro.

– Você está correta mais uma vez, Vossa Majestade – falou o sábio Bispo –, porém essas regras só são verdadeiras quando estamos numa partida. E no momento não estamos jogando e os exércitos estão em paz, porque você quer que seja assim. Você transborda paz dentro de si, minha rainha.

Anny olhou-o, confusa:

– Você é parte de mim? – perguntou.

Gentilmente, o Bispo respondeu:

– Sim, como tudo ao nosso redor. Sou parte do mais profundo de seu ser. Veja aquele castelo, por exemplo, ele representa sua força, rainha – o Bispo apontou para uma direção.

Foi então que Anny viu, pela primeira vez, o castelo xadrez.

Era uma construção enorme e maravilhosa. Com altos muros, torres que quase alcançavam o céu, soldados ao redor, e um lago preguiçoso deitando-se aos seus pés. Tudo era xadrez.

Anny estava maravilhada com tudo aquilo, mas não entendia completamente as lindas palavras daquele súdito de cristal, nem como o castelo poderia representar sua força. Então, resolveu mudar de assunto:

– Senhor Bispo, posso fazer outra pergunta?

– Todas que quiser, rainha – respondeu o Bispo.

– Se tudo o que você diz é verdade, então tudo o que eu quiser pode acontecer aqui em meu reino? – perguntou a garota.

– Sim. É exatamente isso.

– Então como eu faço para encontrar minha mãe?

– Você se lembra do que havia no dia em que eles partiram?

– Hum, deixe-me pensar – falou Anny.

Ela pensou por alguns instantes, então disse:

– Neve! Havia neve naquele dia! E também havia neve no último dia em que brincamos no balanço!

– Você é esperta! – falou o Bispo.

– Mas como isso pode me ajudar? – perguntou Anny confusa.

– Você se lembra de que eles voltarão apenas depois de um ano? – falou o Bispo.

– Claro que me lembro!

– Pois então estará nevando novamente – ele concluiu.

– Isso significa – disse Anny olhando para o céu – que a neve irá trazê-los novamente para perto de mim...

O Bispo, sorrindo, desapareceu suavemente no ar, assim como o cavaleiro bondoso. Anny, embora sozinha no extenso gramado, sentiu-se mais confiante que nunca e continuou a olhar para o céu, dizendo com toda a força que existia em seu coração:

– Se este é o meu reino, eu desejo que comece a nevar!

Flocos de neve caíram do céu, como se fosse um milagre. Anny abriu os braços e girou sobre o gramado xadrez, sentindo a alegria que a neve trazia junto de si. Ela chorou de felicidade e pôde ouvir o ranger de seu balanço de forma mais incessante, assim como a voz de sua mãe ainda mais próxima: "Quando a neve cair, vou estar com você... E quando a neve se for, vou lembrar de você."

Suavemente sentiu braços quentes envolverem-na em um abraço. Ela fechou os olhos e acariciou aqueles braços.

Lentamente, disse:

– Eu te amo, mamãe.

Ficou muito tempo sentindo a presença de Cindy, enquanto mergulhava em saudades de seu verdadeiro lar, ao envolver-se também pelo ranger infinito de seu balanço, que fazia movimentos harmoniosos ao vento, cada vez mais vivos em seu coração. Ela não percebera o tempo passar, não tinha ideia de quantas horas ficara ali. Poderiam ser horas, ou anos; não importava. Ela tinha estado na presença de sua mãe. Então, suavemente abriu os olhos e viu-se novamente no pequeno quarto, na casa de Jane e Hermes, com o tabuleiro de xadrez que ganhara do pai à sua frente, assim como Tiara. Ela disse para a ovelhinha:

– Tiara, eu tive um sonho maravilhoso! Mas na verdade não sei se foi apenas um sonho – ela lembrou-se vagamente das palavras de um Bispo, então continuou –, acho que era tudo verdade... Eu sou a rainha Anny do Reino Xadrez e lá posso encontrar meus pais; é só pedir para a neve, ela os traz de volta!

A garota abraçou a ovelhinha e sorriu de felicidade, então, resolveu jogar uma partida de xadrez.

Os dias foram se passando e a primavera foi decididamente conquistando seu espaço. Anny, após terminar as tarefas da casa, passava horas sentada no jardim. De lá ela podia ver a Casa Grande, podia ver seu balanço e seu quarto de brinquedos, o que a deixava alegre. Ela podia ver o céu e ler tranquilamente na companhia de Tiara.

Um dia, resolveu que era hora de cuidar do jardim. Jane e Hermes haviam saído para trabalhar, logo, ela estava sozinha na casa, como sempre. Foi até a cozinha e encontrou no armário sob a pia um velho regador.

Lavou-o, colocou água fresca e saiu alegremente para o jardim.

As flores e folhas estavam praticamente todas mortas. Como se não bastasse a falta de cuidados de Jane, elas ainda haviam enfrentado um inverno severo. Porém, Anny insistiu em aguá-las, com esperança de que houvesse um resquício de vida naquele local que pudesse lhe fazer companhia.

Todos os dias pela manhã, Anny regava as plantas, e, pelas tardes, sentava-se junto a elas para ler e jogar xadrez, sempre na companhia de Tiara.

– Vamos, florzinha, reaja! – Ela dizia.

Mas as flores e folhas insistiam em não ouvi-la.

Anny já não precisava de muitas roupas para dormir, pois naquele mês de abril o inverno tinha definitivamente ficado para trás. Ela estava acostumada à nova rotina e procurava fazer as coisas que lhe traziam felicidade da maneira mais simples. Todas as noites, conversava com Papai do Céu, pedindo proteção para seus pais e que eles pudessem voltar logo.

– Eu queria uma companhia, Papai do Céu; sinto-me tão sozinha, tão pequena. Queria alguém para brincar e conversar... Eu peço que, se for possível, me envie uma companhia.

Todas as noites suas orações eram iguais e, apesar de nada mudar em sua rotina, ela sabia que em algum lugar do espaço, alguém a ouvia.

Dormia com a cortina de seu quarto aberta, para que sua última visão do dia fosse sempre a Casa Grande, a *sua* casa.

Naquele dia Anny acordou mais cedo que de costume devido aos raios do sol que incidiam através de sua janela. Abriu os olhos e viu a Casa Grande iluminada. Estava linda.

Abraçando Tiara, Anny disse à ovelhinha:

– Bom dia.

Como estava acostumada a não ter café da manhã, foi pegar o paninho e começar a faxina da casa. O dia estava sendo normal, como todos os outros, exceto pelo fato de que Anny sentia-se extremamente feliz.

Depois de limpar a casa, esperou Jane e Hermes terminarem o almoço, foi comer, arrumar a louça e pela tarde foi sentar-se em meio ao jardim.

Abriu seu tabuleiro de xadrez entre os canteiros, colocou Tiara à sua frente e começou a jogar.

Passou horas naquele local, até que, de repente, percebeu que o tempo havia mudado sem que ela notasse e que uma fina garoa caía.

Seu primeiro pensamento foi de entrar e ficar em seu quarto, porém as gotas de chuva lhe trouxeram paz, e ela não quis sair daquele local.

Era como um sopro renovador, um presente dos céus. Anny não sabia explicar, mas aquela chuva parecia lhe trazer uma alegria diferente.

Apenas colocou o jogo e sua ovelhinha em um local coberto para protegê-los e sentou-se ao lado dos canteiros, sentindo as finas gotas da chuva fina caírem sobre seu corpo.

Ficou ali, sentada, até a chuva passar. Com as energias renovadas, pegou novamente o xadrez e recomeçou o jogo. Fez um movimento com o cavalo e, de relance, percebeu que não estava sozinha. Havia algo colorido naquele cenário. Algo que a chuva havia trazido para lhe presentear, agradecendo pela companhia.

Olhou ao seu redor e não encontrou nada diferente. As flores continuavam sem vida no jardim. Então, direcionou o olhar para o céu. O sol abria caminho entre as nuvens e, junto dele, estava o que Anny procurava: um bonito arco-íris. Ela nunca havia visto um pessoalmente, apenas se lembrava deles em seus livrinhos de colorir.

Porém havia algo errado.

Ele era lindo mas, observando-o atentamente, Anny percebeu que estava diferente dos que vira nos livros.

– Um, dois, três, quatro, cinco, seis, sete... Oito! – Ela tornou a contar suas cores e disse, surpresa: – eu me lembro de ter aprendido que os arco-íris possuem sete cores! Este deve ser especial.

Ela achou interessante treinar os nomes das cores, segundo Jane a havia ensinado; então foi falando as cores para si mesma, até que chegou na oitava faixa:

– A senhora Jane não me ensinou o nome daquela cor, ela deve ter se esquecido. Mas é uma cor tão diferente, tão linda. Eu sempre a vejo e agora percebi que não sei o seu nome. Preciso lembrar-me de perguntar a ela o nome da oitava cor do arco-íris.

– Sinto dizer, mas os arco-íris possuem apenas sete cores.

Anny parou por um momento. Alguém estava falando com ela. Havia tanto tempo que alguém não lhe dirigia a palavra educadamente que ela estranhou e pensou ser a voz de sua imaginação.

– Você sabe jogar xadrez? Duvido que seja melhor que eu – disse a voz.

Decididamente não era a voz de sua imaginação. Anny girou nos próprios calcanhares para ver quem estava ali. Deparou-se com um rapaz bonito, moreno, de rosto bondoso e alegre. Ficou feliz por ter uma companhia, mas lembrou-se das regras:

– Você é sobrinho da senhora Jane? Você não pode me ver. Tem que prometer que vai fingir que nunca me viu aqui, eu vou para o meu quarto!

Ela começou a juntar as peças do jogo, então, o rapaz aproximou-se ainda mais e disse:

– Não sei quem é Jane, apenas vim ver se você queria jogar xadrez comigo, mas se você não quiser, eu posso ir embora.

– Então você não conhece a senhora Jane? – Anny perguntou.

– Não – respondeu o rapaz.

– E o senhor Hermes?

– Muito menos.

– Hum... – Anny pensou por um momento, então disse: – dessa forma não estou quebrando as regras, você pode jogar comigo. Mas deve ir embora antes de anoitecer, pois eles não ficarão felizes em vê-lo aqui.

– Está combinado.

Anny e o rapaz jogaram uma demorada e gostosa partida de xadrez. Ela sentia-se tão feliz por ter uma companhia que nem se lembrou de perguntar de onde ele viera.

As horas passaram de forma prazerosa e doce... Como se Anny e o misterioso rapaz fossem velhos amigos.

O sol estava começando a se pôr, quando ele disse:

– É melhor eu ir embora.

– Você vai voltar para jogar amanhã? – perguntou Anny.

– Não sei se amanhã, mas prometo que voltarei assim que possível.

– Está bem, obrigada pela companhia, me fez muito bem! – a garota disse.

– Me fez bem também... – ele interrompeu a frase, então, ela completou:

– Anny, me chamo Anny.

– E eu me chamo Pepeu.

– Pepeu, você tem pais?

– Não tive tempo de conhecer minha mãe, mas meu pai sempre foi muito importante para mim. E você?

– Eu tenho, mas os meus estão longe. Logo, eles voltarão para me visitar. Eu os amo muito, Pepeu, e sinto falta deles todos os dias. Mas agora estou feliz que você esteja aqui, eu nunca tive um amigo antes.

– Que bom, então podemos ser amigos!

– Mas, Pepeu, você parece mais velho, quantos anos você tem?

– Tenho 21, e você?

– Oito. Será que podemos ser amigos mesmo assim? – Anny perguntou.

– É claro que podemos. E seremos bons amigos. Eu prometo que virei visitá-la sempre que for possível. A propósito, você é muito boa no xadrez – disse Pepeu.

– Obrigada – ela respondeu contente –, foi papai que me ensinou.

– Bem, eu realmente tenho que ir embora – disse o rapaz.

– Fique mais um pouco, Pepeu, eu gosto tanto da sua companhia.

– Eu não posso, Anny.

– Então, eu posso lhe dar um abraço de despedida?

– Claro – respondeu o rapaz.

Anny foi até ele, timidamente. Pepeu ficou de joelhos, para que pudesse ficar da altura da garota, então abriu os braços e ela entregou-se a um fraternal abraço no rapaz.

Estando bem próxima a ele, Anny achou-o ainda mais bonito, com sua pele morena e lisa, seus lábios grossos e bochechas rosadas. Pepeu tinha cabelos negros e curtos, que escorriam sobre sua testa, pressionados por uma boina. Vestia uma blusa de botões caramelo, bermuda marrom e suspensórios. Anny passou os delicados dedos sobre sua face e disse:

– Você é bonito, Pepeu, tem um rosto bondoso.

– Você também é linda, Anny.

– Obrigada, eu pareço mesmo com papai e mamãe.

Pepeu sorriu, e Anny continuou a observá-lo. Então, falou:

– Você usa um chapéu engraçado. É diferente dos que o papai costuma usar.

– É porque na Inglaterra os hábitos são um pouco diferentes – ele respondeu.

– Como assim? Você não é da Inglaterra? – a menina perguntou intrigada.

– É uma longa história, que não interessa agora, Anny.

Ela já estava acostumada com a falta de explicações para suas perguntas, então não insistiu.

Antes que Pepeu se levantasse para ir embora, ela deu-lhe um beijo na bochecha e falou:

– Você é meu melhor amigo.

– Obrigado, Anny, fico feliz – ele respondeu sorridente.

– Pepeu, posso fazer uma última pergunta antes de você partir?

– Claro.

– Você é um anjo? – perguntou Anny.

– Um anjo? Claro que não! Por que imaginou isso? – retrucou o rapaz.

– É que eu pensei que você fosse um anjo que Papai do Céu enviou para me fazer companhia e espantar minha solidão. Sabe, Pepeu, eu peço isso todas as noites...

– Mas não, eu não sou um anjo... – respondeu Pepeu, parecendo sério.

– Desculpe, você não gostou do que eu disse?

– Não se preocupe, Anny, eu apenas me lembrei de uma pessoa muito importante, que eu costumava chamar de anjo...

Naquele momento, Anny ouviu um conhecido barulho de automóvel e percebeu que Jane e Hermes haviam chegado. Ela correu para olhar pela janela da cozinha e viu que Pepeu fora embora pelo corredor lateral, de modo que não cruzaria com os donos da casa, que, em instantes, entrariam pela sala.

Anny ficou aliviada, embora sentisse que o novo amigo não pudesse ter passado mais tempo com ela.

Ficou parada em meio aos canteiros e direcionou um olhar feliz para o céu, que já estava começando a ficar escuro devido à proximidade da noite. Pôde ver a primeira estrela nascer. A garota, então, olhou para o tabuleiro e viu o jogo de xadrez que havia jogado com Pepeu. Direcionou novamente seu olhar para cima e falou:

– Obrigada, Papai do Céu.

■

No dia seguinte, Anny terminou suas tarefas mais cedo para esperar Pepeu no jardim, mas ele não apareceu. A noite chegou e ela havia passado mais um dia inteiro sozinha.

O local onde vivia era sempre muito silencioso, de modo que as horas pareciam demorar mais a passar. Anny tivera um longo dia de espera frustrada e os únicos sons que ouvira foram os pássaros cantando livres no céu; além do carro de Hermes, quando ele chegou do serviço.

Anny sentou-se em sua cama sem sono aquela noite. Queria brincar, conversar, queria poder ser criança. Mas não podia sair do pequeno quarto, senão Jane e Hermes ficariam bravos. Então, ela ficou olhando as estrelas e a lua que iluminavam a Casa Grande. Seus pensamentos demoraram-se em seus pais.

Pensou nas panquecas, nos sábados junto a eles, na televisão e na lareira, no jogo de xadrez com o pai, no balanço com a mãe, nos leves toques dela quando tocava piano. Seu coração se apertou e uma lágrima caiu. Porém, ela devia cumprir a promessa que fizera ao pai; não podia chorar.

– Eu não tenho motivos para ficar triste – ela disse para si mesma –, estou no lugar que eles acharam que seria melhor para mim, e eu confio neles. Logo estarão comigo.

Então, como nas outras noites, ela fechava os olhos e pensava neles... Seu pequeno corpo estremecia ao se envolver em seus braços, mesmo que em pensamento... Não importava quanto tempo mais ela teria que esperar, eles voltariam, ela podia sentir. Depois de alguns minutos, a garota tornava a abrir os olhos e tudo que vislumbrava era o pequeno quarto à sua volta. As lágrimas escorriam silenciosamente por sua delicada face de criança e seu peito doía de saudades... Ela esfregava carinhosamente os braços, nos locais em que, em pensamento, acabara de sentir o abraço deles... E, após mais uma noite entregue às lembranças, enxugava as lágrimas e dizia suavemente, como se eles pudessem ouvi-la: "Eu te amo, papai; eu te amo, mamãe".

Orgulhava-se de pensar que aquelas lágrimas eram de felicidade; então, ela não estava quebrando promessa alguma.

Na manhã seguinte, Anny ouviu Hermes mencionar que era sábado. Pensou em como os sábados costumavam ser especiais e em como tudo havia mudado em sua vida.

O tempo estava sendo um companheiro infiel; passava vagaroso agora que ela não estava junto aos pais.

No calendário da pequena Anny não havia mais sábados, havia apenas dias iguais. Era um calendário sem graça. O relógio, então, parecia estar em greve e movendo os ponteiros a passos lentos e pesarosos.

- Vou decretar no Reino Xadrez que todos os dias, a partir de agora, serão sábados; e que todos os relógios sejam acelerados até que mamãe e papai voltem!

Anny levantou-se, mais uma vez com a barriga doendo de fome (ela acostumara-se a não comer de manhã, mas, aparentemente, seu estômago não) e foi para a cozinha buscar a vassoura.

Chegando lá, a senhora Jane estava tomando café da manhã.

- Bom dia, senhora Jane - Anny falou.

Jane não respondeu, nem moveu os olhos em direção à garota. Então, Anny, em sua ingenuidade, pensou que ela pudesse não ter escutado e falou mais alto:

- Bom dia, senhora Jane.

- O que foi que eu falei, garota?

Anny olhou-a assustada, diante daquele tom grosseiro e autoritário logo pela manhã.

- Você não se lembra, seu estorvo? Eu falei para você fingir que não existe, e só me dirigir a palavra quando for necessário.

A garota segurou o choro dentro de si, pegou a vassoura e o paninho e foi fazer suas tarefas domésticas. A senhora Jane, todavia, ainda fez um último comentário antes de ela sair da cozinha:

- E varra melhor a sala, eu achei poeira nos cantos ontem.

Anny resolveu começar, então, pela sala, embora estivesse confusa sobre como poderia arrumar e limpar corretamente um cômodo tão bagunçado.

Delicada, como sempre, segurou a vassoura, que era maior que ela própria, e foi varrendo o local, prestando atenção para não se esquecer de nenhum cantinho. Após varrer, foi passar pano nos móveis. Geralmente ela não se incomodava em cuidar da casa, até gostava, mas Jane havia sido tão grosseira que Anny não estava contente em ter que realizar suas tarefas aquele dia.

– Hoje é sábado – pensou –, era para tudo ser diferente!

Limpou o rádio e a televisão, lembrando-se de quando assistia ao seu programa preferido com os pais. Sentiu saudades daqueles momentos; sentiu vontade de assistir televisão, mas era contra as regras.

Enquanto limpava, sentiu também, pela primeira vez, vontade de espiar através das pesadas cortinas, para poder ver a rua, o lado de fora da casa, o mundo que a envolvia sem que ela tomasse conhecimento. Era como se o mundo a abraçasse, mas vendasse seus olhos ao mesmo tempo.

Anny sabia que a casa de Jane era bem menor e mais simples que a Casa Grande, mas não sabia exatamente como era sua fachada. E sabia que havia uma pequena garagem onde Hermes guardava seu carro, que também não devia ser tão bonito quanto o de Jefferson. Lembrou-se do Cadillac vermelho do pai. Ela não havia andado nele nem uma vez sequer, porém ouvir o barulho dele chegando em casa era um dos sons mais agradáveis que ela conhecera na vida, juntamente às melodias de Cindy e ao ranger do balanço.

Observou, pela primeira vez com atenção, as fotos que havia pela sala. Eram fotos em branco e preto, em sua maioria de quando Jane e Hermes eram jovens. Ela achou a mulher bonita quando moça, porém sempre com aquele ar autoritário. Hermes, por sua vez, não era tão assustador sem barba e possuía um olhar menos amargurado.

– A senhora Jane deve tê-lo deixado triste ao longo dos anos; talvez porque não tiveram filhos – Anny pensou.

Ela segurava um retrato nas mãos, quando Hermes entrou na sala sem avisar:

– O que você está fazendo? Sua garota curiosa! Deixe já isso aí e se concentre em suas obrigações!

– Sim, senhor Hermes, me desculpe.

Porém, Anny ficara tão nervosa com a repentina aparição que, sem querer, deixou escapar o retrato das mãos. Ele caiu no chão, quebrando o vidro que segurava a foto.

– Ora essas, sua imprestável! – bradou o homem – Arrume já essa sujeira. Vou ter que pedir mais dinheiro para seu pai, para comprar o que você quebrou. Além de um estorvo, é uma inútil mesmo!

O homem saiu da sala resmungando, e Anny abaixou-se para limpar os cacos. Desta vez não tinha como segurar as lágrimas.

Ela não era inútil, sabia que não era. Sabia que os pais não pensavam isso dela. Hermes estava sendo injusto. Mas como ela poderia esperar algo bom de uma pessoa que estava sempre com expressões infelizes?

– Não podemos esperar das pessoas mais do que elas estão prontas para nos entregar – ela pensou –, papai me disse isso uma vez.

No fim daquele sábado, Anny estava no jardim, novamente jogando xadrez. Já havia regado as plantas e Tiara estava com ela. A garota pensava onde estaria Pepeu e por que ele não teria voltado.

– Será que ele não gostou de mim? – ela perguntou para Tiara. – Mas ele disse que gostou e que seria meu amigo, eu sei que ele falou a verdade, eu vi em seus olhos.

– Você está falando sozinha outra vez, garota? – A senhora Jane estava no quintal, dirigindo-se a Anny. – Eu tenho a observado nos últimos dias e tenho notado que você fala sozinha o tempo todo. Acho bom parar de bobagens, ou terei que confiscar esse jogo idiota.

– Eu não estava falando sozinha, estava falando com a Tiara! – Anny apontou para a ovelhinha.

– Era só o que me faltava! Uma maluca dentro da minha casa. Se eu pegar você falando com um brinquedo mais uma vez, eu vou cortar essa ovelha em pedacinhos!

Jane entrou novamente na casa e Anny ficou pensando que ela devia estar tendo um dia ruim, porque estava muito mal-humorada. A garota, então, deitou-se entre os canteiros e virou-se de costas para o chão. Ficou a observar o céu. O azul imenso trazia-lhe paz, dava-lhe a sensação de liberdade. Depois levou seu olhar até os muros das casas vizinhas. Nos fundos da casa de Jane, ficava a casa dela, a Casa Grande, porém, ela nunca parara para observar as casas ao lado. Não podia ver muita coisa além de seus muros. Seria interessante conhecer novas pessoas. Ela pensou: "Quem viverá nesses lugares? Será que há crianças? Eu gostaria de ter vizinhos para brincar."

De repente ela teve uma ideia:

– Já sei, o Pepeu deve morar em uma dessas casas! Mas então, por que ele não voltou ainda?

Em meio aos pensamentos, Anny foi lentamente fechando os olhos e, quando se deu conta, estava novamente no Reino Xadrez. Sentiu-se feliz de estar de volta àquela terra, onde tudo poderia ser realidade. Andou saltitante por entre as árvores, viu pássaros e outros animais que ela só havia visto em seus livros e percebeu que tudo o que sempre teve vontade de conhecer estava ali. Sorriu ao ver os pássaros dançarem no céu e os peixes no lago; todos eram quadriculados. Viu novamente os cavaleiros cavalgarem livremente em seus cavalos.

Então, olhou para o magnífico castelo que, segundo o Bispo, representava ela mesma e toda sua força. Ele era enorme e bonito. Anny observou-o por um tempo, desejando que seu rei, Jefferson, estivesse ali.

Sem perder tempo, pediu logo que nevasse.

A neve começou a cair sobre ela, e sua mãe, Cindy, veio andando em sua direção.

Ela correu para abraçá-la e deu-lhe um beijo, dizendo:

– Mamãe, por que o papai não veio com você?

– Filha, seu pai corre perigo – falou Cindy, sua voz parecia ecoar.

– Não pode ser, mamãe, eu jurei que iria protegê-lo.

– Todos nós estamos em perigo.

– Eu também? – perguntou Anny.

– Sim, você também. Ele pediu que eu lhe avisasse, para que você fique atenta.

Cindy soltou-a no chão e deu meia volta para ir embora. Então, Anny correu até ela e falou:

– Mamãe, vocês ficarão bem?

– Sim, espero que sim.

– Mas o que está acontecendo?

– Você não entenderia, Anny, mas o serviço meu e de seu pai é muito arriscado e está cada vez pior. Seja forte.

– Está bem, mamãe. Eu rezarei por vocês, para que não corram mais perigo.

A mãe enviou um último olhar à filha e desapareceu, deixando Anny em meio ao gramado do Reino Xadrez.

O mundo, então, começou a girar. Os cavaleiros caíram de seus cavalos. Em meio ao caos, Anny conseguiu ver um rosto conhecido de um bonito cavaleiro com expressões bondosas; os animais sumiram, as peças de cristal desabaram, o céu ficou escuro e o castelo começou a desmoronar. Fortes estrondos ecoaram por todo o Reino Xadrez, à medida que as pesadas muralhas do castelo caíam se desfazendo sobre o chão... Uma fumaça formou-se em meio ao estrondoso desabamento e o castelo perdeu sua imponente forma, restando apenas ruínas.

Anny não conseguia sentir o chão ao pensar que seu rei pudesse correr perigo. Ela olhava para aquele lindo castelo que, em instantes, tornara-se apenas ruínas e sentia seu coração doer ao pensar que algo poderia acontecer a seu pai, que tudo em sua vida estava desmoronando, assim como aquele castelo. Seu rei, seu pai Jefferson, corria perigo e ela não era capaz de cumprir a promessa que lhe fizera, de protegê-lo para sempre. Foi então que uma figura conhecida surgiu no meio daquelas ruínas e começou a andar na direção de Anny.

Ela reconheceu o sábio Bispo que, outro dia, ensinara-lhe a fazer nevar, e disse a ele:

– Meu rei, meu pai Jefferson não está bem. O que eu faço, senhor Bispo? Por favor, me ajude!

– Eu vim aqui para lembrá-la de que tudo o que você sentir irá tornar-se realidade. Veja aquelas ruínas, foi você que fez aquilo!

– Não, eu não fiz aquilo, o castelo era tão lindo! – disse a menina.

– Fez sim, minha pequena rainha, inconscientemente, mas fez – falou o Bispo com calma.

– Como? Eu não consigo entender – quis saber Anny.

– Você deixou-se levar pela notícia que recebeu e pensou em coisas ruins, então, seus pensamentos se tornaram aquilo que você sentiu e foram transformados em realidade, fazendo com que o seu mundo, o seu reino, se tornasse um caos. Toda sua força se esvaiu, minha rainha, e tornou-se ruínas.

– Por isso todos os animais se foram, os cavaleiros e os outros súditos caíram e o castelo desmoronou? – perguntou Anny.

– Exatamente – falou o Bispo. – Da próxima vez em que receber uma notícia ruim, pequena rainha, não a retribua com pensamentos ruins, senão tudo na sua vida ficará em ruínas, como aquele lindo castelo. Retribua coisas ruins com pensamentos e ações positivas, assim tudo se encaminhará para a melhor solução e seu mundo continuará lindo e vibrante. Repare que até as cores do seu reino tornaram-se mais pálidas quando tudo desmoronou. O branco e o preto fundiram-se em tons de cinza nada amistosos.

– É verdade – disse Anny, olhando ao redor e vendo o caos em que deixara o seu reino, ou melhor, o seu mundo interior. – Obrigada, senhor Bispo, vou me lembrar de suas sábias palavras e emitir pensamentos positivos para papai e mamãe, dessa forma os ajudarei a sair da situação difícil.

– Você aprende rápido, Vossa Majestade. Não se esqueça de que tudo aqui é você. Eu e tudo mais não existimos sem o seu desejo, minha rainha. E tudo o que você sentir se refletirá em seu mundo. Não permita que o Reino Xadrez volte a desmoronar. Não permita que seu subconsciente desabe frente às dificuldades. Sua vida não é doce, mas você é, e isso é tudo que importa, rainha Anny. Ou seja, o importante não é aquilo que a vida nos coloca de obstáculo, mas sim como reagimos a tudo. Eu vivo em você e posso afirmar que Vossa Majestade é muito corajosa e que em seu interior só há espaço para bondade e amor. Reconstrua seu castelo dentro de si e proteja-o contra você mesma, para que ele não volte a desabar. A tarefa é difícil, mas se há uma pessoa no mundo que é capaz de realizá-la, essa pessoa é você, Anny. Confie em si mesma, em seu futuro e no imenso amor que existe em seu coração de criança.

O contraste entre o branco e o preto foi voltando a ganhar força no Reino Xadrez e tudo foi se reconstruindo, à medida que a rainha sorria ao assimilar as palavras daquele sábio Bispo, que desaparecera como fumaça.

Ela ficou parada no gramado, pensando no pai e na mãe. Reviveu em sua mente o sábado em que ganhara o xadrez de cristal: sua melhor lembrança. Lentamente lembrou-se da forma gentil como Jefferson lhe explicara as regras do jogo e da forma suave como Cindy a embalara no balanço, enquanto cantava.

Reviveu também o dia em que viu o arco-íris de oito cores, que havia trazido Pepeu.

A companhia do rapaz também era uma lembrança alegre.

Assim, o grande castelo xadrez se reergueu aos poucos. Os súditos de cristal também se levantaram e voltaram a caminhar alegremente pelo gramado.

Os cavalos corriam de forma divertida, ao mesmo tempo em que os pássaros cantavam e o rio murmurava pelo reino.

Então, as imagens começaram a se embaçar, perdendo o foco e a nitidez.

Anny abriu lentamente os olhos, estava no jardim, nos fundos da casa da senhora Jane. Ela não conseguia lembrar-se claramente do sonho que tivera, porém sabia que tudo o que deveria fazer era ter pensamentos bons. Então, uma voz estridente a interrompeu:

– Dormindo no meio do dia? Você acha que está no acampamento de férias? Se lhe falta o que fazer, eu posso arrumar mais serviço! – Berrou a senhora Jane da janela.

– Desculpe – disse Anny, sentando-se.

– Pare de pedir desculpas por tudo, como você é irritante! A partir de amanhã arrumarei mais serviços para que você não passe tanto tempo à toa! Que falta de educação dormir assim, na minha casa, no meio do dia!

A senhora Jane sumiu no interior da pequena casa, deixando Anny novamente sozinha. Já começara a escurecer e ela sentiu fome mais uma vez.

Ficou alguns instantes olhando para o jardim e, com esforço, conseguiu relembrar um pouco do sonho que tivera, havia sido incrível! As palavras do Bispo eram muito sábias, porém ela ficou preocupada com os pais. Será que eles realmente corriam perigo?

De repente, algo que ela não havia percebido antes chamou a atenção de seus olhos. Em meio ao jardim uma pequena flor começara a ganhar vida. Era um ramo verde, com um botão em sua ponta. Anny alegrou--se muito em ver vida surgir naquele local e pensou que, com o tempo, poderia trazer vida ao jardim todo. Aproximou-se da pequena flor que, assim como ela, era pequena, delicada e frágil, mas sorria para a vida e insistia em vencer, mesmo frente a tantos obstáculos e dificuldades.

– Vou cuidar de você – ela disse, acariciando a flor.

Então, Anny virou-se e percebeu que não estava sozinha:

– Pepeu! – Ela exclamou. – O que você faz aqui hoje? A Jane e o Hermes estão em casa, eles não podem vê-lo!

– Eu sei – disse Pepeu –, mas eles estão ouvindo rádio, então pensei em passar para lhe dar um abraço.

Anny ficou animada e pulou no colo do amigo.

– Que bom que você está aqui, não tem sido fácil, Pepeu. Sinto-me muito sozinha; Jane e Hermes têm sido cada vez mais severos.

– Eu sei, pequena – falou o rapaz –, mas você precisa ser forte. Eu estou aqui para ajudá-la.

Ela sorriu e abraçou o amigo com ainda mais força, então olhou demoradamente para seu rosto e disse:

– Eu sei de onde conheço você, Pepeu, acabei de me lembrar: eu o conheço dos meus sonhos!

3

UM COMPANHEIRO PARA O XADREZ

Um sorriso calmo, sem pressa, um sorriso de menino, mesmo que no rosto de um pequeno homem. Um sorriso sincero, conquistador, desafiador e, ao mesmo tempo, desbravador... De um mundo sem limites.

Pepeu olhou com ternura para o rosto da pequena garota e, sorrindo, disse:

– Você é muito amável, Anny, mas como pode me conhecer dos seus sonhos?

– Não sei – falou a menina –, apenas sei que já o vi, embora não consiga lembrar claramente.

Ela pensou por um breve instante, como se tentasse recordar seus sonhos mais lindos. Não obtendo resultados, continuou a conversa:

– Papai do Céu é tão bom, eu nem merecia tanto.

– Do que você está falando, Anny? – indagou o rapaz.

– É que Ele me enviou duas companhias de uma só vez. Eu sempre me senti muito sozinha e pedi a Ele que me ajudasse. Então, Ele enviou você, que já é um amigo muito querido; e minha pequena flor, que representa esperança e coragem em meio a tantos obstáculos.

Ela girou a face até um dos canteiros do jardim e olhou para a delicada planta que nascera bravamente por entre as dificuldades daquela porção de terra esquecida por Jane e Hermes e agora resgatada pela doce menina. Pepeu acompanhou seu olhar e não pôde deixar de sorrir ao ver aquela pequena forma de vida ganhando espaço no jardim onde, aparentemente, só restara lugar para a morte.

– Sua flor é linda, Anny, como você conseguiu fazê-la crescer ali, naquele canteiro sem vida?

– Segredo – disse a menina, toda orgulhosa.

– Ora, amigos não têm segredos uns com os outros – falou Pepeu.

Anny pegou em uma das mãos do rapaz e levou-o para perto da flor. Ela era muito delicada e possuía pequenas pétalas frágeis, ainda à espera da hora certa de se abrirem para o mundo. Eram das cores rosa e branco. Pepeu encostou levemente os dedos na pequena plantinha e estremeceu.

O rapaz pareceu inebriado com tamanha suavidade:

– Então, este é o seu segredo; ele é muito valioso – disse, tocando a flor. – Você tem razão em guardá-lo bem, Anny.

– Você descobriu como fiz a flor nascer, Pepeu?

– Claro, dá para sentir ao se aproximar dela. Apenas um toque é necessário para que seu segredo seja revelado. Ela é frágil, mas o poder que carrega é muito intenso. É o amor.

– Você conseguiu sentir o amor quando tocou a plantinha? – Insistiu Anny, ainda não compreendendo o que o amigo dizia.

– Sim, é exatamente isso. Uma vez que se conhece o amor, ele deixa uma marca tão forte que o reconhecemos todas as vezes que voltamos a encontrá-lo. Em qualquer situação que seja. – respondeu Pepeu, pela primeira vez sem sorrir.

– Pepeu, por que você está sério? Seu sorriso é tão lindo... – questionou a garota. – O amor não deve ser uma coisa alegre?

– Desculpe-me, Anny, eu estava me lembrando do dia em que o amor chegou em minha vida. A saudade me consome e, de certa forma, me entristece.

– Como foi, Pepeu?

– Não vale a pena falar disso agora... – o rapaz deu mais um leve toque na pequena flor, então, olhou para Anny e continuou: – Não vale a pena porque você está certa.

– Certa sobre o quê?

– O amor deve ser uma coisa alegre – falou Pepeu, levantando-se e olhando para o céu.

Então, o sorriso de sempre surgiu no rosto do rapaz. A princípio, ele demonstrara insegurança ao lembrar-se do amor. Mas agora, tal fascinante sentimento parecia convocar do fundo de sua alma as lembranças mais sublimes que ali havia.

Ele esboçou seu sorriso largo e contagiante, daqueles que fazem todos sorrir também. Um sorriso calmo, sem pressa, um sorriso de menino, mesmo que no rosto de um pequeno homem. Um sorriso sincero, conquistador, desafiador e, ao mesmo tempo, desbravador... De um mundo sem limites.

Tudo que havia naquele sorriso era reflexo do que a simples lembrança do amor trazia a Pepeu:

– Eu quase consigo ouvir o som do mar... – ele disse em um sussurro, entregue a lembranças de um passado recente, quando o amor era seu melhor amigo e companheiro.

– Som do mar? – indagou Anny.

– Um dia, pequena – ele disse, parecendo voltar de seu transe –, eu lhe contarei a história de minha vida, ela é permeada pela melodia salobra do oceano.

Anny não compreendia. Mas não era preciso. Ela sabia que Pepeu se abriria no momento exato. Tudo o que importava agora era olhar para o sorriso do amigo. O seu brilho trazia alegria, paz, conforto. Então, o coração de Anny encheu-se de felicidade e ela disse:

– Sabe, Pepeu, você descobriu meu segredo. Mas não se esqueça de que, além do amor, eu usei muita fé e dedicação.

De fato, Anny utilizara sua fé, não deixando que pensamentos destrutivos a impedissem de tentar. O jardim, antes, parecia morto. Mas, a partir da fé, ela fizera surgir ali uma vida nova. Ela manteve seus pensamentos e sentimentos concentrados na pequena chance de fazer acontecer, porque sabia que nada é impossível quando se deseja de todo o coração. Ela queria ver vida naqueles canteiros. Queria ver cor, alegria, natureza, queria ver o rosto do Papai do Céu na nova casa em que vivia. Teve dedicação ao disponibilizar grande parte do seu tempo àquilo que desejava, não apenas regando as flores, mas estando ao lado delas e dando-lhes força para renascer. Ela sabia que aquela pequenina era apenas a primeira e era apenas uma questão de tempo para que seu jardim estivesse repleto de vida. Sentiu-se feliz em dividir aquilo tudo com Pepeu. Sabia que ele não era apenas um companheiro para as partidas de xadrez, mas sim um amigo para dividir todos os momentos.

– Pepeu – Anny continuou dizendo –, eu também sei reconhecer o amor. Porque eu amo o papai e a mamãe mais que tudo.

O rapaz virou seu olhar para a pequena garota e ajoelhou-se diante dela, deu-lhe um abraço e falou:

– Que sorte eu tive em conhecê-la.

– Eu que tive sorte, Pepeu. Como já disse, Papai do Céu foi muito bom comigo. Apesar de eu não estar com papai e mamãe agora, e nem estar na minha verdadeira casa, Ele me deu você e a minha flor de uma só vez.

Nesse instante, Anny ouviu passos aproximando-se do jardim em que estava, nos fundos da pequena casa onde agora vivia.

Foi uma questão de segundos, e Pepeu saiu rapidamente pelo corredor lateral, no mesmo momento em que Jane apareceu.

– Com quem você estava falando? – Ela perguntou rispidamente.

– Com ninguém – respondeu a garota.

– Não me faça perder a paciência! Eu ouvi muito bem você falando!

Então, a senhora Jane deu uma pequena volta entre os canteiros, mesmo não sendo possível alguém estar escondido em um espaço tão pequeno. E, finalmente, observou o corredor lateral. O coração de Anny disparou. Mas tudo estava vazio.

– Decerto estava falando sozinha outra vez – resmungou a mulher. – Eu disse para o Hermes que você não bate muito bem das ideias. Vá já para o seu quarto, eu não quero voltar a vê-la hoje.

– Sim, senhora Jane – respondeu Anny.

A garota pegou o jogo de xadrez e sua ovelhinha Tiara e os levou para o quarto. Antes de entrar na casa, ela virou-se e disse:

– Boa noite, senhora Jane.

Sem ter resposta alguma, rumou para seu pequeno e frio quarto.

Anny deitou-se na cama. Como de costume, abriu a cortina e ficou olhando para a Casa Grande, enquanto conversava com Papai do Céu. A saudade tentou sufocá-la, mas ela não lhe deu chance desta vez. Tivera um dia muito feliz, não queria que ele acabasse em lágrimas. Pensou no pai e na mãe, deu-lhes um beijo em pensamento, sorriu ao lembrar-se do sorriso contagiante de Pepeu e pegou no sono.

No meio da noite, Anny acordou assustada com fortes barulhos. Ela olhou pela janela e viu que estava claro, embora sentisse que dormira poucas horas.

A garota levantou-se e foi olhar o céu. Realmente ainda não amanhecera, porém também não era possível ver a lua ou as estrelas. Tudo estava coberto por pesadas nuvens, que tornavam o céu laranja. Apesar de bonito, era assustador, e ela soube que os fortes barulhos vinham dos raios e trovões que anunciavam a tempestade vindoura.

Anny fechou a cortina pela primeira vez, sentindo-se ainda mais sozinha por não poder ver sua casa e a janela do seu quarto de brinquedos. Ela deitou-se na cama e abraçou Tiara com toda força que tinha. Os barulhos foram se intensificando e a água logo começou a desabar do céu.

Anny sempre tivera medo de tempestades mas, antes, tinha os pais ou Melanie para protegê-la, e agora tudo o que tinha era Tiara. Conforme os sons da natureza se intensificaram, o pequeno corpo da garota foi estremecendo. Ela tentou tapar os ouvidos, mas pouco adiantava.

Os sons foram aumentando e ela não conseguia se acalmar. Tentava falar com o Papai do Céu, mas a concentração não vinha. Tentava pensar em coisas alegres, mas os barulhos espantavam seus pensamentos.

O céu parecia furioso, como se alguém houvesse despertado a sua ira.

Já não havia mais o que fazer, exceto entregar-se ao pânico, que estendia os braços convidativamente a Anny.

Então, sem perceber, ela começou a gritar. Foi um grito sofrido e agudo, de criança assustada; seguido por outro grito, e mais outro.

Eram gritos que não só expressavam o medo da tempestade, mas também tudo aquilo que estivera escondido em seu peito desde o dia em que tivera que dizer adeus aos pais.

Era como se a fúria dos céus despertasse a fúria em seu coração.

– Eu não consigo, papai, não consigo cumprir a promessa que lhe fiz. Não consigo conter meu choro. Perdoe-me. Eu amo você e a mamãe – ela dizia, chorando.

Então, outro forte estrondo a fez pular de medo e gritar com ainda mais força; uma mão segurando Tiara e a outra tentando, frustradamente, tapar as orelhas.

A porta do pequeno quarto se abriu repentinamente; Jane e Hermes entraram no local parecendo furiosos:

– Pare de gritar, sua insuportável! – berrou Jane – Já não basta o barulho da chuva, ainda temos que ouvir seus gritos? Precisamos dormir!

– É, Jane, você está certa. – falou Hermes, olhando a menina, que ainda se contorcia de pavor na cama – Esta garota está cada vez mais louca: fala sozinha e, agora, faz um escândalo por causa de uma simples chuva. Talvez aquela sua ideia de interná-la não seja tão descabida.

Anny havia parado de berrar, porém, olhava assustada para o casal à sua frente. Estava na cama, ainda soluçando, e seu medo agora era maior ao contemplar as expressões da senhora Jane.

– Os pais dela não irão gostar que a internemos, Hermes – falou a mulher – Vamos deixar isso como segunda opção, você sabe que o Jefferson tem sido muito generoso conosco.

Jane olhava para Anny com uma expressão de raiva intensa, que a garota desconhecia. Ela teve tanto medo que desviou o olhar para não penetrar aqueles olhos raivosos.

– Pegue sua cinta, Hermes – foi tudo o que Jane falou, ainda fitando furiosamente a menina.

– O quê? – perguntou Hermes, assustado – Você não acha que está exagerando...

Mas Jane o interrompeu, desta vez berrando:

– A cinta! Vá buscar já a cinta!

Hermes saiu correndo do quarto, enquanto Jane aproximou-se de Anny, que ainda não ousava encará-la, e disse baixinho:

– Você não vai contar nada ao papai e à mamãe, vai?

Anny sibilou algo quase inaudível. Então, Jane disse:

– Muito bem, será nosso segredinho. Saiba que estamos fazendo isso para o seu bem, temos que ensiná-la a não ter medo de uma simples tempestadezinha.

Hermes voltou com uma grossa cinta de couro e entregou-a para Jane. A mulher começou a aplicar o castigo na garota, da maneira como julgava merecido.

Anny não gritou, não queria piorar as coisas, apenas abraçou Tiara enquanto apanhava e deixou que as lágrimas deslizassem caladas por sua face.

A dor era tanta que ela tremia da cabeça aos pés. Tentou pensar nos pais para afastar o medo.

Então, uma música invadiu seu coração, ao longo dos vários minutos em que Jane continuava a castigá-la: "Quando a neve cair, vou estar com você... E quando a neve se for, vou lembrar de você... Faça chuva ou sol, vou sorrir ao pensar... Que a levo em meu coração..."

Hermes estava sério e calado, assistindo à cena da porta do quarto de Anny. Vendo que a esposa estava fora de controle, ele foi até ela e arrancou-lhe a cinta das mãos:

– Basta – disse apenas. Em seguida, saiu do quarto levando a cinta.

Jane ficou a observar Anny, que mantinha os olhos parados em direção à janela e não emitia som algum, além de seu choro contido.

– Amanhã você não come – disse a mulher se retirando e, em seguida, batendo a porta com fúria.

Os raios e trovões ainda produziam fortes barulhos do lado de fora, e o corpo de Anny doía. Ela não podia mais gritar. Então, escondeu a face no pequeno travesseiro, para que Jane e Hermes não ouvissem seus soluços. Aos poucos foi se acalmando, cobriu-se com a manta vermelha e abraçou Tiara.

Olhando para o teto, disse:

– Me dê a mão, Papai do Céu.

Foi tudo o que ela conseguiu dizer. Então, permaneceu debaixo da pequena coberta, com sua ovelhinha, esperando a chuva ou o medo ir embora. Este foi o primeiro a partir. Ela pensou nas outras tempestades que já enfrentara na vida. Os pais a deixavam subir na cama entre eles e a acalmavam até que a chuva se fosse. De tanto pensar naquela doce lembrança, seu coração se acalmou, vencendo seu medo, ou enganando-o, uma vez que os barulhos deixaram de incomodá-la. Ao lembrar-se dos pais e do amor que tinha por eles, ela conseguiu, finalmente, segurar a mão do Papai do Céu, enquanto escutava as vozes de Cindy e Jefferson, acalmando-a sobre a tempestade que caía: "Já vai passar, Anny, é só uma chuva. Estamos com você".

A menina conseguiu, finalmente, adormecer e chegou a um reino todo xadrez, com súditos de cristal e animais quadriculados, onde ela era a Majestade. Não chovia naquele local, porque era assim que ela se sentia, não havia nuvens em seu coração. O sol brilhava forte no céu, banhando todo o reinado xadrez.

O uso de cintos havia sido banido do Reino Xadrez pela rainha.

■

Na manhã seguinte, Anny abriu os olhos e, rapidamente, pôde notar que a tempestade acabara. Saiu da cama, pronta para mais um dia de tarefas e, apesar do medo e do castigo da noite anterior, percebeu que estava muito feliz:

– Deve ser porque eles me acalmaram na noite passada: meus pais. Bem – ela disse –, pelo menos em pensamento.

Anny abriu a cortina. O dia estava bonito. Havia poucas nuvens no céu e a terra dos canteiros do seu jardim estava úmida. Então, contrastando a toda alegria que havia em seu coração e à claridade da nova manhã, seu corpo começou a doer, fazendo-a lembrar-se da cinta de Jane. Não conseguia sentir raiva da mulher, apenas sentia vergonha: o que os pais pensariam se soubessem que ela havia apanhado? Pediu perdão a eles, pegou Tiara e saiu de seu quarto.

A tempestade da noite trouxera muita poeira à casa, portanto, ela teria muito trabalho pela frente. Pegou a vassoura e o paninho e começou mais um dia de tarefas domésticas.

À medida que varria, seu estômago roncava e ela sentia-se cada vez mais fraca devido à fome. Lembrou-se das palavras da senhora Jane: "amanhã você não come", e disse para si mesma em pensamento:

– Vou ser forte, logo a neve vai chegar.

A garota continuou cuidando da casa. Não comeu nada naquele dia, apesar de ter lavado a louça das refeições de Jane e Hermes. Ambos nem a olhavam; mais que nunca, era como se ela não estivesse ali, como se não existisse.

No fim da tarde, Anny voltou ao jardim e viu que sua pequena flor continuava viva, porém estava quase morrendo, devido à tempestade que enfrentara.

Ela chegou bem perto da florzinha e disse:

– Eu sei que a noite passada foi difícil, eu também levei uma surra. Mas vamos conseguir, não desista agora.

Acariciou a flor por vários minutos, enchendo-a de seu maior segredo: o amor. Segredo que ela compartilhara com Pepeu.

Então, ficou a observar a Casa Grande. Podia ver seu balanço. Imaginou-se embalada, num vaivém que a acalmava e lhe recordava o quanto era bom ser criança.

Ela podia ser quem desejasse ser. E ela desejava ser livre. Portanto, assim era a sua alma.

A saudade de brincar no balanço foi quase tão insuportável quanto os trovões da noite anterior. Olhou, então, para seu quarto de brinquedos e ficou a imaginar-se naquele local, em sua mesinha, a brincar o dia todo. Foi então que uma figura apareceu na janela do quarto que ela tanto amava, sorrindo em sua direção.

Ela reconheceu o sorriso bondoso e a boina:

– Pepeu?

■

Os dias foram se passando e Pepeu não aparecia. Anny queria jogar xadrez e conversar com o amigo. Queria perguntar o que ele estivera fazendo em seu quarto de brinquedos.

O tempo caminhava a passos desapressados e não havia um dia sequer em que ela não sentisse falta dos pais.

A menina continuava suas tarefas diárias impostas por Jane e Hermes e, no tempo livre, jogava xadrez e cuidava de seu jardim.

Certa tarde, a fome tornou a castigá-la. Então, Anny observou silenciosamente todos os cômodos da casa para certificar-se de que estava sozinha. Não viu nem sinal de Jane ou Hermes. Eles haviam ido trabalhar.

Anny foi até a cozinha. Abriu a geladeira, não havia muita coisa. Então, abriu o armário e viu novamente alguns pacotes de biscoitos. Pegou alguns e sentou-se à mesa para comê-los, estavam deliciosos. Sua fome foi enganada, então ela poderia trabalhar melhor aquele dia. Limpou cuidadosamente cada migalha, para que Jane não descobrisse. Porém, assim que terminou de comer, começou a chorar. Tiara estava sentada à mesa com ela, então disse à ovelhinha:

– Eu não devia ter feito isso, papai e mamãe não iriam gostar de saber que eu roubei comida da senhora Jane.

– Você não roubou nada, esta comida é sua por direito – disse uma voz conhecida.

Anny virou-se na direção da voz e viu um rapaz parado à porta da cozinha, onde ela e Tiara estavam:

– Pepeu! – Anny gritou de alegria e foi correndo em direção ao amigo, recebendo-lhe com um forte abraço.

Ele retribuiu carinhosamente e falou:

– Você não roubou nada. Não pense essas bobagens nunca mais. Agora enxugue as lágrimas e vamos jogar uma partida de xadrez.

Anny sorriu de felicidade, porém disse:

– Não posso jogar agora, Pepeu, tenho que terminar de limpar a casa.

– Então irei ajudá-la, assim você termina mais rápido e podemos ir jogar! – disse o rapaz.

Anny ficou muito feliz e eles foram até a sala limpar o local.

Foram momentos muito agradáveis que Anny passou ao lado do amigo. Pepeu era um rapaz muito alegre e engraçado e fez com que ela voltasse a sorrir de um jeito que não sorria há muito tempo.

Não apenas seu sorriso era contagiante, mas tudo em Pepeu: sua alegria, seu espírito jovem, sua bondade.

Conforme ia limpando a sala, Pepeu ia fazendo piadas e brincadeiras que divertiam a garota. Ele pegava os candelabros de Jane e fazia malabarismos após tê-los limpado, cantava músicas engraçadas conforme varria, e Anny ia sentindo-se criança novamente.

– Hum... – ela disse enquanto limpava a estante. – Faz tanto tempo que não como doces, estou morrendo de vontade.

– O que é isso aí? – perguntou Pepeu, apontando para Anny e ignorando o que ela dissera.

– Isso o quê? – ela perguntou, olhando ao seu redor.

– Isso aí – Pepeu aproximou-se dela e continuou a dizer –, isso atrás de sua orelha.

Ele ajoelhou-se e passou uma das mãos atrás da orelha da garota, pegando algo.

Anny arregalou os olhos de felicidade quando viu o que era:

– Uma bala! Como você fez isso, Pepeu?

– Você disse que estava com vontade de comer doces – respondeu o rapaz, sorrindo e abrindo a bala para ela.

– Mas como você tirou a bala de trás da minha orelha? – quis saber Anny, enquanto apreciava o doce.

– Bem, eu sou mágico – respondeu Pepeu.

– Mágico? Puxa, que legal! Você nunca me contou o que faz, Pepeu!

– Pois é, Anny, eu sou artista; na verdade, trabalho nas ruas divertindo as pessoas, com números de encenação e truques de mágica.

– Uau! – gritou Anny – Que legal ter um amigo artista! Você pode fazer outra mágica?

– Não posso, tem algo fazendo meu braço coçar muito, espere eu ver o que é.

Anny olhava-o, apreensiva. Ele parecia fazer muita força, mas, então, conseguiu tirar algo da manga de sua camisa. Era um pano colorido. Pepeu foi puxando-o; ele não parava mais de sair. Era gigante. Anny ria, conforme ele continuava o truque. Ela riu por muito tempo e sentiu-se transbordando de felicidade.

Depois que terminaram de limpar a casa, eles foram até o jardim e Pepeu ficou contando histórias divertidas para Anny e imitando personagens cômicos. Ela voltara a ser criança. Na verdade, Pepeu ajudara-a a resgatar o riso que havia em seu interior, e que é a maior virtude dos pequenos. A felicidade que ela sentia fazia o mundo sorrir e, por isso, ela sorria de volta.

– É assim que deve ser – Pepeu disse, após outra história divertida que fizera Anny gargalhar –, as crianças devem sorrir, as pessoas devem sorrir, mesmo as que sofrem. Você sabia que o riso espanta as coisas ruins?

– Não sabia, mas você é realmente muito engraçado, Pepeu! – disse Anny, ainda entre risadas – Você é como um irmão mais velho que eu não tive a oportunidade de ter, mas que sempre desejei.

Pepeu ficou tão feliz com o que Anny disse que abriu os braços e ela correu para abraçá-lo.

Então, com a pequena menina ainda em seus braços, ele falou:

– Sabe, Anny, nunca se esqueça de sorrir e nunca se esqueça de como é ser criança.

– Mesmo quando eu for adulta? – ela indagou, confusa.

– Principalmente quando você for adulta – falou o rapaz. – Preste atenção no que eu vou lhe dizer. A diferença entre os adultos e as crianças é que, quando crescemos, aprendemos a usar palavras difíceis, achamos que entendemos tudo, aprendemos a nos distanciar dos sonhos e fingimos, fingimos muito. Porque sempre nos preocupamos em manter as aparências, e não em fazer coisas que nos deixam realmente felizes. Deixamos de nos encantar, de dar valor ao que tem valor, de fazer o mundo ao nosso redor sorrir, e de sorrir de volta para ele. Não nos permitimos fazer coisas diferentes, porque seguimos regras o tempo todo. Aí, cada vez mais pensamos que podemos controlar tudo e a todos; e ensinamos as crianças, quando, na verdade, elas é que deveriam nos ensinar.

– Como as crianças podem ensinar os adultos, Pepeu?

– É simples – ele continuou –, as crianças sabem o que realmente importa na vida, acreditam nos sonhos e transformam tudo com pureza e sorrisos. Os adultos deveriam apenas se lembrar de carregar tudo isso, mas sempre se esquecem. Aquilo que realmente importa é perdido ao longo do caminho.

– Por isso você é assim, Pepeu? Um menino por dentro...

– Sim – disse o rapaz –, meu pai sempre disse que eu nunca deixaria de ser jovem em meu interior... Sou um eterno menino!

Anny olhava-o atentamente enquanto ele falava. Ela o amava como um irmão mais velho e o admirava muito; principalmente a alegria e o sorriso contagiante que sempre o acompanhavam.

Então, ele a olhou bem nos olhos e continuou dizendo:

– Seja diferente. Você já é uma criança diferente e deve passar os verdadeiros sentimentos e valores adiante. Ensine seus filhos, netos e todas as crianças que conhecer e, sobretudo, os adultos. Dessa forma, Anny, você terá feito sua parte para salvar o mundo. Eu tentei fazer isso, tentei levar o riso...

Anny pensou, então disse:

– Você quer me contar o que aconteceu, Pepeu? Tem a ver com aquela história de amor sobre um anjo e o mar?

– Você não se esquece de nada mesmo! – ele disse – Um dia, Anny, quando eu estiver recuperado a ponto de contar minha história para alguém, será para você.

– Então, você confia em mim? – ela perguntou alegre.

– Confio – falou Pepeu –, confio e isso significa o mundo.

Anny sorriu. Então, eles passaram o resto do dia jogando.

Era tão divertido estar com Pepeu. Ainda mais quando eles jogavam xadrez, o lindo presente que ela ganhara do pai.

– Pepeu, quem o ensinou a jogar? – perguntou a garota durante a partida.

Pepeu ficou sério e disse:

– Meu pai.

– Ah – falou Anny –, foi o meu também que me ensinou. Você ficou bravo por eu ter perguntado?

– Não, Anny, claro que não fiquei bravo com você. Fiquei bravo com o meu passado, ao lembrar-me dos erros que cometi.

– Você é tão misterioso, Pepeu – disse Anny, fazendo o rapaz sorrir. – Mas você ainda pode corrigir seus erros.

– Você está certa mais uma vez, Anny... devemos acreditar que tudo pode acontecer – falou o amigo.

Anny ficou confusa, então perguntou:

– Tudo? Para qualquer pessoa, em qualquer lugar do mundo?

– Sim – disse Pepeu –, tudo. E o segredo é acreditar.

Anny ficou alguns instantes pensando no que o amigo dissera, enquanto ela movia o bispo preto no tabuleiro – ela sempre jogava com as peças pretas e Pepeu, com as brancas, o seu fiel cavaleiro do cavalo branco.

Então, ela acrescentou:

– O bispo é a minha peça favorita num jogo de xadrez, embora eu goste de todas, pois cada uma tem a sua beleza e a sua função na partida.

– Pois a minha peça favorita é o cavalo, ele é sempre fiel e misterioso – falou Pepeu.

Ambos concentraram-se no jogo, até que Anny lembrou-se de algo que vira, e resolveu comentar:

– Pepeu, outro dia eu pensei ter visto você no meu quarto de brinquedos.

– Ah, sim, aquele quarto é maravilhoso! – ele disse.

– Mas como você conseguiu entrar lá?

– É só pular o muro. O da frente da Casa Grande e os das laterais são muito altos, mas não este que separa a sua casa da de Jane. E a porta da frente estava aberta, provavelmente algum empregado esqueceu-se de trancá-la.

– Empregado? A Melanie tem vindo à Casa Grande? – perguntou Anny.

– Não sei de quem se trata, mas tem vindo alguém – respondeu Pepeu.

– Aposto que é a Melanie! Pepeu, você viu meus brinquedos?

– Sim, todos eles.

– Mas o que você foi fazer lá, exatamente?

– Fui conhecer mais o seu mundo, minha pequena.

Anny contentou-se com a resposta, então ela suspirou e disse:

– Ai, Pepeu, às vezes eu fico olhando as janelas da Casa Grande, o quarto de brinquedos e o balanço. Meu coração até dói de vontade de estar lá. Estou tão perto, mas ao mesmo tempo tão longe. Sabe, ter vontade de brincar e não poder é como ter fome e não poder comer, ou sede e não poder beber água, mesmo que haja uma fonte imensa e cristalina à sua frente.

– Eu entendo o que você está dizendo, minha pequena. Eu já passei por uma sensação assim – falou Pepeu.

– Eu faria qualquer coisa para ir lá balançar outra vez – disse a garota.

– Então, por que você não vem comigo? – disse o rapaz, como quem acaba de ter uma grande ideia – Eu posso levá-la até lá. Aí brincaremos o dia todo.

– Isso é sério, Pepeu?

– Claro que é.

– Mas a senhora Jane e o senhor Hermes não poderiam nem sonhar – falou Anny, lembrando-se da surra que levara outro dia apenas por estar com medo do temporal.

– Então, vamos um dia quando eles estiverem trabalhando – disse Pepeu – Mas agora eu preciso ir embora, logo eles chegarão.

– Foi o melhor dia que tive nesta casa nova. Obrigada, Pepeu, você é muito divertido! – Anny o abraçou novamente.

– Foi um dia maravilhoso para mim também, minha pequena Anny.

Ele foi saindo, então ela disse suavemente:

– Você promete que me leva à Casa Grande, Pepeu?

– Prometo. Você confia em mim?

– Confio – disse Anny –, e isso significa o mundo.

■

– É a primeira vez que nos enviam para a Nova Zelândia – disse a mulher ao marido, enquanto caminhavam pela larga avenida.

– Você tem razão, Cindy, e poderiam fazer isso mais vezes, é um país lindo! Pena que logo partiremos – falou o homem – e pena termos que vestir essas roupas pesadas, está tão quente!

– Pare de reclamar, Jefferson, até parece que após tantos anos você ainda não se acostumou com os trajes. Temos sempre que manter esta exímia aparência de executivos. E é isso o que somos, para falar a verdade.

– Mas eu bem que gostaria de estar de *shorts* e chinelos.

Cindy não falou mais nada. No fundo ela também queria estar vestindo uma roupa de banho. Então, eles continuaram a caminhar, até que avistaram o mar.

A praia estava repleta de turistas. Um deles era Suzanne. Ela encontrava-se esticada em uma cadeira, tomando sol e procurando esquecer-se dos problemas:

– Estou tão longe, é impossível que me encontrem aqui – ela pensava – Tenho apenas que relaxar e curtir as praias de Whangarei Heads; devo ficar aqui por muito tempo ainda.

Ela resolveu dar um mergulho, afinal o verão se aproximava e o calor já a perturbava, uma vez que em seu país de origem as temperaturas nunca eram elevadas.

Foi caminhando em direção ao mar, curtindo o barulho das ondas e a bonita vista ao seu redor. Chegou à beira da água e molhou os pés. Foi lentamente adentrando e molhando as pernas, saboreando aquele momento de paz.

Então algo a atingiu pelas costas.

Suzanne caiu de uma vez na água. Seu corpo permaneceu boiando, enquanto pessoas começavam a perceber o que havia acontecido e se aglomeravam ao seu redor. No mesmo instante, um simpático casal de executivos ingleses deixava as praias de Whangarei Heads.

■

Nos dias seguintes, Anny continuou com sua rotina, porém a tarde que passara com Pepeu havia sido tão intensa que ela não se esquecia de sorrir várias vezes ao dia. Lembrava-se das histórias e piadas que ele contara e das mágicas que fizera. Lembrava-se também da promessa de que ele a levaria até a Casa Grande e, dessa forma, os trabalhos na casa de Jane pareciam mais agradáveis e divertidos.

O amigo não aparecia há alguns dias, mas ela já se acostumara a esperá-lo, sabia que ele viria assim que possível:

– Ele deve estar fazendo arte e ensinando os adultos a sorrir – ela pensava.

Confiava nele, sabia que ele não quebraria a promessa.

Assim como Anny se recuperara do dia em que apanhara e tivera medo da tempestade, sua pequena flor também havia se recuperado. A garota continuava a cuidar diariamente de seu jardim e incentivava as outras plantinhas a nascerem, seguindo o exemplo da primeira.

Com o tempo, o jardim foi ganhando mais cor.

A vida foi voltando aos canteiros nos fundos da casa em que Anny vivia já há alguns meses. E, dessa forma, a vida da menina também foi passando. As saudades dos pais aumentavam a cada dia, mas ela não se permitia ficar triste.

Conforme pequenas plantas apontavam nos canteiros, Anny enchia-se de orgulho do bom trabalho que estava fazendo. Em uma tarde qualquer, sentada em meio ao jardim e jogando xadrez com Tiara, ela viu uma coisa maravilhosa. Tão maravilhosa quanto o arco-íris de oito cores que a visitara outro dia naquele mesmo jardim.

Era uma borboleta. Mas não uma borboleta qualquer. Ela era azul-celeste e espalhava alegria conforme movimentava suas compridas e graciosas asas ao vento. Anny sorriu ao vê-la.

A borboleta azul demorou-se muito no jardim e Anny pensou que ela devia estar reconhecendo seu segredo nas plantas, o amor, assim como Pepeu o reconhecera.

Ela voou por entre as flores que nasciam e Anny foi andando atrás dela, imitando sua leveza. Então, a menina esticou os dedos e a borboleta azul pousou sobre um deles.

Anny a observou por vários instantes, maravilhada com sua perfeição. Ela era linda de se ver.

Então, a borboleta voou alto, para o céu. E Anny disse:

– A borboleta azul leva consigo minhas esperanças. Elas também podem alcançar altos voos. Se Papai do Céu fez algo tão maravilhoso quanto aquela borboleta e a fez chegar até mim, é porque também pode trazer papai e mamãe de volta.

Ela encheu-se de alegria e voltou a jogar xadrez com Tiara.

■

O Reino Xadrez estava com tons mais vibrantes que nunca, embora tudo continuasse branco e preto, como no tabuleiro de Anny. A menina, com seu lindo vestido também quadriculado e seu laço de fita, andava contente, sorrindo para todos os súditos de cristal. Quando se aproximou do bonito castelo, que um dia estivera em ruínas, viu passar por ele um pontinho azul-celeste, maravilhoso, que voava com leveza. Era o único ponto que não era branco e preto naquela imensidão xadrez, era de um azul vivo e perfeito e traduzia movimento:

– É ela, é a borboleta azul! – Anny disse, sorrindo e apontando para a borboleta a voar.

– Ela é a sua alma, minha rainha: livre.

A voz do sábio Bispo dissera aquelas lindas palavras, entretanto, Anny não conseguia vê-lo.

Ela sentiu que alguém a observava e abriu os olhos lentamente.

Estava novamente em meio ao jardim, em frente ao seu tabuleiro de xadrez e à sua ovelha de pelúcia. Adormecera sem perceber. Estava cansada, havia trabalhado arduamente nos últimos dias e seus pequenos olhos estavam pesados. Ela queria voltar ao Reino Xadrez e seguir a borboleta azul, que levava consigo as esperanças da rainha Anny.

Alguém a olhava. Estava tão próximo, sentado ao seu lado. Ela aproximou-se da pessoa e aconchegou-se em seu colo, em um gostoso cochilo.

A pessoa começou a acariciar os lisos cabelos de Anny e ela abriu os olhos de forma sonolenta:

– Mamãe? – perguntou.

– Não – respondeu a voz conhecida, de um bom amigo e companheiro de xadrez –, sou eu, Pepeu. Pode voltar a dormir, eu ficarei vigiando o seu sono, caso Jane ou Hermes apareçam.

Anny fechou os olhos e deu um sorriso. Pepeu sabia que ela estava na terra dos sonhos e que descansava tranquilamente naquele momento. Ela não o reconhecera, pois seu cansaço era intenso, devido ao trabalho severo na casa em que vivia:

– Eu te amo, mamãe; eu te amo, papai – Anny disse adormecida, apertando os braços no colo de Pepeu.

■

No dia seguinte, Anny estava varrendo a cozinha quando Pepeu apareceu:

– Pepeu! – ela gritou feliz ao ver o amigo – Você demorou tanto para voltar, mas eu sabia que viria. Eu confio em você...

– ... e isso significa o mundo – ele completou, sorrindo – Mas que história é essa de que demorei? Eu estive aqui ontem quando você tirava um cochilo no jardim à tarde.

Anny tentou, mas não conseguia se lembrar. Ela apenas se recordava que tivera um sono muito gostoso naquele momento, sentira-se protegida, e tivera lindos sonhos em um reino todo xadrez. E depois, quando acordou, estava quase na hora de Jane e Hermes voltarem; ela ficou feliz por ter acordado antes que eles chegassem e foi rapidamente para o seu quarto, onde leu até ficar tarde.

– Eu não me lembro, Pepeu. Desculpe.

– Tudo bem, você estava sonhando, por isso eu não quis acordá-la. De qualquer forma, estou aqui para cumprir minha promessa.

Anny pulou em seu colo:

– Nós vamos à Casa Grande?

– Claro, ainda está cedo, creio que teremos várias horas até que Jane e Hermes retornem.

Anny terminou a arrumação da cozinha mais rápido que nunca. Não se importava se Jane reclamaria que ela havia limpado mal a casa aquele dia, ela queria aproveitar cada minuto em seu verdadeiro lar. Guardou a vassoura e o paninho, pegou Tiara e foi com Pepeu até os fundos da casa, onde ficava seu jardim, cada vez mais cheio de vida.

O rapaz a pegou no colo e ajudou-a a subir no muro. Ela ficou sentada no alto por um instante, observando a Casa Grande, a casa em que crescera, a casa que era seu único e verdadeiro lar no mundo, a casa onde ela, por tantas vezes, contara os dias esperando chegar o sábado para brincar com os pais. Pepeu alcançou-a e, rapidamente, pulou para o outro lado. Então, ele estendeu os braços e trouxe Anny para o quintal da Casa Grande.

Ela correu imediatamente até o balanço e subiu nele. Ele ainda estava com a corrente rangendo e ela ficou feliz que o pai não tivesse colocado óleo; o som a fazia lembrar-se do último dia em que brincara ali com ele e com a mãe.

Lembrança gostosa, tal qual uma manhã de sábado.

Pepeu foi até lá e a empurrou por uma fração de tempo que pareceu infinita para Anny. A cada impulso ela sentia-se a garota mais feliz do mundo; via tudo ao seu redor sorrir.

Foi um instante lindo, mágico.

Ela pensou que Pepeu realmente era ótimo em mágica, afinal, fora capaz de trazer toda a felicidade do mundo para dentro de seu peito. Ela o amava demais; eram como uma pequena família agora.

Então, Anny quis dar uma volta pela casa.

Ela andou junto de Pepeu por todos os arredores de seu lar. Viu a garagem vazia, pensou onde estaria o lindo Cadillac vermelho de seu pai; correu feliz pelo gramado e, finalmente, girou a maçaneta da porta da frente, que, assim como Pepeu dissera, estava aberta. Ela entrou na sala e seu coração pulou de felicidade: estava em casa!

Havia tanto tempo que não se sentia sob o teto de um lar quente e amado. Olhou todos os cômodos no andar de baixo: a cozinha, que lhe fizera sentir saudades de Melanie; a sala com a lareira, a televisão e o piano. Depois, subiu as escadas junto de Pepeu e Tiara e entrou no quarto dos pais. A cama estava arrumada, tudo estava limpo e extremamente ajeitado. Ela reconheceu o amor naquele lugar, assim como Pepeu havia reconhecido em sua pequena flor. Porém, reconheceu também a saudade. Quem conhece cada um dos dois sentimentos nunca mais se esquece.

– Cheira a amor e saudade – disse a garota a Pepeu.

Anny andou em cada pedacinho daquele local, então se deitou demoradamente na cama e ficou a cantar, pensando em quando a neve chegaria e os traria de volta.

Em seguida, ela foi ao seu quarto, que também estava impecavelmente arrumado. Uma lágrima escorreu por sua face, enquanto a saudade teimava em preencher cada milímetro do seu coração.

– Para sempre – ela falou entre lágrimas, deslizando a mãozinha sobre a cama quente e confortável, muito diferente da que estava dormindo há meses.

– O que é para sempre? – perguntou Pepeu, que a observava.

– Eu queria que cada minuto aqui durasse para sempre – Anny disse.

Então, eles foram ao quarto de brinquedos.

A garota pegou cada bichinho de pelúcia, cada boneca; sentia falta de todos eles. Ela mostrou todos os jogos e livrinhos a Pepeu e eles se divertiram a tarde toda.

Em certo momento, Pepeu quis descer e ver a moderna televisão e o piano de Cindy, que se encontravam na sala com a lareira. Anny ficou com Tiara no quarto de brinquedos.

De repente, ela começou a ouvir uma bonita música que vinha do andar de baixo, pegou Tiara e foi até lá ver o que era.

Quando chegou à sala com a lareira, viu que Pepeu estava sentado ao piano, tocando uma linda canção. Ele estava tão concentrado quando ela entrou que não moveu os olhos em sua direção, porém disse:

– Por que você não dança enquanto eu toco?

– Eu não sei dançar – falou Anny.

– É claro que sabe – respondeu Pepeu – Todos sabem dançar. É só mover o corpo ao ritmo da música.

A melodia era suave e convidativa. Anny não pôde resistir e, pela primeira vez em sua vida, encontrou-se dançando.

Ela começou sutilmente, porém, quando se deu conta, já estava dançando graciosamente por toda a sala. Movia os braços, as pernas, o corpo todo; sentia-se livre como nunca estivera, sentia-se estranhamente feliz, queria ficar ali dançando demoradamente, sem ter pressa de acabar.

Pepeu também voava alto ao som de sua música. Ele aprendera a tocar piano quando garoto. Sempre tivera vários dons artísticos; porém, há muito tempo não encontrava um piano à sua frente. Havia até se esquecido do quanto era bom envolver-se pelas notas finas daquele maravilhoso instrumento.

Ele tocou todas as músicas de que se lembrava. Então, improvisou algumas, até que, finalmente, olhou pelas janelas e viu que estava começando a escurecer.

O sol partira, abrindo caminho para as estrelas que começavam a formar um vasto tapete no céu inglês.

Pepeu parou de tocar e disse a Anny, que estava com expressões de contentamento:

– É melhor irmos embora.

A realidade caiu sobre a menina e ela sentiu novamente os pés no chão. Aquela era sua casa, porém, ela não poderia ficar ali.

A garota sentia-se tão feliz que resolveu cumprir a promessa que fizera a Jefferson e não chorar de saudades. Ela despediu-se da Casa Grande, com o coração cheio de esperanças, pensando que logo estaria ali novamente, junto aos pais.

Quando pularam o muro e voltaram aos jardins de Anny, nos fundos da casa da senhora Jane, a garota disse ao amigo:

– Pepeu, este foi o melhor presente que alguém poderia ter me dado. Obrigada.

Ela abraçou-o demoradamente e continuou:

– Podemos voltar lá?

– Podemos, mas temos que tomar muito cuidado para que Jane e seu marido não descubram. Se formos lá muitas vezes, eles podem acabar desconfiando. Eu temo por você, minha pequena.

– Eu sei, mas prometo que, quando formos, tomaremos cuidado – disse Anny, com esperanças de poder passar mais momentos como aquele ao lado do amigo.

Pepeu resolveu mudar de assunto:

– Anny, parece que você tem dom para a dança!

– Sério? Foi a primeira vez que dancei, mas confesso que senti uma alegria estranha – ela disse.

– Como se tivesse encontrado algo? – perguntou Pepeu.

– Isso, exatamente. Senti-me completa – falou a garota.

– Bem, então você de fato encontrou algo – falou o rapaz – Eu me senti da mesma forma na primeira vez que subi em um palco. Você sabe o que isso significa?

– O quê? – perguntou Anny.

– Significa que você encontrou sua missão. Eu vi isso em suas expressões enquanto você dançava. Seu coração estava à espera dela – da sua missão – e hoje ele a encontrou, por isso você sentiu-se estranhamente feliz.

– O que é uma missão, Pepeu?

– Aquilo que seu coração quer fazer para sempre; aquilo que vai dar sentido a tudo e pôr para fora o que você tem de mais puro dentro de si – explicou ele.

– Puxa, então minha missão é dançar! – exclamou a garota – É uma linda missão!

– Realmente. – falou Pepeu – Assim como eu sou artista, dançar é também uma forma de arte. Mas poderemos conversar melhor sobre isso da próxima vez em que eu vier. Agora preciso ir, está quase na hora de Jane e Hermes chegarem. Apenas lembre-se disto, Anny: viva seus sonhos, pois, como já conversamos uma vez, tudo pode acontecer; acredite na sua missão. Mas não queira apressar as coisas ou conhecer seu futuro antecipadamente. A vida sabe a hora certa de agir.

Os amigos se abraçaram. Então, Pepeu se foi, deixando Anny sozinha com os próprios pensamentos.

Ela ficou olhando suas plantinhas, que lutavam pela vida, e pensou no dia especial que tivera. Falou para si própria e para as flores:

– Dançar é agora minha missão, e também o meu sonho.

Ela começou a ouvir e a prestar atenção em tudo ao seu redor e dançar ao som do vento.

Só agora reparava em como a natureza cantava o tempo todo. Era uma linda e suave canção que emanava de tudo ao seu redor e a fazia dançar, ao encontro de sua missão.

Quando se virou, viu que Jane a observava de dentro da cozinha.

Anny levou um susto. Não sabia quando a mulher chegara.

Ela pegou Tiara e entrou pela porta da cozinha. A senhora Jane apenas disse:

– Falar com flores e dançar sem música? Faça-me o favor, sua lunática! Já para o quarto!

Anny não se importou com a bronca e, a partir daquele dia, ela passou a dançar sempre que podia.

O inverno chegou mais cedo aquele ano e trouxe muitas lembranças a Anny. Foi no final do inverno passado que tudo acontecera: os pais precisaram viajar para trabalhar e ela tivera que mudar-se para a pequena casa aos fundos da sua, junto da senhora Jane e do senhor Hermes. Já fazia quase um ano que ela não via os pais ou tinha qualquer notícia deles. Ela passara a cuidar da pequena casa e trabalhar como gente grande, tendo a solidão como leal companheira. Porém, arrumara meios de não tornar sua vida vazia. Na verdade, Anny era uma criança tão especial que sua vida jamais poderia ser vazia. Ela devolvera vida aos canteiros do jardim e, agora, tinha suas amadas plantinhas, que, assim como ela, eram corajosas e guerreiras; tinha a companhia diária de Tiara, a ovelhinha que ganhara do pai ao nascer, e do xadrez de cristal, o qual jogava todos os dias. Havia conhecido Pepeu, que surgira misteriosamente, mas já era como um irmão que ela sempre sonhou ter e, de uma forma ou de outra, a vida dera-lhe de presente. Além de tudo, descobrira seu sonho e sua missão: dançar!

Ela tinha bons motivos para saudar a chegada do inverno com muita alegria. Apesar de sua dura realidade, ela enfrentara tudo e driblara a tristeza; agora restava pouco para a neve cair e trazer Cindy e Jefferson de volta à Casa Grande.

O inverno trouxe a necessidade de Anny vestir cada vez mais roupas para dormir, visto que a manta vermelha era a mesma fina e pequena do inverno anterior, e que estava longe de ser suficiente para os rigorosos invernos ingleses. Porém, as roupas estavam cada vez mais apertadas e ela sentia que logo precisaria de novas.

Conforme a fria estação avançava, Anny ficava a cada dia mais animada. A menina agora acordava mais cedo e a primeira coisa que fazia era correr até a janela para ver se a neve havia finalmente chegado. Mas ela ainda não dera sinal. Varria a casa usando luvas, gorros, e as roupinhas mais pesadas que tinha e que ainda serviam. Apesar de ter crescido, algumas roupas ainda vestiam bem, visto que nos últimos meses ela perdera muito peso, devido à pouca comida que recebia.

Aquela manhã a menina acordou sentindo mais frio que o normal, olhou pela janela, mas a neve ainda não chegara. Olhou para a Casa Grande com saudades e foi, então, até a cozinha buscar a vassoura.

Ela não costumava reparar no calendário, porém, aquele dia sentiu vontade de olhá-lo e viu que era sete de dezembro.

– Puxa, hoje é meu aniversário!

Anny ficou muito feliz, adorava fazer aniversários! Sempre recebia presentes do pai e Melanie fazia um bolo para que comemorassem. Era um dos seus dias preferidos do ano: comemorar ao lado dos pais, ganhar presentes, bolos, beijos e parabéns! Quis mais que nunca que eles voltassem logo:

– Esse podia ser meu presente este ano – pensou.

A senhora Jane entrou na cozinha naquele instante e disse:

– Posso saber o que você está fazendo?

– Bom dia, senhora Jane – ela respondeu, alegremente –, eu estava olhando o calendário, hoje é meu aniversário!

– Grande coisa... – respondeu a mulher – Agora vá trabalhar!

Aquele sete de dezembro estava igual aos dias anteriores. Ela fez suas tarefas na casa e foi para o jardim. Continuou sem notícias dos pais e na companhia apenas de Tiara, do seu jogo de xadrez e das flores, que agora tentavam resistir ao frio.

Pepeu não aparecia desde o dia em que foram à Casa Grande, mas Anny sabia que ele voltaria. Ela adoraria vê-lo em seu aniversário. Porém, pensou que Pepeu não devia saber a data, e teve que se acostumar com a ideia de completar nove anos sozinha.

Apesar disso, ela não quis que aquele dia fosse igual a todos os outros, e conversou com Papai do Céu, pedindo que acontecesse algo diferente, para que ela pudesse comemorar o dia do seu nascimento.

No fim da tarde estava sentada no jardim, lendo, quando adormeceu sem perceber.

O Reino Xadrez estava mais animado aquele dia. Todos estavam mais felizes que de costume. Anny andou sobre o gramado xadrez e perguntou a um grupo de peões:

– O que está acontecendo?

– Hoje é aniversário de Vossa Majestade! Temos que comemorar e desejar muitos anos de vida e felicidades à nossa rainha Anny – o peão disse, fazendo uma reverência, assim como os outros do grupo.

Anny sentiu-se muito feliz e desejou que pudesse novamente cavalgar. Então, imediatamente veio em sua direção o bondoso cavaleiro, com seu lindo cavalo branco, e a levou para um passeio.

Ela percorreu os campos de seu reinado e por onde passava era reverenciada. Havia balões, faixas com votos de felicidades à rainha e, acima do castelo, ela pôde ver fogos de artifício esplendorosos. Tudo era xadrez.

Pensou que faltavam ali duas pessoas para que seu nono aniversário fosse perfeito. Naquele instante uma gostosa música penetrou seus ouvidos e começou a nevar.

Anny abriu os olhos; os flocos de neve que caíam em sua face a haviam despertado. Pensou em como adorava sonhar com seu Reino Xadrez e com a neve caindo. Então, ela limpou a face e percebeu que havia trazido algo dos seus sonhos: estava, de fato, nevando!

A menina olhou para o céu e pôde ver os flocos caindo. Então, abriu os braços para senti-los melhor e disse, com muita felicidade:

– Obrigada, Papai do Céu, a neve é o melhor presente de aniversário que Você poderia me dar. Agora ela se encarregará de trazer o papai e a mamãe.

Ela ficou ali por muito tempo apreciando a neve e, então, percebeu que o chão e os canteiros estavam ficando brancos. Levantou-se e tirou os sapatos. Embora fizesse muito frio, ela não se importava. Queria sentir a neve e a alegria que ela lhe trazia. Andou descalça na neve, apreciando sua suavidade com os pequenos dedos, depois se sentou em meio a ela e fez um pequeno montinho. Então, pegou um galho e o colocou sobre o montinho de neve que fizera.

Cantou a música de aniversário, fingiu apagar a vela improvisada e ficou olhando a neve cair, até que o frio a fez entrar para o quarto.

Todos os dias, a partir do sete de dezembro, Anny acordava feliz ao ver a neve caindo. Tinha certeza de que os pais chegariam.

Aquela tarde, ela estava varrendo a cozinha. A senhora Jane não havia ido trabalhar e estava espiando seu trabalho desde cedo. Foi quando a porta da sala se abriu. Elas pensaram que era Hermes e não se deram ao trabalho de ir conferir.

Porém, as seguintes palavras foram ditas por uma doce voz:

– Olá, titia, sei que você não queria visitas, mas é quase Natal, então resolvi...

A dona daquela voz havia chegado à cozinha.

A senhora Jane deixou cair a xícara de chá que levava à boca. Anny, por sua vez, parou de varrer o chão e ficou olhando para a moça que estava parada à porta. Ela tinha a pele muito branca, olhos castanhos e cabelos negros, levemente ondulados e presos por uma fivela.

Jane rapidamente adotou um tom de voz manso, desconhecido de Anny, e, com um sorriso nos lábios, disse à recém-chegada:

– Minha querida sobrinha, que surpresa agradável! E que descuido meu, derrubar a xícara; apenas não esperava por sua gentil visita! – Jane deu um abraço na moça e conduziu-a para o interior da cozinha.

Anny continuava parada observando a sobrinha de Jane; ela retribuía o olhar.

– Quem é essa, titia? – perguntou a moça.

– É uma das minhas alunas, os pais foram viajar, então, ela está passando uns dias conosco. É um encanto de menina! – disse Jane, ainda com a voz macia.

– E por que ela está varrendo? – quis saber a sobrinha.

– Ah, bobagens de crianças! Ela gosta de brincar de casinha, então eu permiti que varresse um pouco – mentiu Jane.

A moça aproximou-se da garota e falou:

– Oi, como você é linda! Eu adoro crianças! Como se chama?

– Anny.

– Muito prazer, Anny, meu nome é Nicole e sou sobrinha da sra. Jane. Então você gosta de brincar de casinha?

Anny estava assustada com as mentiras ditas por Jane, mas resolveu não contrariá-la. Havia gostado de Nicole, ela possuía um sorriso sincero e luz nos olhos, diferentemente da tia.

– Eu gosto de todas as brincadeiras – falou a garota – Você gosta de brincar?

– Adoro! – falou Nicole alegremente.

Anny animou-se e disse:

– Eu tenho um jogo de xadrez muito bonito, se você quiser podemos jogar.

O sorriso no rosto de Jane oscilou um pouco, então, ela disse imediatamente:

– Acredito que minha sobrinha deva estar apenas de passagem, vocês podem deixar o jogo para outra oportunidade.

– De maneira alguma, titia – falou Nicole – Eu estou de folga esses dias e adoraria conhecer o jogo da Anny.

A garota abriu um largo sorriso, então Jane disse contrariada:

– Muito bem, espere na sala, Anny, que eu e Nicole vamos botar a conversa em dia. Depois ela vai brincar com você.

– Então eu não preciso terminar de limpar a casa? – indagou Anny.

Jane ficou desconcertada e Nicole olhou-a desconfiada.

– Claro que não, querida, você vai jogar xadrez agora, deixe a brincadeira de casinha para amanhã – falou Jane.

Anny estava confusa, mas resolveu guardar a vassoura e ir esperar na sala. Nicole seguia todos os seus movimentos com os olhos, como se pressentisse que havia algo de estranho naquela história toda.

Anny ficou na sala, enquanto Jane e a sobrinha conversavam e tomavam chá na cozinha. Ela podia ouvir perfeitamente a conversa das duas:

– E Charlotte, ainda não mudou de ideia? – perguntou Jane.

– E nem vai mudar – falou Nicole. – Você conhece bem a irmã que tem.

Nicole sabia que aquele era um delicado assunto de família e tentou amenizar as coisas:

– Titia, eu também sinto falta dela, afinal, é a minha mãe, a pessoa que eu mais amo no mundo. Mas ela está feliz, isso que importa.

Jane deu uma risada irônica, depois mudou de assunto:

– E você, querida, como está o trabalho?

– Muito bom, titia, tive um ano de muito progresso – falou Nicole.

– Que maravilha! – exclamou Jane – Você não imagina como fico orgulhosa de saber que minha querida sobrinha seguiu os meus passos e se tornou uma professora! Tenho certeza de que você é muito melhor que eu, os cursos hoje em dia estão muito mais valorizados do que em minha época.

– Ah, titia, mas não seja modesta, a senhora é uma ótima professora...

A conversa fluiu por cerca de meia hora, até que Nicole disse:

– Titia, vou até a sala ver o jogo da Anny, achei-a encantadora.

– Ah, sim – falou Jane –, é uma linda criança.

– Até quando ela ficará aqui? – quis saber Nicole.

– Não sei ao certo, mas os pais devem voltar logo – mentiu Jane.

– Se ela estiver aqui no Natal, leve-a para passar a ceia em minha casa, eu ficaria muito feliz! – disse a sobrinha.

Anny, ao ouvir isso, sentiu-se animada; já gostava de Nicole.

– Não sei, querida. – falou Jane com a voz macia que assustava Anny – Talvez os pais já tenham chegado.

Da sala, a menina escutou uma cadeira se arrastando e pensou que Nicole teria se levantado da mesa. Então, ouviu novamente a voz da senhora Jane:

– Não aceita mais uma xícara de chá?

– Não, titia, obrigada, vou ver a Anny.

Nicole foi até a sala, seguida por Jane. Quando chegaram ao local, a menina estava sentada no chão, com o tabuleiro de xadrez à sua frente.

– Por que você se sentou no chão, Anny? – perguntou Nicole.

– Porque eu não posso sentar no so... – Anny ia dizendo, mas foi rapidamente interrompida por Jane:

– Essas crianças têm cada uma, não é mesmo? Sente-se no sofá, querida – então, a própria Jane pegou Anny e colocou-a no local.

A garota não entendia direito o que estava acontecendo, só sabia que Jane estava muito estranha. Nicole também olhava desconfiada, porém não disse mais nada, apenas sentou-se ao lado de Anny no sofá para ver o jogo.

– Nossa, é o jogo de xadrez mais lindo que já vi – a moça disse.

– É de cristal! – falou Anny orgulhosa – Eu ganhei do papai, ele joga xadrez muito bem.

Nicole pegou uma das peças e a examinou entre os dedos, dizendo:

– Seu pai tem muito bom gosto.

Anny sorriu de felicidade. Jane, irritada com a cena, deixou-as sozinhas na sala; então, Anny disse:

– Vou buscar a Tiara para você conhecer.

Ela voltou poucos instantes depois com a ovelhinha de pelúcia. Nicole achou-a uma fofura e disse:

– Quando eu tinha a sua idade, não desgrudava de um urso de pelúcia. Ele era marrom e usava uma gravata verde. Chamava-se Mickey.

– O que aconteceu com o Mickey? – perguntou Anny.

– Bem, na verdade, ele ainda está no meu quarto. Ele não dorme mais ao meu lado, mas fica em uma estante me vendo dormir.

Anny sorriu e disse:

– Vamos jogar xadrez?

– Claro!

Então, elas jogaram uma boa partida e Anny venceu. Nicole, que era muito doce, disse ao final:

– Depois vou querer uma revanche!

Anny deu gargalhadas, sentia-se feliz ao lado dela.

– Nicole, quantos anos você tem? – Anny perguntou.

– Tenho 27.

– É verdade que você é professora?

– Sim, eu ensino crianças lindas como você, em uma escola que fica num bairro perto daqui.

Anny quis saber mais como era a escola, nunca havia estado em uma delas. Então, elas conversaram mais alguns minutos, até que Nicole ficou parada olhando fixamente para dentro de seus olhos. Ela criou coragem e perguntou baixinho:

– É tudo verdade o que a titia disse sobre você?

Anny ia responder, mas naquele instante, Jane voltou à sala e puxou papo com a sobrinha.

Nicole não demorou muito a ir embora. Despediu-se da tia e, por último, de Anny:

– Até mais, adorei conhecer você. Se seus pais não voltarem até o Natal, você está convidada para ir a minha casa, está bem?

Ela deu um beijo na garota e um forte abraço. Anny olhava-a, guardando nos olhos a resposta para a pergunta que ela fizera anteriormente: "Não, não é verdade o que a senhora Jane disse; por favor, venha mais vezes brincar comigo, venha me ajudar...". Ela queria dizer, mas não podia. Olhava dentro dos olhos de Nicole, esperando que ela a compreendesse. A moça retribuía seu olhar, pensativa, mas depois se virou e foi embora. Assim que ela partiu, Jane olhou pela cortina para certificar-se de que realmente havia ido embora; então, se voltou para Anny e disse:

– Você nunca mais irá deixar alguém vê-la e muito menos irá estabelecer algum contato com meus parentes. Agora, vá já para seu quarto e me espere. Eu vou buscar a cinta do Hermes e irei ensiná-la a não quebrar novamente as regras.

– Sim, senhora Jane – disse Anny, pegando o xadrez, a Tiara e indo deitar-se em sua cama.

■

Sem demora chegou a véspera de Natal, deixando Anny muito animada para ir passar a ceia na casa de Nicole. Pepeu não aparecia há algum tempo, e ela estava doida para estar perto de alguém de quem gostasse.

Ela havia gostado de Nicole desde o primeiro instante em que a vira.

Tentaria levar Tiara e seu jogo de xadrez para brincar e já havia escolhido a roupa que iria vestir.

Estava muito ansiosa e, assim que ficou pronta, resolveu esperar Jane e Hermes na sala.

A senhora Jane estava se arrumando, quando passou pelo corredor e viu Anny sentada no sofá:

– O que você está fazendo aí?

– Estou esperando para irmos à casa da Nicole.

– Você, além de tudo, é burra! – bradou Jane – A cinta não foi suficiente para mostrar que você nunca mais verá a Nicole?

– Mas eu pensei que por ser Natal eu poderia ir... – ia dizendo Anny.

– Pois pensou errado. Vá para o seu quarto e não ouse colocar a cara para fora e, muito menos, volte a sentar-se no meu sofá!

– Quando meus pais irão chegar? – ela perguntou, aborrecida.

– Eu não sei, mas espero que logo, para eu ficar livre de você por uns dias – falou Jane – Agora, vá já para o seu quarto!

Anny pegou o xadrez e a Tiara e fez o que Jane mandou.

Ela chorava sentada na cama, olhando para a Casa Grande. Pensava em todos os Natais em família que tivera. Eles eram perfeitos. A mãe sempre fazia uma gostosa ceia e eles ficavam acordados até a meia-noite. Depois ela ia dormir com os pais e, no dia seguinte, sempre constatava que o Papai Noel havia trazido seus presentes durante a noite. Ele os deixava aos pés da bonita árvore de Natal que ela e os pais montavam juntos e que ficava na sala com a lareira.

As lágrimas escorriam por sua face e ela pensava em como seu Natal seria vazio e solitário aquele ano. Onde estariam os pais?

Então, a menina ouviu o carro de Hermes e pensou que eles já tivessem saído para a casa de Nicole.

Anny ficou muito tempo olhando através da janela. Estava nevando novamente, era uma linda noite de Natal; perfeita para as famílias se reunirem.

Ouviu seu estômago roncar e quis ir buscar algo para comer.

Não havia nada especial, ela teve que comer biscoitos. Porém, eles não estavam saborosos, ou Anny não conseguia pensar que estivessem; era Natal, ela queria comer uma comida diferente e muito gostosa, ao lado das pessoas que amava, em meio a uma família. Por todo o mês de dezembro, ela sentira falta do clima de Natal, de ver luzes na casa – que continuava escura como sempre – de ver uma bonita e bem decorada árvore natalina e de receber presentes; agora, não ter a ceia era uma ideia quase insuportável.

Ela comia os biscoitos, quando ouviu um conhecido som de automóvel e, em seguida, o barulho da porta da sala se abrindo. Guardou rapidamente os biscoitos e foi silenciosamente ver quem era, então, a pessoa acendeu as luzes:

– Senhor Hermes, por que o senhor voltou da festa de Natal? – perguntou Anny.

– Ah, aquela família da Jane é estranha, ficam discutindo sobre a maluca da irmã dela, a Charlotte, que foi embora do país largando a vida toda para trás... Por mim ela tinha que ir mesmo, quanto mais longe melhor! Aborreci-me, deixei a Jane lá e vim embora. Mas não sei por que estou lhe dizendo isso, você não tem o direito de me fazer perguntas – bradou o homem.

Ele sentou-se no sofá e ligou o rádio.

Mesmo vendo que ele vestia a cinta que Jane usava para castigá-la, Anny achou que Hermes parecia inofensivo, embora tivesse sempre a cara fechada e triste; então, ela resolveu se arriscar a falar com ele:

– Senhor Hermes, o senhor vai passar a noite de Natal aqui comigo?

– Vou passar a noite aqui, mas não com você – ele falou.

Anny olhou aborrecida para o chão, pensou no que diria a seguir; não desistiria:

– Mas e a ceia? – ela perguntou por fim.

Hermes ficou parado uns instantes, como se não houvesse pensado naquilo, então falou:

– A Jane não deixou nada para comer?

– Não – disse Anny –, nada de diferente.

– Mas deve ter alguma coisa – disse Hermes levantando-se e indo para a cozinha.

Ele abriu a geladeira e os armários e não ficou nada feliz com o que viu.

– Ora essas, eu estou com fome e não há nada para comer nesta casa! – ele berrou, assustando Anny.

A garota olhou com atenção tudo que havia e disse para si mesma, tendo uma ideia: "Isso deve ser suficiente..."

Então, se virou para Hermes e falou:

– A única coisa que aprendi a cozinhar são panquecas, porque é o prato preferido do papai e da mamãe. Se o senhor quiser, eu posso fazer as panquecas para comermos à meia-noite e celebrarmos o Natal – falou Anny.

Hermes olhou-a desconfiado, mas não podia negar que era a melhor opção que tinha no momento.

4

O NATAL DO VELHO POETA

JOSEPHINE ABRIU O PORTÃO SORRINDO E O SOL DA MANHÃ ILUMINOU SEU SUAVE ROSTO. ELA TINHA A PELE BRANCA, BOCHECHAS E LÁBIOS ROSADOS; CABELOS LEVEMENTE VERMELHOS, COM CACHOS PENDENDO SOB UM CHAPÉU BRANCO. ERA INCRIVELMENTE LINDA, A "VISÃO DO PARAÍSO", SEGUNDO O RAPAZ. ELA O ENCARAVA, COM A FELICIDADE E A PAIXÃO ESTAMPADAS NA FACE; ENTÃO, DISSE: "VOCÊ CHEGOU CEDO HOJE, MEU QUERIDO POETA".

Anny fez as panquecas para Hermes com o mesmo amor com que as fazia para seus pais; arrumou uma bonita mesa e foi chamar o homem, que estava ouvindo rádio na sala:

– Senhor Hermes, a ceia está pronta.

Ele apenas desligou o rádio e foi para a cozinha, em silêncio.

Ao deparar-se com a mesa cuidadosamente montada por Anny, ele disse:

– Esta mesa nunca esteve tão bonita.

Eles se sentaram, e a menina serviu-lhe uma panqueca e um copo de suco que fizera.

Hermes a observava com curiosidade. Seu olhar estava menos ameaçador; era como se os gestos de Anny o desarmassem.

Sem dizer mais uma palavra, ele começou a comer. Anny achou melhor também ficar em silêncio e concentrar-se em sua panqueca. Seus desejos de comer algo saboroso na noite de Natal e ter uma companhia haviam sido atendidos.

Eles permaneceram em silêncio durante toda a ceia. Então, Hermes finalmente começou a dizer algo:

– Estão... – ele pigarreou. – Estão muito gostosas, as panquecas.

Anny sorriu e agradeceu:

– Obrigada, senhor Hermes.

Então, ele se levantou rispidamente e voltou para a sala. Poucos instantes depois, Anny foi até o local:

– Senhor Hermes, eu posso deixar para lavar a louça amanhã cedo? Porque já é quase meia-noite e eu não queria passar a noite de Natal trabalhando.

O homem a fitou por alguns instantes, causando-lhe um desconfortante arrepio. Ela não conseguia decifrar o que aquele olhar queria dizer.

Talvez ira, ou nostalgia; quem sabe carência, saudades de outros Natais...

Anny tinha certeza de que havia ultrapassado um limite com aquele pedido. Ela já estava voltando para a cozinha para lavar a louça, quando a voz de Hermes soou:

– Pode. – e, causando um espanto ainda maior na garota, ele continuou a falar: – apenas garanta que esteja tudo limpo até a hora em que a Jane voltar amanhã. Ela não estará de bom humor, já que a abandonei na festa. E... se quiser, pode sentar-se no sofá.

Anny deu um enorme sorriso e, feliz, se sentou ao lado dele.

- Senhor Hermes, eu...

- Garota, nada de conversas - ele disse, interrompendo-a.

- Eu apenas queria saber se o senhor...

Então, ele fez um sinal para que ela se calasse novamente.

Anny ficou contando os segundos, até que o relógio apontou meia-noite e o clima de Natal preencheu o seu coração. Ela sentia-se feliz por ter tido uma ceia, mesmo que não muito tradicional, e por não estar sozinha naquele momento, embora a falta dos pais ainda a entristecesse.

Olhou para Hermes, que escutava atentamente o rádio, e disse:

- Feliz Natal, senhor Hermes.

Ele não respondeu.

- Senhor Hermes?

- O que é?

- O senhor não gosta do Natal?

- Não.

- Eu gosto - disse Anny -, sempre gostei. Todos os anos eu costumava comemorar com papai e mamãe.

O homem lançou-lhe outro olhar, mas, desta vez, não a mandou silenciar.

- Como eram os Natais quando você tinha a minha idade? - ela perguntou.

- Bem, eram... - ele parou por um instante, pensativo, e suspirou, entregando-se: -... eram maravilhosos. Eu e todos os meus irmãos fazíamos contagem regressiva para a meia-noite. Minha mãe, a melhor cozinheira da cidade, preparava pratos divinos e, na manhã seguinte, acordávamos cedo para abrir os presentes.

Anny pensou, sem dizer em voz alta: "Será que o Papai Noel sabe que estou morando aqui nesta casa? Talvez ele não me encontre para deixar meu presente".

Hermes continuava a falar:

– Costumávamos nos reunir em volta da lareira para ouvir meu pai contar histórias de quando era criança e vivia nos campos ingleses do século dezenove, criando ovelhas.

Anny olhava-o atentamente. Era como se as cortinas estivessem finalmente se abrindo e o sol raiando sobre a face daquele homem. Pela primeira vez ela conseguia enxergar por detrás daquela barba malcuidada e do olhar triste e ameaçador. Pela primeira vez ela podia vê-lo realmente.

Conforme ele falava, Anny percebia que havia mágoa guardada em seu coração.

– O que aconteceu com sua família? – perguntou a menina.

– Meus pais morreram há muitos anos e meus irmãos se perderam pelo mundo.

– Você fala com eles?

– Não – respondeu Hermes –, há muitos anos não tenho notícias de qualquer um deles. Quase todos foram viver suas vidas, enquanto eu... Bem, eu fiquei aqui e esqueci-me de viver.

– Como assim? – perguntou Anny.

– Não fiz nada do que eu queria ter feito, e agora, menina, deixo os dias me arrastarem.

O homem soltou um profundo suspiro ao dizer a última frase. Anny observou-o em silêncio por alguns instantes. Hermes carregava profundas mágoas e arrependimentos; era nítido. Era como se ele assistisse a vida passar, como se assiste a uma peça de teatro – ele era um mero espectador da vida, e não um ator; não era o protagonista de seus dias. Estava sempre na plateia e nunca nos palcos. Era essa a diferença entre viver ou simplesmente existir.

A garota pensou que muitos adultos guardavam mágoas, pois, apesar de bem mais novo que Hermes, Pepeu também demonstrara que gostaria de uma segunda chance para seu passado. Anny pensou e prometeu para si mesma que jamais faria algo de que se arrependesse e, principalmente, jamais *deixaria* de fazer...

– Senhor Hermes – ela quebrou o silêncio –, por que o senhor disse que quase todos os seus irmãos foram viver suas vidas?

Ele ficou alguns minutos pensando, como se revivesse antigos momentos, então, disse:

– Um deles teve um final trágico. Ele era o irmão de quem eu mais gostava... Eu o ajudei a vir ao mundo.

Enquanto falava, Hermes parecia reviver sua própria história, mergulhando cada vez mais profundamente nas lembranças – lembranças de quando ele ainda vivia e não simplesmente existia.

Há tanto tempo ele não se permitia relembrar...

Havia guardado aquelas recordações no fundo de sua alma por tanto tempo, que elas agora pareciam empoeiradas. Era difícil revivê-las, pois eram doces, e o coração do homem, com o tempo, havia se tornado amargo.

Anny deixou-se embalar pelas memórias de Hermes e foi acompanhando cada detalhe, também criando as cenas em sua mente.

– O nome do meu querido irmão era Benjamin...

Reino Unido, 1910

Hermes, um garoto de sete anos, era um dos vários filhos do casal Joanna e Charlie. Ele corria pelas ruas do interior da Inglaterra, trajando bermudas com suspensórios, sapatos lustrosos e camisa azul. As poças formadas pela chuva do dia anterior não eram empecilho para o pequeno aventureiro inglês; pelo contrário, tornavam a aventura ainda mais interessante.

Ele tinha oito irmãos, alguns mais velhos, outros um pouco mais jovens. A mãe estava esperando o décimo filho. Hermes torcia para que viesse um aventureiro, assim como ele, para acompanhá-lo nas brincadeiras pelas ruas da cidade, já que os outros irmãos cansavam-se facilmente de juntar-se a ele nas aventuras, ou, então, tinham gostos muito diferentes.

– Mais uma poça de lama! Mais uma poça de lama! – ele berrou, narrando sua própria aventura. – E o corajoso desbravador a salta, como fizera nas vinte e sete anteriores! Iupi!

Então, ele pulava a poça e continuava a correr.

Em sua corrida para saltar as poças, ele estava perto da rua de sua casa e resolveu ir ver como a mãe estava, já que ela carregava o seu futuro companheiro de aventuras, e também queria conferir se nenhum irmão não gostaria mesmo de ir brincar.

Chegando à casa que, embora aconchegante devido aos caprichos de Joanna, era pequena para tantos filhos, encontrou-a estranhamente silenciosa.

– Mamãe? – ele chamou.

– Sim, Herminho, estou aqui na cozinha fazendo o almoço – respondeu Joanna.

Ele foi até o local, então perguntou para a mãe:

– Onde estão todos?

– Seu pai foi fazer uma entrega e seus irmãos quiseram acompanhá-lo. Foram todos de carroça. Não conseguimos encontrar você, então eles partiram.

– Puxa! – exclamou Herminho, chateado por ter perdido um passeio de carroça com o pai e os irmãos. Ele adorava quando Charlie ia entregar os quitutes que a esposa fazia para vender. Sempre era motivo de festa.

Ele, então, abraçou a mãe, passando a mão em sua enorme barriga:

– Como está meu irmãozinho?

– Já conversamos sobre isso, Herminho; pode ser um irmãozinho ou uma irmãzinha – falou Joanna.

– Será menino – ele disse –, será um desbravador como eu! Até mais tarde, mamãe, vou brincar na rua!

– Hermes, fique por perto; estou sozinha e posso precisar de alguma ajuda!

– Mas você falou ontem que se sentia bem e que meu irmão vai demorar algumas semanas ainda para nascer – ele reclamou.

– Sim, meu filho, mas, de qualquer forma, posso precisar que alguém me ajude a fazer o almoço.

– Está bem – ele disse mal-humorado, indo para a calçada em frente à sua casa.

O pequeno Hermes sentou-se no canto da rua e ficou com um graveto na mão, cutucando as pedras que estavam por ali. Sentia-se entediado, precisava encontrar um meio de se divertir.

Foi então que ouviu um forte grito vindo do interior da casa.

A mãe parecia realmente precisar de ajuda.

Ele entrou rapidamente e encontrou-a deitada no chão da cozinha, gemendo de dor, com a mão na barriga.

– Hermes, me ajude, seu irmão está nascendo – Joanna disse, arfando.

O garoto, a princípio, não acreditou. Mas, devido aos gritos de Joanna, percebeu que era verdade. Ele começou a tremer; arregalou os dois olhos, fitando a mãe, sem saber o que fazer.

Logo ele, um corajoso e destemido desbravador, sentia medo pela primeira vez na vida.

Porém, ele sabia que precisava ser forte para ajudar seu irmão e futuro companheiro de aventuras a nascer. Precisava ajudá-lo em sua primeira grande aventura: vir ao mundo.

Foi seguindo as instruções da mãe. Ele suava, tremia, quase desmaiava ao presenciar pela primeira vez um nascimento e, mais que isso, ter que realizar o parto com apenas sete anos.

O coração do pequeno Hermes apenas sossegou quando ele ouviu o choro do novo irmão. Foi o som mais divino que já havia escutado. Após instantes terríveis, de medo e apreensão, ele pegou o irmão nos braços por ternos instantes e, então, o levou para a mãe ver:

– É um menino – Hermes disse, chorando. – Eu sabia que seria um menino, mamãe, olhe!

– É o Benjamin – falou Joanna, chorando e rindo ao mesmo tempo. – Eu e seu pai havíamos decidido que, se fosse menino, teria esse nome.

Joanna passou também a mão no rosto de Hermes agradecendo-lhe. Ambos choravam copiosamente de felicidade e alívio. Então, Herminho falou:

– Benjamin, o aventureiro! Gostei!

■

Anny viajava no tempo, apreciando a história de Hermes. O homem fazia o mesmo e, pela primeira vez, a garota via um esboço de sorriso surgir em seus lábios.

As lembranças, enterradas em uma gaveta no fundo de sua alma, estavam fazendo-lhe bem. Melhor do que ele poderia supor, afinal, havia resolvido guardá-las para sempre. Estava surpreso consigo mesmo por revelá-las a alguém.

Hermes estava tão concentrado relatando o nascimento de Benjamin, que nem percebera o sorriso se formar em seu rosto cansado. Era um sorriso pequeno e modesto; tímido. Um sorriso de alguém que se esqueceu de sorrir há muitos anos.

Anny queria saber mais detalhes sobre o passado do homem. Estava curiosa a respeito de Benjamin:

– Ele se tornou um aventureiro como você?

– Sim, conforme eu havia previsto, ganhei finalmente um irmão que gostava das mesmas brincadeiras que eu – respondeu Hermes – Formávamos uma dupla dinâmica: Benjamin, o aventureiro, e Hermes o explorador. Benji, como eu o chamava, se tornou meu amigo inseparável, embora tivéssemos uma considerável diferença de idade. Eu ajudei minha mãe a cuidar dele, já que me sentia responsável após tê-lo trazido ao mundo. Conforme ele disse as primeiras palavras e deu os primeiros passos, eu já comecei a ensiná-lo sobre as aventuras da vida. Ele viveu cada instante de sua infância ao meu lado e, depois, de sua juventude.

– E o que aconteceu quando vocês cresceram? – quis saber Anny, adorando a história.

– Bem... – falou Hermes, desacelerando o ritmo de sua narrativa. – Benji foi para a Guerra e nunca mais voltou.

Ele disse as palavras seguintes ainda mais lentamente, com grande pesar em cada sílaba:

– Ficamos sabendo que estava na Alemanha, quando... Quando perdeu a vida em um episódio dramático, junto a outros companheiros de combate... Pelo menos ele teve uma morte heroica: a última grande aventura de sua vida.

– Assim como seu nascimento fora a primeira – completou Anny.

O homem balançou a cabeça, confirmando que a morte de Benjamin havia sido um episódio digno de um herói, assim como o dia em que ele chegara ao mundo.

Então, Anny questionou:

– E foi por isso que o senhor deixou a vida passar?

– Esse foi um dos golpes do destino. Mas ele foi mais recente. Veja que a Guerra acabou há menos de três anos. A morte de Benji foi o acontecimento que selou minha falta de vontade de viver. Antes, porém, eu já fizera escolhas erradas...

Reino Unido, 1926

Hermes havia crescido. Era já um homem feito e ocupara o lugar do pai realizando as entregas da mãe. Todos os filhos de Joanna e Charlie haviam tomado um rumo na vida, exceto Benjamin, que ainda era jovem e frequentava o último ano da escola.

Hermes não quisera sair de casa, como haviam feito os outros irmãos; não sem o Benjamin. Então resolvera ficar e ajudar a família, até que Benji terminasse os estudos e eles pudessem sair pelo mundo afora em busca de aventuras maiores.

As entregas começariam cedo aquele dia e Hermes ficou animado ao ver que as primeiras roscas deveriam ser levadas para a casa do senhor Timothy.

– Benji, falte à escola hoje, eu preciso que você venha me ajudar – Hermes falou pela manhã.

– Está bem, mas a mamãe e o papai não podem nem sonhar que eu matei aula de novo – falou Benjamin.

– Eles não descobrirão. Venha, vamos depressa – disse Hermes.

Os irmãos subiram na carroça e partiram pela cidade. Benjamin já desconfiava dos motivos do irmão, então, disse:

– Eu sei muito bem por que você quer que eu o acompanhe, Herminho. Com certeza temos entrega na casa do senhor Timothy, acertei?

Hermes apenas sorriu. Então, Benjamin continuou:

– A filha dele estará lá, não estará?

Hermes sorriu novamente e disse:

– Eu vou me casar com a Josephine.

– Pare de sonhar, Herminho, você sabe que as filhas do senhor Timothy não são para o nosso bico. Além do mais, temos um mundo a explorar, eu e você – falou Benji.

– Ela disse que vem junto. Ela disse que também me ama – Hermes falou, outra vez sorrindo – E preste atenção, eu preciso muito falar com ela hoje, então você deve distrair o pai dela, está bem?

– Ah, não! – exclamou Benji – Então é assim que eu vou morrer: sustentando a sua paixão impossível...

– Pare de dizer bobagens – falou Hermes, parando a carroça em frente a uma imponente casa.

Assim que desceu da carroça, uma bonita moça veio à porta, dizendo à empregada que ela mesma pegaria a encomenda. Hermes a contemplava encantado.

Ela retribuía o olhar com o mesmo suave encantamento.

Josephine abriu o portão sorrindo e o sol da manhã iluminou seu delicado rosto. Ela tinha a pele branca, bochechas e lábios rosados; cabelos levemente vermelhos, com cachos pendendo sob um chapéu branco. Era incrivelmente linda, a "visão do paraíso", segundo o rapaz. Ela o encarava, com a felicidade e a paixão estampadas na face; então, disse:

– Você chegou cedo hoje, meu querido poeta. – e, apontando para o interior da casa, falou: – meu pai está na cozinha, tomando café.

– Benji! – chamou Hermes – Vá até a cozinha e distraia o pai de Josephine, falando sobre as novas receitas da mamãe e o que mais vier à sua cabeça, está bem?

Benjamin, contrariado, entrou na casa, resmungando algo inaudível.

– Tenho sonhado com você – falou Josephine, assim que eles ficaram a sós.

– Sonhos bons, espero – disse Hermes.

– Os melhores – ela continuou – Que estávamos nos casando. Mas papai diz que prefere morrer a ver uma filha casar-se com um entregador de roscas. Ele também disse que logo chegará à cidade um diplomata e que devo me casar com ele.

– Não pode ser, temos que fugir o mais rápido possível. Eu já falei para o Benjamin que você vai conosco conhecer o mundo.

– E o que ele falou? – Quis saber a moça.

– Que vivemos uma paixão impossível – disse Hermes, aproximando-se dela e colocando a mão sobre sua face.

Ela assustou-se e recuou um passo.

– Desculpe-me o atrevimento – falou o rapaz.

– Benjamin está certo de alguma forma – Josephine falou, retomando o assunto.

– Eu te amo, e nada me impedirá de ficar ao seu lado – ele falou – Tenho escrito muitos poemas, fique com este que escrevi ontem, ao ver as estrelas e pensar em você.

Hermes entregou um papel a Josephine e ela sorriu, dizendo:

– Eu te amo também, Hermes.

Eles ficaram alguns instantes apenas olhando dentro dos olhos um do outro, como se nada mais existisse; até que ouviram um berreiro vindo do interior da casa. Benjamin apareceu, correndo:

– Suba na carroça, Hermes! Ele está armado!

Hermes fez o que o irmão disse e eles partiram rapidamente. Tiveram tempo de ver o senhor Timothy aparecer na rua e atirar para cima, gritando:

– Vocês nunca mais chegarão perto de filha alguma minha, e diga para a sua mãe que todas as nossas encomendas estão canceladas!

Os irmãos riam da desajeitada fuga na carroça, enquanto Hermes gritava:

– Eu te amo, Josephine – acenando.

Benjamin, por sua vez, dizia:

– Isso que eu chamo de uma boa aventura logo cedo!

Naquele dia, Hermes ficou sonhando com o rápido encontro que tivera com sua amada. Ela, por sua vez, passou a tarde mostrando os poemas às irmãs. Todas suspiravam apaixonadamente pelas mais bem traçadas linhas de amor daquele poeta e encorajavam Josephine a fugir com ele e viver seu verdadeiro amor, antes que o tal diplomata chegasse.

■

– O plano de fuga não deu certo? – perguntou Anny.

– Não – disse Hermes, tristemente –, o senhor Timothy disse que preferia nunca mais ver a filha a vê-la casada comigo. Logo após o episódio da fuga, ele a enviou para o exterior para casar-se com o tal diplomata e viver longe do entregador de roscas. Eu nunca mais a vi e nunca descobri para qual país ela havia sido enviada pelo pai.

– E o que o senhor fez depois?

– Eu continuei ajudando minha mãe, não quis ir conhecer o mundo com Benji. Já naquela época estava começando a perder a vontade de viver, após a partida de Josephine, sem ao menos despedir-se. Meu irmão disse que também não iria sem mim. Então, ele entrou para o exército e nunca se casou. Benjamin, de certa forma, realizou seu maior sonho: viver grandes aventuras. E eu fiquei entregando as roscas, até que meus pais me apresentaram à moça recém-chegada na cidade, Jane, e me convenceram a casar com ela no ano seguinte. Acredito que os pais dela também tiveram que convencê-la sobre nosso casamento. O lado bom disso tudo foi que, de dez filhos, fui o único que ficou para cuidar de meus pais em seus últimos dias, todos os outros já haviam partido para viver seus destinos.

– O senhor nunca amou a senhora Jane? – perguntou Anny, começando a entender sobre o casal com quem morava.

– Essa pergunta é muito difícil de responder. Eu e Jane tivemos uma vida regrada. Eu aprendi a profissão de marceneiro assim que nos casamos, e ela havia se formado para professora. Então, passamos a deixar os dias nos arrastarem para o trabalho, e do trabalho de volta para casa. Os dias alegres eram quando Benji vinha nos visitar, até que ele foi morto na Guerra. Animamo-nos também com a expectativa de ter filhos, mas Jane não conseguiu engravidar. Então, posso dizer que a amargura me fez companhia desde quando me dei conta de que havia desperdiçado minha vida, sem realizar qualquer um dos meus sonhos. Eu nunca dei chance a mim mesmo de amar a Jane; estava demasiadamente preso ao passado. Porém, mesmo se tivesse tentado, penso que não teríamos sido felizes de qualquer forma.

– Mas, senhor Hermes, ainda há tempo para os seus sonhos do passado. Por que o senhor não vai atrás de seus outros irmãos ou de Josephine? – perguntou Anny, que aprendera muito com Pepeu sobre a vontade de viver.

– Você não sabe do que está falando, garota – ele disse.

– Sabe, senhor Hermes, eu também tenho uma família que amo muito. Papai e mamãe são as pessoas mais importantes para mim. Infelizmente não realizei meu grande sonho de ter irmãos, mas também tenho meus avós – Anny disse.

– E onde eles estão? – perguntou Hermes.

– Não sei, eles se mudaram para outro país, assim como a Josephine. Eu também não sei exatamente para onde, mas não vou desistir de encontrá-los. Sei que, um dia, seremos novamente uma família unida. O senhor deveria fazer o mesmo.

– Pra você é fácil falar, você tem a vida pela frente; eu não.

– O senhor não sabe quanto tempo lhe resta – ela argumentou.

– Mas, de qualquer forma, estou cansado e acostumado com minha vida.

– Eu me lembro vagamente dos primeiros Natais que tive – falou Anny – Lembro-me de luzes, sempre as adorei. Com muito esforço, recordo-me de vovó... Ela também gostava do clima natalino. É a única lembrança que tenho de minha avó Dayse... Pena que esse ano não vi as luzes...

– Pois venha até aqui – falou Hermes.

Ele guiou a menina pela porta da sala e levou-a até a rua, coisa que ela não fazia há quase um ano. Então, como num passe de mágica, daquelas que Pepeu fazia tão graciosamente, as luzes de Natal surgiram.

A rua em que ela vivia, mas não conhecia – visto que era como uma prisioneira na casa de Jane e Hermes – era uma típica ruela inglesa e estava toda revestida conforme o estilo natalino, devido à neve e às casas enfeitadas. A única exceção era a casa do senhor Hermes, que estava escura como sempre. Nem o brilho do Natal a fizera mudar.

Contudo, o clima natalino era divino e contagiante; revestia cada alma e cada coração de paz, felicidade e brilho...

Ao longe, Anny ouvia um doce coral e uma conhecida canção, que lembrava seus antigos Natais em família. Era "White Christmas",[1] música que sua avó Dayse costumava cantar. E Anny, ao reparar na letra, não deixou de notar que ela também lembrava a história de Hermes – este, parecia inebriado pela magnífica canção: *"I'm dreaming of a White Christmas. Just like the ones I used to know..."*[2].

---

1 Canção escrita em 1942 por Irving Berlin. Fala sobre os soldados da Segunda Guerra Mundial. (N. A.)

2 Tradução: "Eu sonho com um Natal Branco. Exatamente como os outros [Natais] que eu conheci." (N. A.)

Após tantos mergulhos no passado do velho poeta, em linhas traçadas ao longo de sua infância e juventude, Anny conseguia finalmente enxergar no senhor Hermes uma luz. Provavelmente, falar sobre o passado devolvera a ele um pouco do brilho que existe em todas as pessoas. Assim como as memórias, o brilho também estava ofuscado pelas poeiras que o tempo havia trazido ao coração do homem.

As luzes e cores, a neve, a canção, o passado... Tudo cooperara para que Anny testemunhasse um milagre de Natal: o senhor Hermes.

Ela não tinha certeza, mas imaginou que talvez tivesse sido a primeira vez em muitos anos que ele falara sobre sua vida e, principalmente, sobre seu passado.

A garota ficou olhando alegremente para as luzes de Natal, enquanto ouvia a doce cantiga. Lembrou-se ainda mais da avó, dos pais, dos Natais em família... Respirou profundamente, enchendo os pulmões de um ar repleto de encantos natalinos, que a revigoraram imediatamente. Como ela gostaria de estar com sua família!

Olhou também para a linda neve no chão, que tornava tudo ainda mais especial. Percebeu que Hermes fazia o mesmo, parecendo ainda reviver as cenas de seu passado.

Então, Anny viu o carro do senhor Hermes. Ele estava estacionado na frente da casa. Ela nunca o havia visto, apenas escutara seu barulho. Ele era preto e muito bonito, embora o Cadillac vermelho de seu pai fosse ainda o seu preferido.

Hermes reparou que ela olhava para o carro, e disse:

– Foi o Jefferson que me deu, eu jamais teria dinheiro para comprar um desses. É um Topolino, eu sempre quis um.

– Por que meu pai lhe deu um carro, senhor Hermes?

Ele percebeu que havia falado demais, então tentou consertar:

– Porque ele é generoso.

– Ele é mesmo! – disse Anny, feliz, chegando mais próxima ao carro e tocando nele, como se pudesse tocar o pai dessa forma.

– Bem, vamos entrar – falou Hermes.

Eles voltaram à sala. Então, Anny disse:

– Senhor Hermes, minha avó Dayse ensinou ao meu pai, que me ensinou também, que devemos rezar todos os dias, mas que no Natal devemos fazer uma oração ainda mais especial, porque é aniversário do Senhor Jesus. Dessa forma, podemos sentir Papai do Céu e Ele mais próximos de nós.

– Eu não rezo há muitos anos, garota, não seria hoje que Deus me ouviria; mas você pode ir rezar, eu logo vou me deitar também. Jamais diga a Jane que comemos juntos, conversamos, que você foi em frente da casa e que se sentou no sofá; ela nos mataria.

– Combinado – ela respondeu.

Anny, então, direcionou-se para seu quarto, mas, pouco antes de sair da sala, disse:

– Feliz Natal, senhor Hermes.

Desta vez ele respondeu:

– Feliz Natal, garota.

Anny debruçou-se sobre a janela de seu pequeno quarto, junto a Tiara, e olhou para as estrelas, enquanto conversava com o Papai do Céu.

De onde estava, ela podia ver a Casa Grande, assim como os canteiros de seu jardim na casa em que vivia. A neve ainda caía, celebrando o Natal. Então, ela viu que havia alguém nos fundos da casa, em meio aos canteiros. Anny ficou observando a figura por alguns minutos. Era o senhor Hermes. Ele estava parado entre os canteiros cuidados por Anny, olhando para cima. Ficou muito tempo naquela posição, contemplando os céus. A menina o observava; ela teve certeza de que ele seguira seu conselho e estava falando com o Papai do Céu.

– Não importa quanto tempo ele ficou sem rezar – ela pensou – Tenho certeza de que o Papai do Céu ficará feliz em conversar com ele novamente.

Ela permaneceu em silêncio absoluto para não atrapalhar Hermes, o velho poeta, que falava com Deus naquela bonita noite de Natal.

■

Anny permaneceu deitada na cama, não tinha sono. Ficou muito tempo pensando nas histórias que Hermes contara. Ele era uma boa pessoa, ela pensou, estava apenas castigado pelos sofrimentos que passara e, assim, cometeu o maior dos erros: entregar-se e deixar que a amargura tomasse conta de seu ser. Ele se esquecera do Hermes explorador e do Hermes poeta; enterrara-os há muito tempo no passado, sendo, agora, apenas o senhor Hermes – arrastado pela vida, ao invés de viver, espectador e não protagonista de sua trajetória. Anny teve vontade de ajudá-lo, assim como Pepeu lhe dissera para fazer: ajudar as crianças, mas, sobretudo, ajudar os adultos. Mas ela não sabia como resgatar a poesia de dentro daquele velho ranzinza, que comera panquecas feitas por ela na noite de Natal.

Ela pensou em como não podia julgar as pessoas, pois cada uma esconde, dentro dos seus olhos tristes ou ameaçadores, histórias, vidas, essências; Anny não imaginava o que Hermes escondia dentro de si, mas agora ele mostrara uma parte e, assim como ele, eram todas as pessoas no mundo. Não que todos tivessem um passado de tristeza; mas, passado, sim, todos o tinham.

– Cada um tem a sua história, com conquistas e vitórias – ela pensou –, porque a vida é como um jogo de xadrez: devemos estar sempre prontos para ganhar ou perder; o importante é tentar.

No meio da madrugada, a maçaneta da porta do quarto de Anny girou. Ela ainda estava acordada e levou um grande susto. Mas, para sua alegria, era Pepeu:

– Eu esperei o Hermes ir dormir, – ele falou, sentando-se na pequena cama, onde Anny estava deitada – Precisava desejar-lhe Feliz Natal. Infelizmente não tenho dinheiro para comprar-lhe um presente, então, trouxe apenas o meu abraço.

Anny o abraçou, dizendo:

– Feliz Natal, Pepeu. Seu abraço é o melhor presente do mundo. Eu também não tenho dinheiro, então vou apenas retribuir.

Eles conversaram um pouco mas logo o rapaz disse:

– Não vou me demorar, já está tarde. Vim apenas vê-la rapidamente, não quero causar-lhe problemas.

– Fique mais, Pepeu – ela insistiu.

– Não posso, pequena – ele disse beijando-lhe a testa –, e você precisa dormir. Boa noite.

Ele saiu do quarto e fechou a porta. Anny ficou deitada, olhando para a Casa Grande através da janela. A neve tornava o cenário ainda mais especial. Era lindo e delicioso de se ver.

Admirando aquela linda noite que cobria a Inglaterra, pensou em como seu Natal havia sido especial - ela, definitivamente, testemunhara milagres.

■

Os últimos dias do ano arrastaram-se sem demora. Anny voltara a seus afazeres na casa, sem nunca mencionar para a senhora Jane como havia sido seu Natal ao lado de Hermes. Este, por sua vez, não trocara uma palavra com a menina desde aquela noite.

A luz que Anny conseguira ver em seus olhos na noite de Natal ainda era visível. Talvez sempre houvesse sido; ela que não conseguira reparar antes, devido à amargura que Hermes insistia em vestir.

A pequena despediu-se de 1947 a sós, com Tiara. Hermes havia concordado em ir para a casa de Nicole, desde que Jane parasse de discutir sobre a irmã, Charlotte, que era uma descabeçada sem conserto.

Anny, mais uma vez, fora proibida de ir. Ela fez novamente panquecas e, após comer sozinha, foi se deitar.

Ficou muito tempo contemplando seu balanço e a janela do quarto de brinquedos na Casa Grande, acompanhava o ranger da corrente do balanço e seu movimento ao vento, como se estivesse lá.

Ela estava satisfeita com o seu último dia do ano, mas pensou que todos os dias deveriam ser comemorados no final. Todos os dias eram únicos e especiais, eram um presente do Papai do Céu. Todos os dias aconteciam inúmeras coisas mágicas para muitas pessoas ao redor do mundo - Anny não sabia quantas pessoas havia no mundo, mas deviam ser muitas; então, todo dia era um grande dia para alguém.

A garota vivia trancada, sem contato algum com o exterior, enquanto os pais rodavam o globo. Ela não sabia os acontecimentos marcantes do ano que acabara. E, tampouco, compartilhava as esperanças de progresso que os ingleses, seus compatriotas, tinham para 1948.

A Segunda Guerra Mundial acabara há pouco, deixando o Reino Unido abalado; muitas pessoas ainda sofriam com a devastação causada pela Guerra. Não apenas aqueles que perderam entes queridos nos conflitos - como Hermes - mas também os demais cidadãos ingleses, que eram parte de um todo. Um todo abalado em muitos sentidos. O Reino Unido havia sido uma potência no combate, lutando – e vencendo – ao lado das Forças Aliadas, porém a recuperação era necessária após tanto sofrimento e viria através de medidas de criação de um Estado de Bem-Estar Social. Assim como através da chegada de muitos imigrantes que eram a esperança da formação da Inglaterra multiétnica. Após a Primeira Grande Guerra, na qual lutara ao lado da Tríplice Entente, saindo também vitorioso, o Reino Unido tivera avanços consideráveis, como o surgimento da primeira rede de televisão e rádio – muito importantes na vida das famílias inglesas. Agora, após o segundo conflito, mais avanços certamente surgiriam.

Anny, sem saber, era parte de tudo isso também. Era parte integrante do todo. Mas era como se ela vivesse em um aquário, em que nada que acontecesse ao seu redor pudesse atingi-la, ou mudar sua rotina. Ela, no fundo, não queria que fosse assim, mas não tivera a oportunidade de escolher. Ela mal entendia a Guerra e, menos ainda, conseguia entender por que povos brigavam, já que todos eram filhos do mesmo Papai do Céu.

As vidas continuaram a ser escritas e a neve continuou a cair.

Era o início de 1948.

Naquele dia, Anny acordou, como sempre, alheia ao mundo, sem saber que uma mulher, assim como tantas outras pessoas ao redor do globo, levantara-se para viver seus últimos minutos.

De certa forma, ela estava ligada a tudo isso.

■

Julia adorava a vida na Inglaterra, mas ela não era a mesma desde que seu marido sumira na Guerra.

Ela levantou-se cedo e foi se arrumar para o serviço.

■

– Cindy, pelo amor de Deus, vamos logo, senão a perderemos de vista – falou o marido.

– Calma, Jefferson, só falta prender o cabelo. Garanto que ela ainda não saiu do prédio – respondeu Cindy.

– Se não fossem seus atrasos, nós teríamos terminado o serviço antes do Natal e poderíamos ter tido um final de ano decente ao lado da nossa filha – ele disse.

– Pare de reclamar! Garanto que a garota nem se lembra da nossa existência – riu-se Cindy.

– Parece que você não conhece a Anny. Além disso, combinamos que encerraríamos esses dias de trabalho com este caso aqui na Inglaterra, pois já estaríamos mais perto de casa e poderíamos passar o Natal em família.

Cindy olhou-o com ar de quem não se importava nem um pouco com nada do que ele acabara de dizer, apenas terminou de ajeitar os bonitos cabelos dourados. Então, ela e o marido saíram do apartamento, elegantemente vestidos.

■

Julia tomou café, terminou de vestir-se e desceu até a portaria do prédio. O carro estava parado próximo à entrada. Ela foi, então, abrir o porta-malas para guardar alguns materiais que usaria no serviço, quando algo a atingiu em cheio no peito.

Seu corpo caiu imóvel na rua, onde sangue começava a escorrer.

■

A neve incessante de janeiro começou a incomodar Anny pela primeira vez. Não via os pais há exatamente um ano. Eles não chegavam conforme o prometido e, embora sua fé fosse inabalável, ela sentia que mais dias de solidão fariam o seu castelo tornar-se ruínas novamente. Ela não queria entregar-se ao desespero. Procurava lembrar-se de tudo que aprendera com Pepeu e também com a história de Hermes, mas estava difícil suportar as saudades dos pais.

Ela estava debruçada em sua cama, jogando xadrez sozinha, quando Jane entrou bruscamente no quarto dizendo:

– Eles estão vindo, é bom você se arrumar.

– Quem? – perguntou Anny.

– Seus pais, sua burra! Fique pronta para esperá-los.

Anny não acreditava. Começou a tremer, a sorrir, a pular de felicidade. As lágrimas, sufocadas pela espera de doze meses, começaram a rolar em sua pequena face. Ela abraçou Tiara o mais forte que pôde e disse:

– Eles estão vindo, eles estão vindo!

Colocou a roupa de que mais gostava, a sapatilha vermelha que a mãe lhe dera há algum tempo e penteou cuidadosamente os cabelos. Pegou Tiara, seu jogo de xadrez e, antes de sair do quarto, olhou para o céu através da janela, dizendo:

– Obrigada, Papai do Céu.

Jane a acompanhou até a Casa Grande, depois foi embora, deixando-a sozinha à espera dos pais.

Ela lembrou-se do último sábado em que esperara por eles. Eles haviam se atrasado e ela passara horas sentada na cadeirinha, olhando pela janela, sem comer, dormir, sem sair do lugar. Mas eles haviam chegado, a espera havia valido a pena. Não importava quantas horas ela teria que esperar desta vez, eles estavam a caminho.

Anny ficou sentadinha no sofá por quase uma hora. Estava pensando em ir buscar sua cadeirinha para sentar-se à janela, como da última vez, até que ouviu um conhecido barulho de carro, que a fez pular de alegria. Ela estava com os olhos marejados de lágrimas, devido à emoção de reencontrar as pessoas que mais amava no mundo, as pessoas que eram, para ela, sua razão de viver.

Cindy e Jefferson desceram do Cadillac vermelho e cruzaram a porta da frente.

Anny já os esperava, parada junto à porta. Ela não disse nada no início, apenas agarrou os dois com muita força, de forma que eles nunca mais escapassem. Foi um abraço que representou todo o seu carinho, todo o seu amor, toda a esperança que ela mantivera enquanto eles estiveram longe. Era um abraço sincero, de criança.

Ficou muito tempo abraçando o pai e a mãe. Eles também não disseram nada, o que fez daquele o silêncio mais maravilhoso que Anny já vivera. O abraço da família finalmente se desfez, e o pai ajoelhou-se à altura da filha – do mesmo jeito que Pepeu costumava fazer – dizendo:

– Minha querida, como você está linda!

– Ah, papai! – ela disse, abraçando-o novamente e chorando copiosamente.

– Não chore, Anny, nós estamos aqui – falou Cindy, passando a mão nos cabelos da filha.

– Mas eu estou com muitas saudades – Anny falou, enxugando os olhinhos –, não foi fácil, papai, não foi... Mas eu consegui. Eu esperei por vocês o ano todinho.

– Eu sei, querida, e estamos muito orgulhosos – falou Jefferson.

– Vocês sentiram a minha falta? – a menina perguntou, soluçando.

– Claro que sentimos – disse o pai –, você faz muita falta, querida.

Pela primeira vez, em meio ao choro, ela esboçou um sorriso.

– Papai, eu andei treinando xadrez.

– Então, logo saberemos se você já me superou – Jefferson disse, sorrindo e fazendo cócegas na filha.

Anny soltou uma gostosa gargalhada. Então, foi ajudar os pais a guardarem as malas.

Ela queria contar tudo o que aprendera nos últimos meses, queria contar sobre o jardim, a dança, a história do senhor Hermes, o Reino Xadrez e tudo mais. Os pais ouviam atentamente tudo o que a filha dizia. Ela sentia-se tão feliz, não havia palavras para descrever suas sensações.

– Mamãe, vamos brincar no balanço? – ela perguntou.

– Vamos – falou Cindy.

A família, então, foi para os fundos da casa. Anny nem olhou para a casa da senhora Jane, não queria misturar a realidade com o sonho. Ela não se importava com o tamanho do seu lar, poderia dar a Casa Grande para a senhora Jane e o senhor Hermes e viver na casa pequena para sempre se os pais estivessem com ela. Dessa forma, a casa pequena passaria a ser o lar mais feliz do mundo. Ela subiu no balanço e a mãe começou a empurrá-la, enquanto o pai contava histórias de suas viagens. Anny queria saber sobre as rainhas que eles encontraram, os cavaleiros, as montanhas, o mar...

Mais tarde, Cindy foi tocar piano. Anny estava deitada nos braços do pai, ouvindo a canção da mãe, quando sentiu vontade de dançar. A música a chamava, estendia-lhe a mão, como se a convidasse cordialmente.

Sem perceber, a doce menina levantou-se e começou a deslizar ao som da canção tocada por Cindy. Ao final de cada nova música, Jefferson a aplaudia e dizia que ela realmente levava jeito. Dançar para os pais fez com que ela se sentisse a criança mais feliz de todo o universo.

O dia de Anny não poderia ter sido melhor. Ela e os pais, além de brincarem no balanço e de ouvirem Cindy ao piano, também brincaram na neve, assistiram à televisão em volta da lareira e jogaram xadrez. Ela realmente progredira muito no jogo, ganhando elogios de Jefferson.

Quando chegou a noite, os pais disseram que precisavam dormir, então Anny pediu para dormir junto deles.

Os três deitaram-se na cama e a garota, como fizera da última vez, lutou para não pegar no sono. Quis ficar acordada olhando os dois adormecidos, pareciam anjos, ela pensava. Até que, já no meio da madrugada, Anny, involuntariamente, envolveu-os em seus pequenos braços e adormeceu feliz, como se os protegesse de todo o mal.

A paz a fez dormir tranquila, como não dormia há quase um ano; era novamente motivo de festa no Reino Xadrez. A rainha Anny declarou que aquele era o dia mais feliz de seu reinado e todos os súditos de cristal dançaram alegremente nos gramados quadriculados. No castelo, que uma vez estivera em ruínas, músicas alegres tocavam – todas elas eram originadas por belos pianos. E, ao redor do palácio, voava uma borboleta azul-celeste. Linda, cheia de vida e cor. Ela era como a alma da pequena rainha...

Anny foi a primeira a acordar na manhã seguinte. Ela observou os pais: eles ainda dormiam. Então, pensou:

– Eu queria que fosse assim sempre. Que todos os dias, quando eu acordasse, pudesse saber que vocês estavam aqui comigo e que, assim, eu estaria protegida da saudade e da solidão.

Então, ela foi imediatamente até a cozinha preparar panquecas para os pais. Depois, subiu as escadas e os chamou para o café da manhã:

– Mamãe, papai – ela disse, dando um beijo na face de cada um deles –, acordem, eu fiz panquecas!

A família tomou café alegremente, enquanto Anny conversava e contava piadas que aprendera com Pepeu.

– Com quem você aprendeu essas piadas? – perguntou Jefferson.

– Com um amigo meu. – falou a garota – Elas não são divertidas?

– São muito divertidas – respondeu o pai – e fico feliz que você tenha feito amigos. Como ele se chama?

– Pepeu, e eu gosto muito dele.

– Que bom – falou Cindy – E o que a senhora Jane pensa a respeito dele?

– Ela não o conhece – disse Anny.

– Como não? – perguntou Cindy, indignada.

Anny achou melhor não dizer que Jane a proibira de ter amigos, pois não gostava de se queixar para os pais, tampouco queria preocupá-los. Então, deu uma resposta satisfatória:

– Ele vem me visitar apenas quando eu estou sozinha.

Os pais se entreolharam e logo mudaram o rumo da conversa, de uma forma que não agradou Anny:

– Escute, querida – disse o pai –, eu e sua mãe teremos que partir novamente.

– Eu sei, papai – falou a garota olhando para baixo e ameaçando chorar –, mas será daqui a quantos dias?

– Será hoje, querida. Esperamos que você compreenda.

Anny balançou a cabeça afirmativamente, mostrando que compreendia. Lágrimas brotaram de seus olhos e ela perguntou ao pai sobre o presente que lhe dera:

– Papai, você guardou o desenho?

– Claro que sim! São a rainha Anny e o rei Jefferson...

– Juntos para sempre – ela respondeu.

– Agora suba e vá se trocar, em alguns minutos a senhora Jane virá buscá-la – disse Cindy.

Anny subiu contrariadamente as escadas, demorando-se em cada degrau, para que tivesse alguns minutos a mais na Casa Grande.

Então, ela pôde escutar a conversa dos pais na cozinha:

– Você acha que ela está bem mesmo, Cindy? – perguntou Jefferson.

– Claro que está. É normal nessa idade crianças terem amigos imaginários, ainda mais ela, que não possui irmãos ou coleguinhas – respondeu a esposa – E você viu como ela está animada, creio que tomamos a melhor decisão ao deixá-la na casa da senhora Jane.

– Eu acredito que a Anny está animada por estarmos aqui. Mas ela deve estar sentindo muito a nossa falta. Eu tenho dúvidas sobre as nossas escolhas...

– Jefferson, não comece com essa história novamente. Além do mais, agora é tarde para voltarmos atrás. Você sabe muito bem que o caminho que escolhemos não tem volta.

– Poderíamos pegar a Anny e fugir pelo mundo – o homem disse, animadamente.

– Não há esconderijos, eles nos achariam em qualquer canto do mundo e acabariam com todos nós sem piedade alguma. Você sabe disso tão bem quanto eu. – Cindy falou, rispidamente – Se você quer proteger nossa filha, então deve concordar que ela está a salvo aqui, e isso basta. Tenho certeza de que Jane não a deixa sair de casa, conforme ordenamos, para sua própria segurança.

Jefferson concordou e eles, então, mudaram de assunto.

Anny continuou subindo as escadas e foi se trocar. Ela não entendeu a conversa que ouvira, não entendeu o porquê de eles terem se referido a Pepeu como "amigo imaginário", ele era muito real.

Ou melhor, Anny já o amava como irmão e não poderia aceitar o fato de ele existir apenas em sua mente.

– Sim, ele é real – ela disse para si mesma – Não é? – perguntou-se confusa.

Pouco tempo depois, Anny desceu as escadas e encontrou o senhor Hermes junto dos pais:

– A Jane teve que sair, então eu vim buscá-la, garota. Já está pronta? – ele perguntou.

– Claro, senhor Hermes, só espere eu dar um abraço nos meus pais.

Ela abraçou fortemente a mãe, dizendo:

– Eu te amo, mamãe, volte logo! Eu vou esperar pela neve do ano que vem. O inverno é mais frio e demorado se vocês não estão aqui.

Em seguida, foi a vez de Jefferson:

– Eu te amo, papai; não perca nunca o desenho, é uma forma de nos mantermos unidos. Eu o protegerei para sempre.

– Eu sei, querida. Mas você não pensou que ia embora sem um presente de Natal atrasado, pensou? – perguntou o pai.

Os olhos da garota brilharam ao ver o bonito embrulho que o pai estendia para ela.

Ela desembrulhou-o cuidadosamente e encontrou um bonito chapéu cor-de-rosa. Ele era arredondado e possuía um laço de fita lateral, em tom rosa mais escuro.

Anny vestiu-o imediatamente, dizendo:

– Puxa! Eu amei, papai, obrigada! Sinto-me ainda mais parecida com a mamãe, ela sempre usa um chapéu mais elegante que o outro!

Todos sorriram. Então, Anny saiu da Casa Grande acompanhada por Hermes, Tiara, o jogo de xadrez, e trajando seu novo chapéu. Ela não quis dar espaço para a tristeza que teimava em invadir seu pequeno – e, ao mesmo tempo, enorme – coração. Pelo contrário, ela quis focar-se na alegria de ter passado um dia maravilhoso ao lado dos pais. Um dia com o qual sonhara durante meses sem fim.

A menina tinha certeza de que não havia motivos para chorar. Pensou que logo eles voltariam; em mais um ano estariam todos reunidos novamente. Além do mais, ela teria muito tempo para aprender coisas novas e poder dar orgulho a eles, como fizera naquele primeiro reencontro.

Anny acenou pela janela, contemplando-os uma última vez, e pensou: "Como eu os amo".

■

– Eles vieram, Pepeu! Eu passei um dia inteirinho com eles! – Anny gritou de felicidade, no dia seguinte, ao encontrar Pepeu em meio aos canteiros de seu jardim.

– Seus pais? – ele perguntou, animado.

– Sim! Eles voltaram! Eu sabia que voltariam!

– Vale a pena acreditar, não vale? – Pepeu perguntou.

– E como! – disse Anny, sorrindo.

– Estou orgulhoso de você, pequena.

A garota e o amigo cuidavam do jardim, para que o inverno não o castigasse ainda mais.

– Logo chegará a primavera e as flores ficarão lindas novamente – ela disse. – Eu as ensinei.

– Ensinou o quê? – perguntou Pepeu.

– A acreditarem, assim como eu fiz! Acreditarem que os dias difíceis sempre passam... Um dia eles vão embora.

Após cuidarem do jardim, Anny sentia sua alma tão leve e feliz que teve vontade de dançar. Ao dizer isso a Pepeu, ele fez uma reverência como um fiel cavaleiro, estendeu-lhe a mão e falou:

– Gostaria de acompanhar-me em uma dança, senhorita?

Anny riu do jeito divertido do amigo e respondeu:

– É claro.

Eles, então, dançaram, riram e, depois, jogaram xadrez.

Anny pensava que sua felicidade era indestrutível. Ela sentia-se a criança mais sortuda do mundo e agradecia ao Papai do Céu todos os dias pelas alegrias que completavam sua vida.

– Dançar é uma arte – falou Pepeu, quando eles terminaram a partida de xadrez aquela tarde – Há muitas formas de arte, Anny, mas todas elas têm um ponto em comum: são a expressão mais pura que há dos sentimentos mais profundos. As artes podem ser feitas através de pinturas, músicas, movimentos, palavras, danças, desenhos, textos, encenações, rimas, melodias, ensinamentos, giz, areia, cores, e tudo mais que existe à nossa volta.

– Eu quero ser uma artista, Pepeu – disse Anny.

–Você já é, minha pequena. E a maior arte que você me ensinou é ver a vida com alegria, apesar dos problemas.

– Mas eu queria realizar a arte de dançar – ela falou, fazendo Pepeu rir.

– Eu sei – ele disse –, mas todos podemos realizar muitas formas de arte em nossas vidas. E, como dissemos uma vez, se você quer ser dançarina, assim será.

Anny abraçou-o e eles ficaram em silêncio ouvindo o som do vento: era a forma de expressão da natureza. Os ventos traduzem a essência dos sentimentos. Se a natureza está brava, os ventos são furiosos e até destrutivos, se ela está em paz, os ventos são mansos e as brisas suaves preenchem todos os corações por onde passam.

– É a arte da Mãe Natureza – Anny pensou, sorrindo ao contemplar a face de Pepeu. Não havia momento mais mágico do que estar ao seu lado.

■

A primavera trouxe, conforme o prometido, mais cor e vida ao jardim de Anny. Pepeu, sempre que possível, vinha ajudá-la a cuidar das flores, mas, mesmo nos dias em que ele não aparecia, a pequena jardineira estava a cuidar de seus canteiros.

– Cuidar das flores deve ser também uma forma de arte – Anny pensou, enquanto regava as plantas em uma bonita tarde – Depois devo me lembrar de perguntar isso ao Pepeu.

Anny adorava a primavera. As cores, os perfumes, as danças dos pássaros no céu, tudo a fazia sentir-se mais próxima ao Papai do Céu e, portanto, protegida na ausência dos pais. Embora ela lamentasse o término da neve, que o inverno trouxera, alegrava-se ao pensar que no fim ano ele a traria novamente.

Talvez pelo Natal que passara junto ao senhor Hermes, talvez pela visita dos pais que lhe dera mais confiança, talvez pelos dez anos de vida que se completariam no fim do ano ou talvez pelo simples fato de sempre ter obedecido tanto às regras, Anny resolveu começar a quebrar algumas delas. Não era uma atitude rebelde propriamente dita, era mais uma questão de "dar-se o direito de; permitir-se" que ela adotara para ter um pouco mais de conforto.

Quebrar as regras incluía ultrapassar certos limites que Anny não ousara no primeiro ano naquela casa, como sentar-se no sofá e ligar a televisão ou o rádio quando estivesse sozinha; pegar mais biscoitos do armário (a regra da comida ela não quebrava de maneira mais satisfatória porque a geladeira vivia vazia e tudo que restava eram os biscoitos de Jane no armário); dançar alegremente pela sala e até tomar longos banhos.

A vida foi ficando mais fácil dessa forma. Anny habituou-se a sentar-se no sofá e assistir a divertidos programas assim que Jane e Hermes iam trabalhar. Sempre vestindo seu chapéu cor-de-rosa e com Tiara nos braços. Pepeu, que aprovara a nova conduta da amiga, vinha algumas vezes ver televisão com ela.

Naquela tarde, arrumando as tralhas que o senhor Hermes amontoava pela sala, Anny encontrou um antigo álbum de fotografias e resolveu olhá-lo, apenas por curiosidade (apenas por "permitir-se") – estava descobrindo o quanto era bom ousar.

Ela sentou-se no sofá e ficou vendo as imagens; via graça e beleza em tudo.

Eram fotografias da senhora Jane e do senhor Hermes mais moços. De fato, ele não havia sido um rapaz feio quando ainda não se escondia por trás da barba malcuidada e do olhar triste; e Jane - bem, Anny preferia não opinar.

A garota fechou o álbum e ficou pensando no poder do tempo, em como as coisas, as pessoas, as vidas, tudo mudava. O tempo era mágico para Anny, era mágico para trazer-lhe seus pais de volta e fazer seus sonhos se realizarem. Pepeu era o melhor mágico que Anny conhecia (era o único, na verdade, mas ela era fascinada por seus truques), contudo, ela duvidava que ele soubesse realizar a mágica do tempo (essa só o Papai do Céu sabia - ela pensou).

Foi então que a menina percebeu que uma foto caíra de dentro do álbum. Era uma fotografia que ela não havia visto.

Examinou-a com cuidado. Tratava-se de uma moça, mas não era a senhora Jane. Era uma jovem muito bonita, com um sorriso radiante, cabelos cacheados e um bonito chapéu.

A garota quis saber quem era aquela linda moça e, em um impulso, virou a fotografia para ver se havia algum nome no verso.

Havia mais que isso, havia um poema, um poema de amor.

Acima das doces palavras do poeta havia a inicial J e, ao final, a letra H. Anny lembrou-se da história que Hermes contara no Natal e pensou que aquela só poderia ser sua amada, a Josephine, que deveria estar em algum canto do mundo, quem sabe à espera do velho poeta que vivia (ou melhor, deixava-se viver) naquela pequena casa. A garota abriu o álbum e descobriu que havia nele um fundo falso. Porém, antes de guardar a foto de Josephine, ela quis olhá-la uma última vez:

– Ela é tão linda – pensou.

Admirava a fotografia. Então, tudo aconteceu tão rápido que Anny mal conseguiu processar as informações.

A porta da sala se abriu rapidamente e alguém correu em sua direção, tirando a foto de sua mão tão bruscamente que o álbum todo caiu, assim como Anny, que foi jogada ao chão com um forte tapa.

– Como se atreve?! – perguntou o senhor Hermes, de uma forma tão descontrolada e agressiva, que fez Anny começar a chorar de medo e dizer:

– Me perdoe, senhor Hermes, me perdoe.

Mas, para espanto de Anny, Hermes não voltou a agredi-la e a raiva foi saindo de seu rosto à medida que ele olhava para a foto.

Era como se o sorriso de Josephine o tornasse mais humano.

– Me perdoe – Anny continuava a murmurar –, eu estava limpando a sala e achei divertido ver o senhor e a senhora Jane quando mais jovens...

Ela parou de falar. Hermes lentamente foi escorregando; não conseguia sustentar o peso do próprio corpo, até que parou sentado no chão, onde Anny também estava. Ele chorava feito uma criança. E berrava feito um animal.

A garota assustou-se, mas entendeu que Hermes não significava uma ameaça para ela, e sim uma ameaça apenas para si próprio. Ela precisava ajudá-lo.

Anny enxugou as lágrimas que derramara na hora do susto, arrastou-se até o homem, que chorava feito menino, e abraçou-o.

Era um homem feito, mas, por dentro, um aventureiro adormecido.

Ele não ganhava um abraço há tantos anos que se confortou naqueles pequenos braços da garota e chorou por muito tempo.

Por muito, muito tempo mesmo.

– Acredite, senhor Hermes – ela disse, quando ele ameaçou parar de chorar.

– Acreditar no quê, garota? – ele perguntou, soluçando.

– Em dias melhores, acredite!

– Como? Tudo está perdido! Minha vida acabou antes mesmo de começar – ele disse.

– Eu não sei como, isso cabe ao Papai do Céu, mas a nós cabe apenas acreditar, não se entregue!

Nem as doces palavras da menina foram capazes de acalmar o velho poeta. As lágrimas voltavam a brotar de seus olhos e os lamentos de seus lábios.

– Tantos anos – ele disse, soluçando –, tantos anos eu passei apenas olhando para esta foto todos os dias, e agora você descobriu o meu segredo.

– O senhor já havia me contado, então não tem problema, senhor Hermes. O senhor pode confiar em mim. Um amigo me ensinou que confiar significa o mundo. Eu jamais revelarei o seu segredo. Além do mais, compartilhar faz bem, e eu devo dizer que concordo com o senhor, a Josephine é muito bonita.

Ao ouvir aquelas palavras, Hermes pareceu sair de um transe. Ele enxugou as lágrimas, desvencilhou-se dos braços de Anny e levantou-se do chão da sala. Então, pegou o álbum e a foto de Josephine e foi para o quarto, trancando-se, sem dizer mais uma palavra sequer.

A garota podia apostar que ele havia voltado a chorar. Ela até chegou a escutar alguns lamentos prolongados. Hermes, provavelmente, dera-se conta de estar revelando muito de seus sentimentos àquela menina, que mantinha como prisioneira em sua casa (mas que era muito menos prisioneira que ele próprio), e fora desabafar sozinho.

Ele não mencionara o fato de Anny estar sentada no sofá ou mesmo estar com a televisão ligada quando ele chegou de surpresa. Ela não sabia se, desde o Natal, ele não se incomodava com isso, ou se não havia percebido em meio à agitação que tomara parte de seu ser ao ver a foto de Josephine. Provavelmente, tratava-se de ambas as coisas, mas Anny não queria arriscar. Ela não voltou a quebrar as regras nem tanto por medo de que algo lhe acontecesse, mas por medo de que pudesse, de alguma forma, ferir ainda mais o coração daquele velho poeta.

Ela se culpava por tê-lo feito chorar naquele dia.

Anny foi para o jardim aquela tarde e teve uma grande surpresa. Quando chegou ao local, viu que havia um pequeno pássaro caído, ferido ao chão. Ela aproximou-se dele e disse:

– O que aconteceu, amiguinho?

Ele não respondeu com palavras, mas retribuiu seu olhar e Anny entendeu a mensagem. Ele precisava de cuidados, senão iria morrer. A garota entrou em seu quarto, pegou uma caixinha em que guardava giz de cera, esvaziou-a e forrou-a com um cachecol mostarda e vinho. Então, voltou para os fundos da casa e pegou a delicada ave, colocando-a na caixinha. O pássaro pareceu mais confortável naquele local e Anny entendeu que fizera um bom trabalho.

A garota foi alimentando-o com farelos de biscoito e água. Ele comia satisfeito e, depois, repousava tranquilamente por ter encontrado ajuda.

Ela estava sentada em meio aos canteiros, observando o novo amigo dormir – dera-lhe o nome de Roxie – quando indagou a si própria:

– Por que será que ele foi cair justamente aqui? – nada vinha ao seu pensamento, até que, de repente, a resposta se formou em suas ideias – Já sei, só pode ter sido o Papai do Céu. Ele é Pai dos animais também; aposto que Ele enviou o Roxie aqui porque eu poderia cuidar dele, e também para ele me fazer companhia. Foi a oportunidade que o Papai do Céu me deu de fazer algo bom, que consertasse o erro que cometi vendo as fotos do senhor Hermes. Isso é mais uma prova de que alguém neste imenso Universo sempre nos ouve e está mais próximo do que imaginamos – ela sorriu com tal pensamento, mas ainda não conseguia deixar de culpar-se por ter feito o homem chorar.

Aquela noite, Roxie dormiu no quarto de Anny. Ele parecia entender que não podia fazer som algum, conforme a menina lhe explicara, senão a senhora Jane poderia expulsá-lo dali e atrapalhar o seu processo de recuperação.

■

Barbara sentia falta das ruas de Londres. Aquele pequeno país não tinha nada de clássico e sofisticado como o seu. Mas ali eles não poderiam encontrá-la, ela estava a salvo, conseguira despistá-los em outros países, conforme percebera que estava sendo seguida.

Ela era uma mulher loira, muito elegante, sempre de salto alto e joias finas. Seus cabelos eram na altura dos ombros e a cor do batom sempre combinava com os tons das roupas. Um automóvel parou próximo a ela e a fez ficar irritada novamente com aquele bando de turistas:

– Francamente, não sei o que as pessoas veem neste lugar! – ela disse para si mesma.

Mas, desta vez, não era um automóvel de turistas. As portas se abriram e ela foi arrastada para dentro. Rapidamente um capuz foi colocado em sua cabeça e ela não viu mais nada, apenas percebeu que o veículo saíra em alta velocidade do local.

Ela percebeu que estava lidando com profissionais.

Então, uma forte pancada atingiu sua nuca, fazendo-a cair inconsciente no chão do automóvel.

■

Anny acordou animada aquela manhã. Roxie continuava acomodado em seu cachecol mostarda e vinho, mas já apresentava sinais de melhora, assim como o senhor Hermes, que não demonstrara nenhum vestígio do episódio da foto de Josephine.

A garota esperou que ele e a esposa fossem trabalhar. Então, levou Roxie para tomar o ar fresco da manhã no jardim e aproveitou para ir adiantando os serviços da casa. Ela resolveu começar a varrer o pequeno corredor entre a sala e a cozinha, mas não ousou ligar o rádio para ouvir músicas e dançar. E ela fez bem, porque a porta da sala voltou a se abrir:

– O que você faz aqui, Anny? Pensei que tivesse ido embora antes do Natal!

– Bom dia, Nicole! – a garota exclamou, indo abraçar a amiga, que estava assustada, porém, alegre ao revê-la.

5

PALAVRAS DE AMOR E TRISTEZA

O PAPEL CONTINHA UM TEXTO DE AMOR. NÃO ERA UM POEMA, COMO OS QUE HERMES ESCREVIA, MAS ERA UM TEXTO COM PALAVRAS DE AMOR E TAMBÉM DE TRISTEZA. ERAM COMO PALAVRAS ESCRITAS A ALGUÉM ESPECIAL, E ANNY LEMBROU-SE DO QUE PEPEU DISSERA MAIS CEDO SOBRE A EXISTÊNCIA DE DOIS ANJOS EM SUA VIDA. ELA ERA UM DELES. AQUELA CARTA PARECIA TER SIDO ESCRITA PARA O OUTRO ANJO QUE ELE CONHECERA UM DIA.

Nicole ficou olhando, desconfiada, para Anny e para a vassoura que ela segurava. Permaneceu alguns minutos analisando a situação, então disse:

– Eu sabia que a tia Jane estava escondendo algo de mim, desde a primeira vez em que a vi, Anny. Titia estava muito estranha. Não queria que eu viesse aqui, mudava de assunto todas as vezes em que eu perguntava sobre você. Agora, por favor, me diga a verdade.

– Não sei se devo, Nicole – falou Anny.

– Por que não, querida? Há mais alguém na casa?

– Não, eu estou sozinha.

– Então... Conte-me a verdade sobre você. Não confia em mim? – insistiu Nicole.

– Confio, mas acho que a senhora Jane ficaria muito brava se eu contasse tudo.

– Eu prometo que ela jamais ficará sabendo.

– Está bem – concordou a menina, largando a vassoura em um canto e pegando a mão de Nicole –, venha até aqui.

Anny conduziu a moça até os fundos da casa da senhora Jane, de onde podia ver a Casa Grande:

– Está vendo aquela casa? É o meu verdadeiro lar. Meus pais viajaram e me deixaram aqui na casa da senhora Jane, ela é uma antiga amiga da família e sempre foi minha professora.

– E por quanto tempo você ficará aqui? – perguntou Nicole.

– Não sei, mas eles vêm me ver uma vez por ano.

– Uma vez apenas?

– Sim, sempre que a neve cai – falou Anny.

– E por que minha tia não quer que ninguém saiba sobre você?

– Não sei, mas acho que é porque ela não gosta de mim – disse Anny, em voz baixa.

– Como assim, o que ela fez?

A garota contou tudo. Falou sobre as regras, sobre os castigos de cinta, a prisão que era sua vida e todas as tarefas que tinha na casa. Nicole ouvia atentamente e, a cada nova informação que Anny lhe dava, ela ficava cada vez mais indignada com os tios. Nicole amava crianças, de uma forma verdadeira.

Anny sentia-se confortável ao lado dela. O medo de abrir-se acabou se tornando um alívio, um bálsamo em meio às dificuldades e tormentas. Ela falou sobre tudo que a afligia e, inclusive, sobre as coisas que a deixavam feliz – a neve, as flores, a dança, o arco-íris de oito cores, a borboleta azul, Pepeu, Roxie, Tiara, o jogo de xadrez e tudo mais. Contou até como havia sido seu Natal ao lado do senhor Hermes. Nicole indignou-se mais ainda ao saber que Anny havia se arrumado para passar a ceia em sua casa, mas que Jane a fizera ficar sozinha, assim como na noite de Ano Novo.

A menina estava feliz por ter mais uma amiga, por ter alguém que a compreendesse. Nicole, assim como Pepeu, trazia sossego ao coração de Anny.

Ela continuou a dizer:

– Eu sinto falta do meu balanço e, às vezes, choro de vontade de estar no meu quarto de brinquedos. Sofro ainda mais de saudades do papai e da mamãe, mas aprendi que não devo me queixar, devo apenas esperar pacientemente, porque eles vão voltar. Eu tenho descoberto que em meu peito cabe toda a fé do mundo. É como se não houvesse limites quando queremos acreditar em algo de todo o coração.

– Anny, o amor que você sente pelos seus pais e a doçura que carrega em seu coração são admiráveis, porém não podemos deixar de conversar sobre como sua vida tem sido na casa dos meus tios – disse Nicole, sentando-se entre os floridos canteiros ao lado da menina – Portanto, escute com muita atenção, querida. Isso tudo que você me contou é muito, muito grave. Porém, você é ainda muito pequena para compreender a seriedade do que meus tios têm lhe feito. E também já percebi que você é uma pessoa muito especial, que aceita as dificuldades sem reclamar. Pelo contrário, você sempre busca motivos para ser feliz. Isso é lindo, e poucas pessoas no mundo conseguiriam reagir da forma como você reage a tudo. Mas sua vida não pode continuar assim. Não posso permitir.

– Nicole, eu não quero que as coisas mudem. Eu quero ficar aqui e esperar que meus pais retornem – disse Anny, começando a chorar – Eu tenho medo de que a senhora Jane descubra que lhe contei tudo e me mande embora. Dessa forma, eu irei para longe da Casa Grande e meus pais não irão visitar-me quando a neve chegar. Eu os amo, Nicole, e fico apenas esperando. Fico contente em poder esperar.

– Eu sei, querida, eu sei – falou Nicole, também começando a chorar –, mas eu não posso deixar de revoltar-me frente a uma situação dessas. O que estão fazendo com você é crime, é um absurdo. Como posso deixar que alguém tão especial passe por tudo isso?

– Eu sou feliz, Nicole, acredite. Eu não deixo os dias me arrastarem, como faz o senhor Hermes. Por favor, não fale nada para eles.

As lágrimas escorriam pela face de Nicole, assim como pela de Anny. Instantes depois, a moça disse:

– Eu não vou falar nada, eu lhe prometi e vou cumprir a minha promessa. Mas deixe-me ajudá-la. Deixe-me mudar um pouco a sua rotina e trazer coisas que possam alegrar sua vida ainda mais.

Anny deu um abraço na amiga e falou:

– Você pode trazer doces?

– Claro que posso. Trarei doces sempre que puder, e o que mais você deseja?

– Não sei, algo diferente para eu fazer aqui no jardim, algum tipo de arte – respondeu Anny, lembrando-se da conversa que tivera com Pepeu sobre as diferentes formas de arte.

– Hum, vou pensar nesse tópico – falou Nicole –, mas prometo que trarei algo muito divertido. E o que mais você quer, querida? Pode pedir qualquer coisa.

Anny pensou, então pediu aquilo que mais lhe fazia falta:

– Companhia.

Nicole sorriu e disse:

– É claro, minha querida, eu virei lhe fazer companhia.

– Nicole, você é professora, não é? – perguntou a garota.

– Sim, sou professora.

– Então, você gosta de crianças?

– Eu amo crianças, Anny. Resolvi dedicar minha vida a elas. Sempre que posso, tento ser mais do que uma professora para meus alunos; tento ser amiga, ajudá-los quando estão com problemas. Eu não tive irmãos, então, hoje me vejo como uma irmã mais velha para cada um dos meus alunos. Meu sonho é viver pelas crianças para sempre. Portanto, estarei ao seu lado, tentando ajudá-la em seu cotidiano.

– Você também gosta de pássaros? – perguntou Anny.

– Claro!

– Então, vou lhe apresentar o Roxie.

Anny pegou a caixinha em que estava o passarinho e a levou até Nicole.

– Que lindo! – disse a moça vendo a bonita ave.

– Sim, ele é lindo. É meu amigo também. Nicole, você pode contar uma história para mim e para o Roxie? – pediu Anny, sentando-se ao lado da amiga e segurando o pássaro entre as mãozinhas.

– Claro, de que tipo de história você gosta?

– Todas. Mas hoje queria uma sobre o mar. Você já viu o mar? – perguntou Anny.

– Sim, querida, já o vi – respondeu Nicole.

– É um dos meus sonhos. Eu acho que deve ser maravilhoso – falou a menina, pensativa.

– O mar é lindo, sim. É uma verdadeira obra-prima. – ela fez uma pausa, então, continuou – prepare-se, porque vou contar a história de um capitão muito corajoso. Mas, primeiramente, você deve escolher qual será o seu nome.

Anny respondeu, sorrindo:

– Será o capitão Jefferson.

– Muito bem – disse Nicole – Você e o Roxie estão prontos?

Anny sorriu, balançando afirmativamente a cabeça.

Nicole começou a história:

– Existiu uma vez, há mais de dois séculos, um destemido capitão que cruzava os sete mares em busca de tesouros. Seu nome era Jefferson...

Anny e Roxie ouviam a história, enquanto a garota imaginava a imensidão do mar, o maravilhoso barco e o valente capitão Jefferson. Ela mergulhava profundamente nas águas daquela narrativa. Tudo parecia um grande sonho azul... A menina chegava a ser capaz de ouvir o som das ondas e sentir o cheiro do sal...

Assim que a narrativa acabou, ela disse:

– Nicole, que história linda! Você pode voltar e contar mais uma?

– É claro, minha querida. Vamos fazer tudo o que você quiser! – exclamou a moça – Agora vou embora, pois é melhor não ver a cara da titia por enquanto, senão sou capaz de esganá-la. Vou pensar em tudo o que você me disse com muito carinho e pensar em formas de ajudá-la.

Anny pulou no colo de Nicole, beijando-a na face. Em seguida, a moça despediu-se também de Roxie e foi embora, pensando em como a vida podia ser injusta às vezes, mas que tudo era uma questão de perspectiva. Anny sabia ser feliz ao seu modo, muito mais do que muita gente que tinha menos motivos para se queixar. Pelo contrário, a pobre garota só queria sorrir.

– Fiz a escolha certa em trabalhar com crianças – ela disse para si mesma –, apenas testemunhando esse tipo de situação como a de Anny, que a gente aprende a ser gente. A lição que se tira de uma criança, como ela é tão imensa que muitos ainda não estão prontos para entendê-la. O maior exemplo disso é a tia Jane.

Nicole continuou caminhando e pensando nos momentos que passara com a menina. Ela era um ser iluminado, repleto de uma sabedoria modesta e gentil. Era, também, muito madura para sua idade – isso, certamente, se devia ao tamanho do seu coração.

Ainda restavam algumas horas até que Jane e Hermes retornassem. Anny não estava se sentindo sozinha após a deliciosa visita de Nicole e, também, devido à companhia de Roxie, seu querido amigo pássaro, do qual ela cuidava carinhosamente para que ele pudesse melhorar logo e voltar para a liberdade – coisa que ela não podia fazer, mas sentia-se feliz em ajudar alguém a fazê-lo.

A menina alisava as penas do amigo, quando uma voz familiar juntou-se a ela no jardim:

– Olá, Anny! Como vai a minha pequena artista?

– Pepeu! – a garota correu até o amigo e o abraçou – Tenho tanto para lhe contar.

– Que bom! Adoro vê-la animada desse jeito. Pode falar, pequena... – disse o rapaz, sorrindo.

– Tenho dois novos amigos, o Roxie e a Nicole.

Anny contou tudo sobre os novos amigos e Pepeu ficou muito feliz por ela:

– Anny, que bom vê-la sorrindo assim e que bom que você pode contar com a ajuda da Nicole. Ela deve ser muito especial. Mas confesso que fiquei um pouco enciumado.

Anny deu uma gostosa gargalhada, de fato ela estava muito animada com tudo o que acontecia em seu mundo:

– Ninguém jamais vai substituí-lo! Você é como um irmão mais velho, lembra-se?

– Claro que me lembro! E o que isso significa mesmo?

– Significa o mundo! – Anny gritou e abraçou Pepeu demoradamente.

Eram como dois irmãos. Eram como uma família. Pequena no tamanho, gigante no abraço.

Era lindo de se ver quando estavam reunidos. Tudo em volta sorria para eles.

– Veja o jardim, como está lindo! – exclamou o rapaz.

– Pois é – disse Anny, orgulhosa –, eu realmente tenho muitos motivos para estar feliz. Até a cor está mais presente em minha vida! Papai do Céu é muito bom comigo!

– E você tem dançado? – perguntou Pepeu.

– Sim – respondeu Anny –, a dança não consegue mais me deixar.

– Você quer que eu lhe ensine alguns passos novos?

– Claro! – gritou Anny, alegremente.

Os amigos dançaram e se divertiram, enquanto Anny aprendia passos de dança com Pepeu. De fato, a dança, sua nova companheira, mais parecia uma velha conhecida, tamanha era a facilidade com que a menina deslizava pelo ar.

Suavidade. Era essa a palavra.

Pepeu não era dançarino, mas como todo bom ator, improvisava muito bem e alegrava Anny com seu jeito brincalhão e seus truques de mágica em momentos inesperados.

O fim da tarde foi muito divertido e veio para completar um dia maravilhoso que Anny tivera.

Roxie ficou observando-os dançar, afinal de contas ele também era um artista; ele cantava e dançava na imensidão azul antes de se machucar e, graças a Anny, logo estaria de volta a fazer sua arte no céu.

– Pepeu?

– Sim, pequena.

– Eu queria ver o mar – disse Anny, lembrando-se da história contada por Nicole.

– É, realmente, o mar é maravilhoso – ele respondeu, olhando para o chão e fazendo aquela expressão triste que Anny já vira outras vezes quando tocavam em determinados assuntos.

– Eu queria muito – continuou a garota, inocentemente –, deve trazer uma sensação de liberdade! Mas por que você ficou triste?

– Por nada, pequena, bobagens – respondeu o rapaz.

– Ainda não chegou a hora de você se abrir sobre o seu passado? – perguntou Anny, lembrando-se de quando ele dissera que se abriria somente a ela, e que seria no momento em que estivesse preparado.

– Ainda não. Mas confesso que não sei se vou aguentar guardar essa história comigo por muito mais tempo. – disse Pepeu – E, se você quer saber, eu vejo sempre o mar.

– Você é também um capitão que busca tesouros? – perguntou Anny, empolgada com a história da amiga.

– Não – disse Pepeu, rindo da pergunta –, mas o mar é muito importante para mim, como eu lhe disse certa vez; e na hora certa você saberá o motivo... Lembre-se de que confio em você, apenas em você.

Eles se abraçaram novamente, então Anny falou:

– Desculpe, Pepeu, eu não vou mais falar sobre o mar, não quero ver você triste. É que a história de Nicole aumentou o meu desejo de conhecer a imensidão azul.

– Você não tem culpa, Anny, a culpa é minha, é do destino... Mas não se preocupe, eu estou bem.

Ela deu um beijo na bochecha do amigo e falou:

– Pepeu, eu gosto muito de você.

– Eu também, Anny.

– Então, você pode me fazer uma promessa?

– Sim, pode falar – respondeu Pepeu.

– Você promete que nunca vai me deixar? – pediu a menina.

– Que promessa difícil – falou o rapaz –, o mundo dá muitas voltas e você tem uma vida inteira pela frente, tudo pode acontecer a qualquer um de nós.

Vendo a carinha triste que Anny fizera, Pepeu pensou melhor e continuou a dizer:

– Anny, escute, eu lhe dou a certeza de estar com você hoje e a certeza de que, se amanhã eu não estiver ao seu lado fisicamente, estarei pensando em você e sentindo-a em meu coração. Prometo que a levarei sempre em meus olhos e em minha memória. Quando não estivermos juntos, continuaremos ligados, e é isso o que há de mais verdadeiro na vida. Nós não nascemos irmãos, mas escolhemos assim, portanto nossa ligação é mais forte que a de sangue. Nossa ligação é de afeto, é de palavras, é de sentimento, e é isso que tem poder. – Anny ouvia atentamente, e Pepeu continuou dizendo, conforme as palavras saíam de seu coração – Eu a amo, pequena. Essa é minha promessa, é minha forma de protegê-la para sempre, como irmã que a considero. Parece que faz uma eternidade que a conheço; sinto-me em casa quando estou ao seu lado.

– Eu sinto o mesmo, Pepeu – disse a garota.

– Anny – continuou o rapaz –, você deixa marcas profundas. Só aqueles que fecharam o coração não são capazes de sentir as marcas fascinantes que você deixa. Os rumos da vida são imprevisíveis, mas a minha promessa de sentimento está feita: estarei sempre em seu coração, guiando seus passos, iluminando seu caminho e torcendo por sua vitória... Lembre-se: eu estarei em cada sorriso que você der, em cada passo de dança, em cada brilho no olhar... Minha irmãzinha.

– Então, eu prometo o mesmo – disse Anny, abraçando-o mais uma vez, muito emocionada.

Pensou que, se um dia Pepeu partisse, bastaria que ela sorrisse, e ele estaria ali. O sorriso lindo e verdadeiro era o traço mais marcante de Pepeu e, agora, seria o símbolo do amor dela pelo rapaz. Eles estavam unidos para sempre, através dos sorrisos... (Coisa linda de se ver...)

– Você é a criança mais especial que eu já conheci, sabia? – continuou Pepeu, alguns instantes depois.

– E você conheceu muitas crianças? – perguntou Anny.

– Um bocado. Ainda mais porque gosto de fazer apresentações para elas. Uma vez eu conheci uma garotinha que era também muito especial. Você gostaria dela, se a conhecesse, mas ela vive muito longe.

– E como ela se chama? – perguntou Anny.

– Tulipa.

– E a Tulipa vive onde?

– Para lá do oceano – respondeu Pepeu.

– Puxa, então deve ser longe mesmo. Mas por que ela era especial?

– Ela tinha uma vida difícil, Anny, muito difícil. Mas, ao contrário de você, ela não tentava ser feliz com o pouco que possuía e não via alegria no mundo.

– Então, ela não sorria para a vida, e a vida não sorria de volta. – disse Anny – Pobre Tulipa.

– Exato. Eu tentei conversar com ela sobre nunca deixar de ser criança, assim como lhe ensinei em certa ocasião. Mas a diferença é que você estava aberta para esse ensinamento; ela não estava. Ela era até mais nova que você, mas deixara de ser criança há muito tempo: não sorria, não sonhava. Eu nunca mais tive notícias, portanto, não sei se ela conseguiu se salvar... Da tristeza, da ausência da infância.

– E por que a vida dela era tão difícil, Pepeu?

– Ela vivia apenas com a mãe. Elas eram muito pobrezinhas, e a mãe, certa vez, adoeceu. Então, Tulipa teve que viver pedindo esmolas na rua. Essa situação a destruía aos poucos. Eu a conheci nas ruas, quando fazia apresentações. Ela adorava meus truques de mágica, mas, mesmo assim, tirar um sorriso daquela menina era uma missão impossível.

– Puxa, a vida da Tulipa devia ser dura mesmo – disse Anny –, mas ela tinha algo que eu daria tudo para ter: estava com a mãe todos os dias, independente de como era difícil passar o dia nas ruas pedindo esmolas, ela sempre voltava para casa e encontrava a mãe. Acho que, de certa forma, tenho um pouco de inveja.

Pepeu ficou pensativo com as palavras de Anny; ela era realmente muito especial.

– Sabe, pequena, tem muita gente aí fora no mundo. Cada um com uma vida diferente, com problemas e alegrias diferentes. Mas todos deveriam ter a oportunidade de ouvir você falar, para que aprendessem a dar valor a tudo na vida, porque as coisas mais simples são as que mais importam. Você me chamou de anjo no dia em que nos conhecemos. Mas você que é um anjo para mim.

– Mas, Pepeu, eu lembro que você não gostou de ser chamado de anjo – disse Anny.

– É verdade. E isso aconteceu porque eu conheci uma pessoa muito especial, a quem eu chamava de anjo. Deus foi tão bom comigo que enviou dois anjos em minha vida.

– O Papai do Céu é mesmo muito bom. – completou Anny – Eu gostaria de saber como está Tulipa.

– Eu também. – falou Pepeu – Espero um dia cruzar novamente o oceano e reencontrá-la. Tenho esperanças de que ela tenha aprendido a salvar sua vida; e, se ela não aprendeu, eu vou ter que apresentá-la a você.

– Oba! Eu adoraria conhecê-la! Eu nunca conheci outras crianças! – disse Anny.

– Bem, eu já vou indo, pequena, logo os donos da casa chegarão. Até breve.

Anny despediu-se do amigo. Ele foi embora, deixando-a na companhia de Roxie, Tiara e das flores do jardim.

Anny resolveu entrar. As primeiras estrelas já surgiam no céu.

Ao virar-se, ela viu um pedaço de papel. Tinha certeza de que aquilo não estava ali antes. Aquele era exatamente o caminho para o corredor lateral, pelo qual Pepeu sempre saía. Provavelmente havia caído de seu bolso. Anny, então, pegou-o para devolver ao amigo, mas antes resolveu verificar se era realmente dele. O papel continha um texto de amor. Não era um poema, como os que Hermes escrevera, mas era um texto com palavras de amor e também de tristeza. Eram como palavras escritas a alguém especial, e Anny lembrou-se do que Pepeu dissera mais cedo sobre a existência de dois anjos em sua vida. Ela era um deles. Aquela carta parecia ter sido escrita para o outro anjo que ele conhecera um dia.

Porém, estranhamente, o nome de Pepeu não estava no papel. Anny ficou confusa, mas não conseguiu deixar de ler cada uma daquelas palavras. Elas haviam nascido de um coração repleto de amor, embriago de desejo. A carta era, de fato, muito bonita e convidava os olhos a repousarem sobre seu colo, a fixarem-se em seu apaixonado conteúdo:

Angel...

Tenho sido vítima de mim mesmo, eu preciso encontrá-la, saber se está bem. Preciso olhar no fundo de seus olhos novamente e abraçá-la para sentir seu coração bater junto ao meu. O ritmo é sempre tão doce que me envolve nos braços da ternura e da paz. Eu preciso ter você ao meu lado uma vez mais para que eu possa encontrar novamente a felicidade (não sei o que isso significa desde que você se foi). Eu preciso viver cada segundo eternamente ao seu lado, amor meu. Preciso saber que você será para sempre minha e que me encontrará todas as noites quando eu cair no sono, meu anjo... Anjo de pele morena e macia, cabelos castanhos e ondulados, como as ondas do mar... Razão da minha vida, que não é nada mais sem você... Volte e diga à Felicidade que também retorne. Ela se foi, deixando o Amor sozinho a viver no meu peito. Assim sendo, ele causa uma dor que me consome. Apenas volte e viva ao meu lado pela breve eternidade; simples assim.

P. Leopoldo.

Anny não conhecia nenhum Leopoldo, mas preferiu guardar a carta e perguntar a Pepeu de que se tratava. Ela conhecia diversas formas de amor. O amor entre os familiares, principalmente o imenso amor que tinha pelos pais. Além do amor pelos animais, pelas flores, pela vida, pela arte, por amigos como Nicole e Pepeu, por seu verdadeiro lar, assim como pelo Papai do Céu. E, agora, estava sendo apresentada a um novo tipo de amor, através da história de Hermes e da carta de P. Leopoldo que acabara de encontrar.

– O amor está mesmo presente em tudo, apesar de ser algo tão difícil. Ele controla tudo e a todos. Ele que faz o sol nascer todos os dias, o vento soprar e o tempo escorrer suavemente... Bem, pelo menos é assim que deveria ser. Eu penso que é isso o que Papai do Céu espera de nós, que encontremos o amor em tudo – ela disse para si mesma.

No dia seguinte, Anny sentou-se em meio aos canteiros para esperar Nicole ou Pepeu, aquele que viesse visitá-la seria motivo de alegria. A primavera continuava a trazer a beleza das flores, de modo que o jardim estava cada vez mais vivo e bonito, assim como ela sempre sonhara. Roxie apresentava melhoras e logo poderia retomar sua liberdade.

A menina estava com a ave e Tiara, jogando xadrez, quando apareceu o primeiro visitante do dia:

– Então, você já substituiu o seu companheiro de xadrez?

– Claro que não, Pepeu! Estava treinando, enquanto você não chegava. Vamos jogar? – disse Anny, alegremente.

– Claro! – falou o amigo.

– Ah, Pepeu, antes eu queria perguntar se isso é seu – disse Anny, entregando-lhe a carta que encontrara no dia anterior.

O rapaz arregalou os olhos ao ver o papel e estendeu a mão trêmula para pegá-lo:

– Onde você achou isso? – foi tudo o que ele disse.

– Encontrei no chão depois que você foi embora. É uma carta muito bonita, Pepeu. Quem é Leopoldo?

– Você leu? – perguntou o rapaz em alto som e, pela primeira vez, Anny percebeu que ele estava muito bravo e até fora de si. – Você não tinha o direito! – Sua doce voz fora substituída por um grito de fúria.

– Mas, Pepeu, como eu iria saber de quem era se eu não lesse?

– Não interessa! Você não tinha o direito! – berrou Pepeu.

Descontrolado, o rapaz tirou a boina da cabeça, jogou-a com força no chão e repetiu, em um grito ainda mais alto, que assustou a menina:

– NÃO TINHA O DIREITO!

Anny, então, começou a chorar e falou:

– Me desculpe, Pepeu, mas pensei que éramos amigos, que éramos irmãos...

– Está acabado, Anny, eu não venho mais aqui!

Ele disse aquelas palavras com os olhos banhados em lágrimas de raiva e tristeza. Suas expressões bondosas e seu radiante sorriso haviam desaparecido. Anny não reconhecia o artista, o mágico, o companheiro de xadrez. Era como se eles houvessem sido camuflados pela ira de Pepeu. Até seus olhos estavam diferentes...

Mas Anny o amava; não sentiu medo. Sentiu pena e tristeza ao vê-lo daquela forma.

– Está acabado! – Pepeu berrou mais uma vez, furiosamente.

Ele virou-se e saiu do local. Anny tentou ir atrás dele, pedindo desculpas e chorando, mas ele não queria ouvi-la.

Ela ficou muito tempo sentada entre os canteiros do jardim, a chorar...

Anny não sabia sobre o passado de Pepeu, não compreendia as razões que ele tinha para tamanha fúria. Devia ser algo realmente muito forte. Sabia que envolvia o amor, o mar, e um anjo... Era realmente algo assustador.

Porém, não conseguia imaginar sua vida sem o rapaz:

– Pepeu, me perdoe! – Ela gritava, como se ele pudesse ouvi-la. – Volte Pepeu! Eu amo você! Sou sua irmã... Eu confio em você, e isso significa... O mundo! Como você pôde me deixar, depois de tudo que me disse, depois da promessa que me fez?

Ela chorava copiosamente, quando a porta dos fundos se abriu. Anny virou-se na esperança de que Pepeu pudesse ter voltado. Mas era a senhora Jane:

– Muito bem, isso basta! – falou a mulher – Eu estive a observando há um bom tempo e vi você falando sozinha, chorando e dizendo coisas sem sentido. Você enlouqueceu de vez. Eu estou providenciando um local para sua internação.

– Não!!! – berrou Anny – Primeiro o Pepeu se zanga comigo, agora a senhora quer me mandar para longe de meus pais, isso não...

– Quem é Pepeu? Você está fora de si, garota. E além do mais, seus pais não a querem. Você não passa de um estorvo. É uma responsabilidade da qual eles querem se livrar. Eu tenho certeza de que eles logo deixarão de visitá-la, não importa onde você esteja. Eu vou mandá-la para um local próprio para pessoas como você e tenho certeza de que Cindy e Jefferson aceitarão minhas justificativas.

– Tudo o que a senhora falou sobre meus pais é mentira! Eles me amam!

– Amam nada! – berrou a mulher, perdendo a paciência – Você nunca foi amada!

Anny chorava cada vez mais, então disse:

– Eu sou amada! O Pepeu também disse que me ama!

– Quem diabos é esse Pepeu? – perguntou Jane, assustada.

– Ele é meu amigo, é como um irmão, ele estava aqui antes de a senhora chegar.

– Pare de dizer mentiras! Ou você é mentirosa, ou suas alucinações estão piores do que eu imaginava! Eu a estou observando há muito tempo e a vi apenas conversando sozinha. Não havia mais ninguém aqui! Eu vou agora mesmo providenciar sua internação. Você é um caso perdido! E me dê esse jogo estúpido, ele é também fonte de sua maluquice, eu vou destruí-lo.

– O xadrez de cristal, não! – berrou Anny, pegando o jogo.

Mas Jane tirou-o da mão da garota, rindo da cena. Então, a mulher dirigiu-se para dentro da casa.

– Não!!! – gritava Anny. Ela saiu correndo e foi para a sala, batendo nas janelas e na porta – Socorro, alguém me ajude! Socorro!

Jane apareceu na sala rindo da cena que via. Ela não estava mais com o jogo.

– O que a senhora fez com o xadrez?!

– Eu o destruí – falou Jane – Agora pare de berrar, antes que os vizinhos percebam a sua presença. Vá para o seu quarto, senão serei obrigada a pegar a cinta do Hermes.

Anny continuou a berrar, chorar e a bater nas janelas e portas.

Jane foi buscar a cinta e voltou à sala com imensa expressão de contentamento:

– Venha aqui receber seu castigo. Será ótimo bater em você uma última vez antes que seja levada para um manicômio. Sim, porque orfanato é pouco para você! – ela acrescentou com satisfação.

Anny berrava ainda mais. Então, de repente, a porta se abriu.

– Nicole! – berrou a menina – Ajude-me! Ajude-me, por favor!

– O que está acontecendo aqui? E por que você está com a cinta na mão, titia? É bom se explicar, senão eu chamarei a polícia.

– Polícia? Que absurdo é esse, Nicole? Eu e a Anny estávamos apenas brincando, não é querida? – disse Jane, com a voz trêmula.

– Não minta, titia! Olhe o estado em que a Anny está! Vou levá-la comigo! – a garota escondia o rosto na saia de Nicole e chorava intensamente.

– Levá-la para onde? – riu Jane – Ela prefere ficar aqui, onde os pais possam vir visitá-la. Não é, Anny?

– Mas a senhora disse que ia me internar – falou a menina, soluçando.

– Ora, não seja boba, eu estava brincando. Você ficará aqui, pois é para isso que seus pais me pagam – disse Jane.

– É exatamente o que eu pensava. – falou Nicole – Isso explica o tio Hermes ter ganhado aquele carro e a senhora estar usando roupas cada vez mais caras. Os pais da Anny devem estar dando uma boa quantia para vocês. E tudo o que fazem é maltratar a pobre menina e fazer desta casa uma prisão para ela! Isso tudo é crime, titia. Se você não aceitar fazer um acordo comigo, eu vou chamar a polícia e a senhora e o tio Hermes serão presos. Eu não estou brincando.

Neste momento, Hermes chegou do trabalho, assustou-se com a cena que encontrou na sala de sua casa e perguntou:

– O que você está falando, Nicole?

– Isso mesmo que o senhor ouviu, tio. – disse a moça – Acabei de testemunhar uma cena desprezível. Sua esposa pronta para bater na pobre Anny e a menina berrando por ajuda. Se a tia Jane não concordar em fazer um acordo comigo, eu chamarei a polícia e vocês dois serão presos.

– Eu não vou fazer acordo algum, sua peste! – disse Jane para Nicole – Sendo filha daquela doida da minha irmã Charlotte, eu não podia esperar muito mais de você.

– Titia – disse Nicole –, eu sempre a respeitei e estimei muito, não me faça perder ainda mais o carinho que tenho pela senhora. Eu estou do lado da Anny.

– Jane, ouça o que ela diz. – falou Hermes – A garota não precisa ser maltratada dessa forma. Vamos ver o que Nicole quer nos propor.

– Obrigada, titio – disse a moça.

Anny nem acreditava. Hermes também parecia estar do seu lado. Mas ela ainda tremia de medo quando olhava para Jane. Esta percebeu que estava em minoria e calou-se, de forma que Nicole pôde dizer qual era o acordo:

– Eu quero que a Anny tenha uma vida mais digna – falou a moça –, que possa ter mais brinquedos, mais comida, que possa assistir à televisão e sentar-se no sofá, que eu possa vir visitá-la quando quiser e até levá-la para alguns passeios.

– Eu não vou comprar mais comida nem brinquedos para ela – disse Jane.

– Isso era o mínimo, pois tenho certeza de que os pais dela estão lhe dando dinheiro mais que suficiente. Mas não precisa, titia, apenas permita que eu traga coisas para Anny. Eu também virei dar umas aulas a ela, duvido que você tenha continuado a ensiná-la desde que ela se mudou para cá, então eu serei sua nova professora. E também, se ela quiser, não precisa mais fazer as tarefas da casa.

– Eu gosto de trabalhar – disse Anny –, mas gostaria de não ter que limpar a casa todos os dias e nem ter que lavar toda a louça.

– Então está determinado que você limpa a casa uma vez por semana, para ajudar a tia Jane – disse Nicole –, está bem?

– Está ótimo, Nicole, nem sei como agradecer. Nunca alguém havia feito coisas tão boas por mim – disse Anny, abraçando-a.

Em seguida, ela deu um rápido abraço no senhor Hermes, deixando Jane com ainda mais raiva, e voltou para perto de Nicole.

– Está combinado, titia? – insistiu a moça.

– E o que ganharemos com tudo isso? – perguntou Jane.

– Eu não chamarei a polícia – disse Nicole.

– É pouco. Estamos sendo muito bondosos, então quero uma parte do seu salário – falou a tia.

– De jeito nenhum. O que estamos pedindo não é mais que a sua obrigação. É isso ou a cadeia – disse Nicole, desafiando-a.

– Muito bem, está combinado. – falou Hermes – E você não vai querer dinheiro da sua sobrinha, Jane, os pais da garota já nos pagam muito bem. Se você não aceitar, eu ajudarei Nicole a denunciá-la.

– Seu estúpido! Eu nunca deveria ter me casado com alguém como você! – berrou Jane.

– E você acha que houve um dia da minha vida em que eu não lamentei por ter me casado com você? Eu preferia estar morto! – berrou Hermes.

– Parem, por favor. – pediu Nicole – Temos o nosso acordo, titia?

– Bem, você não me deixa outra escolha. Mas que fique claro que a garota pode sair uma vez por mês apenas. Não a queremos rodando por aí. São ordens do pai, para o próprio bem dela.

– Está bem! – disse Nicole – Agora venha, Anny, quero lhe mostrar umas coisas que eu trouxe.

As duas deixaram a sala e foram para o jardim nos fundos da casa.

Anny abraçou novamente Nicole e as lágrimas escorreram por sua pequena face:

– Ei, por que você está chorando? – perguntou a moça.

– Eu tive muito medo hoje, Nicole, medo como nunca havia tido. Além de tudo, perdi para sempre o jogo de xadrez que meu pai me deu, o xadrez de cristal.

Anny soluçava e Nicole abraçou-a, afagando sua cabeça, enquanto tentava acalmá-la:

– Anny, sinto muito pelo seu jogo, não há nada que eu possa fazer. Mas saiba que você é muito corajosa e especial. Tenho orgulho de você e sei que seus pais também teriam. Você passou por um momento difícil hoje, mas já acabou. Veja quantas coisas boas nós conquistamos para você. Agora é hora de mandar as lágrimas embora e sorrir. Vamos, quero ver um sorriso.

Anny deu um pequeno sorriso e resolveu seguir a dica de Nicole:

– Você trouxe algum doce? – perguntou a menina.

– Trouxe, e você vai adorar!

Nicole abriu uma pequena bolsa que carregava e mostrou tudo o que havia trazido para Anny: torta de maçã e barras de chocolate, revistas de colorir e livros com aventuras em alto-mar.

Os olhinhos de Anny brilharam ao ver tudo o que ganhara. Mas Nicole tinha ainda mais surpresas:

– Eu também notei que você é muito vaidosa, Anny, e gostaria de cortar um pouco seus cabelos e lhe entregar isto, acredito que você vai gostar.

Ela entregou uma caixinha para Anny, com um delicado frasco de perfume em seu interior:

– Eu tenho dois frascos, achei que você gostaria de ficar com um – completou Nicole.

Anny sorriu e já espirrou o perfume em seu corpo:

– Nicole, muito obrigada! – ela encheu a moça de beijos – Eu nunca tive um perfume.

Anny saltitava de felicidade. Ela passou mais perfume, folheou todas as revistinhas e livros que ganhara. A cada página, ficava ainda mais encantada com as figuras dos capitães, corajosos como Jefferson! Ela também comeu deliciosos pedaços de torta de maçã e barras de chocolate.

– Vou guardar para amanhã – a menina disse, embrulhando os doces. – Quando podemos cortar os meus cabelos?

– Pode ser no sábado? – perguntou Nicole.

– Claro! – disse Anny – Eu sempre adorei os sábados.

– Também já vou providenciar o primeiro passeio que faremos. Tenho que pensar em algo muito especial.

– Oba! – gritou a menina que, com quase dez anos de idade, nunca passeara na vida.

– Antes de eu ir embora – falou Nicole –, quero entregar-lhe um último presente. Você se lembra de que me pediu algo para se distrair? Alguma forma de arte? Eu pensei em uma, espero que goste.

– O que é? – perguntou Anny, sorrindo.

– Tricô! – falou Nicole – É muito divertido e fácil de fazer. Eu aprendi com minha mãe, quando tinha a sua idade, e agora quero lhe ensinar, o que acha?

– Perfeito! – disse Anny.

– Então vou ensinar-lhe algumas noções básicas agora e a cada dia vou ensinando mais um pouquinho. Esperta do jeito que você é, logo estará ótima! – falou Nicole.

Após a primeira aula básica de tricô, uma nova forma de arte (Pepeu estava certo, todos são capazes de realizar diversos tipos de arte), Nicole foi embora. Então, Anny resolveu entrar e ir treinar tricô em seu quarto, junto de Tiara e Roxie.

Quando entrou pela cozinha, encontrou Jane e Hermes. O homem não lhe dirigiu nenhum olhar, mas Jane a olhava fixamente, como se ela tivesse cometido algum crime. De forma assustadora, a mulher disse:

– O que é isso que você está carregando?

– Os presentes que a Nicole me deu – ela respondeu.

– Passe para cá, quero ver o que tem nessa porcaria – disse Jane.

Anny entregou-lhe tudo o que ganhara. Então, a mulher examinou cuidadosamente, pegou o resto dos doces e o perfume, dizendo:

– Isso fica comigo, o resto você pode levar.

– Mas, senhora Jane, ela deu o frasco de perfume para mim – disse Anny.

– Não importa. Quando ela perguntar, diga que quebrou. Agora vá para seu quarto, sua desprezível.

Anny caminhou, chateada. Os doces estavam tão gostosos e o perfume era tão maravilhoso; ela não acreditava que até dos próprios presentes Jane a privaria.

Sábado chegou sem demoras e agraciou os ingleses com uma deliciosa manhã de primavera. Logo, Nicole chegaria e Anny estava pronta para seu corte de cabelo. Ela saiu para os jardins, como fazia todas as manhãs, para ver a Casa Grande e suas flores e para levar Roxie tomar o ar fresco matinal.

Aos sábados, ela não tinha mais obrigações na casa, graças a Nicole; então podia ser criança o dia todo e mergulhar em seus próprios sonhos e em suas brincadeiras preferidas.

Roxie havia sido uma grande companhia nos últimos dias e, devido aos carinhos sinceros de Anny, ele já estava muito melhor. O pássaro levantou-se pela primeira vez em semanas e Anny sorriu, ajudando-o delicadamente a sair da caixinha:

– Muito bem, meu amigo, fico feliz que você esteja melhor. Você deve estar com saudades do céu, não está?

Roxie soltou um baixo pio e deu lentos passos no chão. Suas finas perninhas, ainda fracas, mal conseguiam sustentá-lo.

Anny e o pássaro ficaram muitas horas no jardim. De vez em quando, Roxie tentava caminhar, mas logo voltava para a confortável caixinha que Anny arrumara como um lar provisório para o amigo.

A menina, após cuidar dos canteiros, ficou a olhar para a Casa Grande, perguntando-se quando Pepeu voltaria. Será que ele realmente estava muito bravo com ela e a abandonaria para sempre? Não podia ser... Ele era seu irmão de coração e havia lhe feito promessas de sentimento, as mais valiosas que existem. Ela sentia falta dele. A ausência de Pepeu chegava a doer; diminuía a alegria e as cores do jardim. Até o brilho do sol parecia menos intenso quando longe do sorriso doce do bondoso rapaz.

Era como se toda magia houvesse sido expulsa do mundo.

Para piorar, Jane destruíra o xadrez de cristal. Era como se uma parte do coração da menina também tivesse sido destruída. Ele era sua mais terna ligação com o pai; era cenário de suas deliciosas tardes ao lado de Pepeu; era um reino que a fazia sonhar... O xadrez era ela, de certa forma.

Perdida em meio aos próprios pensamentos, Anny foi trazida à realidade por seus olhos, que contemplavam algo inusitado. Ela assustou-se ao perceber que havia alguém na Casa Grande. Era um homem, que ela nunca havia visto. Ele era estranho e chegou a causar arrepios na menina.

Anny perguntava-se quem era aquele homem e o que ele estaria fazendo em sua casa. Será que Jefferson e Cindy sabiam que ele estava ali? Será que era amigo dos pais? Será que havia sido ele a deixar a porta da Casa Grande aberta, conforme Pepeu dissera?

Ela ficou feliz por não ter se encontrado com ele quando foi à Casa Grande. Percebeu que havia corrido um enorme perigo.

O estranho homem pouco se demorou. Anny o observou enquanto ele andava ao redor da casa, examinando cada detalhe. E logo desapareceu.

Ela ficou aliviada que ele não tivesse olhado na direção da casa da senhora Jane. Teve medo do estranho; preferiu que ele não a visse.

Em meio aos pensamentos e questionamentos de Anny a respeito do desconhecido, Nicole chegou, distraindo-a. Elas tiveram um dia maravilhoso. A moça colocou Anny em uma cadeira nos fundos da casa e cortou seus lisos cabelos, dando mais forma ao corte favorito da menina: cabelos retos, com franjas volumosas acima dos olhos. Divertiram-se com histórias narradas por Nicole e, por fim, fizeram tricô.

O tempo foi passando. Nicole vinha quase todos os dias visitá-la. Ela contava histórias, ensinava lições a Anny, falava sobre o mar, sobre o mundo e até sobre a Guerra que acabara três anos antes. Nicole trazia doces quando podia, deliciosas roscas de canela, e novos livros de fantasia, que Anny adorava. Com o tempo, elas se tornaram ótimas amigas. Sempre dançavam, contavam histórias e faziam tricô. A vida de Anny, de fato, estava mais agradável desde que Nicole intercedera por ela. Jane continuava a fingir que ela não existia, e Hermes continuava tão ocupado deixando os dias arrastarem-no, que não olhava para a vida dos outros. A vida do homem era como uma reta: sempre igual, e não permitia que ele olhasse para as margens.

Anny continuava a mergulhar no Reino Xadrez em seus sonhos, onde sempre fazia arte, dançava e corria pelos gramados, sentindo o vento bater em sua face, tornando-a livre. Ela gostava especialmente de admirar o imponente castelo e a borboleta azul que sempre voava ao seu redor, embora não entendesse muito bem o que tudo aquilo significava. Mesmo sem o jogo que ganhara de Jefferson, o sonho de Anny não acabara. As fantasias e o xadrez, que habitavam seu coração, Jane não seria capaz de destruir.

A única diferença que encontrou no reino foi a ausência de seu fiel cavaleiro, que sempre estivera a galopar no lindo cavalo branco. A rainha o procurou diversas vezes, mas ele realmente havia sumido. Todos os demais cavaleiros e súditos de cristal continuavam no reino, apenas um havia desaparecido.

A rainha não perderia as esperanças. Sabia que aquele cavaleiro vivia em seus sonhos; só era preciso reencontrá-lo.

Para alegria de Anny, Roxie definitivamente estava recuperado.

Naquela nova manhã de primavera, a menina o levou para um último banho de sol ao seu lado. Já não havia motivos para ele continuar ali:

– Hoje você retornará à sua liberdade – disse Anny ao pequeno pássaro –, mas você pode vir me visitar sempre que quiser. Não se esqueça de que aqui também é a sua casa. Após o primeiro reencontro com meus pais, aprendi algo muito importante. Vou dividir o aprendizado com você, meu amigo: nossa casa é onde estão aqueles que amamos; é lá também que está o nosso coração, em nosso verdadeiro lar. Sua alma é livre, deve voar. Assim como a minha está sempre a voar pelo mundo, a acompanhar os meus pais. Em qualquer lugar que eles estejam, é ali também que estão a minha alma e o meu coração. – Ela suspirou profundamente, após dividir o novo aprendizado pela primeira vez. Então, olhou demoradamente para Roxie. Ele deixaria saudades. – Eu, Nicole e Tiara iremos sentir muito a sua falta.

Ele ficou parado olhando-a falar, Anny sabia que tudo que é vivo se comunica, mesmo que seja pelo olhar, por um som, ou por uma troca de energia. Roxie a agradecia e dizia que a amava, através de um olhar carinhoso.

– Agora vá, você já pode se juntar aos seus amigos pássaros.

Porém, Roxie parecia não querer ir. Ele olhava para a garota e não ousava bater as asas.

– Você está assustado? Eu entendo. Também não sei o que eu faria se ganhasse uma liberdade assim. É assustador, mas deve ser, ao mesmo tempo, maravilhoso. Eu estarei aqui com você até o momento em que se sentir seguro.

Anny segurou-o em suas pequenas mãos e ficou afagando suas penas.

Então, algo lindo aconteceu. Outros dois passarinhos, parecidos com Roxie, vieram até os jardins onde Anny estava. Eles pousaram no chão ao lado da garota e ela colocou Roxie próximo a eles:

– Veja, Roxie, são seus amigos! Eles vieram buscá-lo!

Alguns pios foram emitidos, então um dos pássaros levantou voo e pousou sobre o muro, olhando para Roxie e emitindo sons.

Roxie começou lentamente a bater as asas e, aos poucos, foi distanciando-se do chão. A coragem o invadia e, literalmente, o fazia voar.

O segundo pássaro que fora buscá-lo o acompanhou, incentivando-o a continuar.

Anny ria com a cena e aplaudia o amigo.

Roxie deu um giro, voando ao redor da menina, e subiu até o muro, de onde emitiu sons de agradecimento e alçou voos mais altos ao lado dos companheiros.

Anny ficou em pé, olhando-os e acenando até que os perdesse de vista.

Os dois pássaros haviam ido buscar Roxie e estimulá-lo a não desistir. Ele sempre fora capaz, só precisava acreditar em si mesmo. Anny teve uma valiosa lição aquele dia: a lição dos pássaros. Ela aprendeu que devemos sempre ajudar quem quer que seja e que, assim como os pássaros, devemos olhar para nossos companheiros com otimismo e sempre encorajá-los a levantar voo, qualquer que seja o destino que eles desejam alcançar.

Neste caso, o destino de Roxie era o céu. A ave se recuperou e voltou à sua liberdade, e várias vezes ele retornou para sobrevoar a casa de Anny, a casa que também era sua, pois lá ele era amado.

Os pássaros são parte do céu. Anny sentiria falta de Roxie, mas prendê-lo significava prender um pedacinho do céu junto de si, e isso não estava certo. Prendê-lo significava fazer o mesmo que a senhora Jane fazia com ela.

Aquela tarde, quando Nicole chegou, Anny contou alegremente como fora o retorno de Roxie à liberdade. A moça ficou muito feliz com a notícia e, embora também sentisse falta da ave, ficou satisfeita por ele ter voltado ao céu.

– Ele poderá reencontrar sua mãe e seu pai. – disse Anny – Nicole, você nunca me contou sobre seus pais.

– Bem, meu pai faleceu há alguns anos. – falou Nicole – Ele era muito especial.

– Puxa, eu sinto muito. Você sente falta dele? – perguntou Anny.

– Muito. Mas fico feliz ao pensar que fomos muito felizes.

– A sua mãe é a Charlotte, à qual a senhora Jane sempre se refere? – perguntou Anny.

– Exatamente. Mas agora ela viajou. Foi viver sua vida de uma forma alternativa, digamos. Ela está feliz, isso que importa.

– Você sente saudades? – perguntou a garota.

– E como! – respondeu Nicole – Ela é a melhor mãe do mundo. Agora estou criada, trabalhando, me dedicando às minhas crianças; eu até incentivei que ela fosse atrás do que seu coração desejava. E vamos nos ver sempre que possível.

Anny a observava atentamente. Então, Nicole resolveu mudar de assunto:

– Bem, eu já pensei qual será o seu primeiro passeio.

– Qual? – perguntou Anny, mais animada que nunca.

– Vou levar você para uma festa na escola em que trabalho. E depois lhe mostrarei alguns lugares bonitos da cidade.

Anny gritou e pulou de felicidade, abraçou e beijou Nicole, dizendo:

– Eu nunca vi a cidade, eu nunca vi crianças, eu nunca fui a uma escola, nem a uma festa! Obrigada, Nicole, obrigada!

– Amanhã venho buscá-la às nove da manhã em ponto, combinado? – perguntou Nicole.

– Combinado, mal posso esperar! – falou Anny.

A garota quase não dormiu aquela noite. Ela ficou muito tempo olhando para a Casa Grande, depois olhando para o céu, lembrando-se dos bons momentos ao lado de Roxie e de como havia sido emocionante a sua partida – o que ele estaria fazendo agora? Então, demoradamente, Anny olhava para seu balanço e acompanhava o ranger da corrente. Depois, levava os pensamentos até Pepeu e sentia saudades dele e de jogar xadrez. Por fim, pensava em Nicole e em como seria seu primeiro dia de liberdade.

Seu coração sorria de felicidade. Ela sentiu novamente o mundo sorrir ao redor.

Com muito esforço, pegou no sono e foi direto para o Reino Xadrez. Ele estava repleto de crianças. Todas elas vestiam roupas brancas e pretas, tudo quadriculado. Mas, agora, Anny tinha companhia, tinha amigos com quem brincar. Os bispos, os cavalos, os peões, todos acenavam e brincavam com as crianças, e lindas músicas podiam ser ouvidas. O reino estava muito divertido. Era reflexo daquilo que seu coração mais ansiava, e que estava prestes a acontecer.

A rainha andou alegremente saudando cada um de seus súditos e cada um de seus convidados – as crianças.

Era dia de festa no Reino Xadrez. Era dia de festa no coração da pequena rainha.

Tudo estaria ainda mais perfeito se o seu bondoso cavaleiro aparecesse para um passeio. Mas ele continuava desaparecido.

Aquele dia, a rainha Anny brincou com diversas crianças, dançou, cantou... Emocionou-se ao ver os tons de seu reino mais vibrantes que nunca.

Era um sonho doce, daqueles que não se quer acordar – justamente por ser muito mais que um *sonho* qualquer.

Às sete horas da manhã, Anny levantou-se; estava muito agitada. A vida a chamava. Escolheu um vestido cor-de-rosa, meias e sapatos brancos e o chapéu que ganhara do pai, também rosa. Pegou Tiara e foi se sentar no sofá.

Os minutos teimavam em alongar-se, deixando Anny ainda mais ansiosa e inquieta. Ela tentou ler, tentou ver televisão, tentou fazer tricô, mas não conseguia se concentrar. Então, após muita espera, o relógio apontou nove horas e, logo, Nicole chegou.

– Veja quem eu trouxe! – disse Nicole – O Mickey! Meu ursinho de pelúcia preferido, você lembra que eu falei dele uma vez?

– Claro que lembro! – disse Anny, pegando o ursinho marrom da amiga. – Ele é uma beleza!

– Eu o trouxe para fazer companhia à Tiara enquanto passeamos, assim ela não ficará sozinha.

– Então, a Tiara não pode ir? – perguntou Anny.

– É melhor não, querida, esse dia é só seu. Deixe os dois em seu quarto e vamos para a escola!

Alguns minutos depois, Anny e Nicole deixaram, de mãos dadas, a pequena casa.

Anny inspirou a liberdade e sentiu a brisa entrar por suas narinas, alojar-se em seus pulmões e, rapidamente, percorrer todo seu corpo, assim que colocou os pés na rua.

Ela olhou tudo ao redor, atendo-se a cada detalhe. Tudo era maravilhoso. A felicidade de sentir-se parte do mundo era indescritível. Ela compreendeu o medo que Roxie teve ao reconquistar a liberdade. Anny também estava com medo. Medo do desconhecido. Medo da alegria que sentia – era intensa demais.

Na rua, pela primeira vez, a menina podia ver como o céu era grande e lindo, como a rua em que morava era extensa e como havia muitas outras casas e muitas pessoas. Tudo a encantava.

– Veja, Nicole! – Anny disse, apontando para uma casa.

– Ah, sim – falou Nicole –, é um cachorrinho.

– Que lindo! – disse Anny.

Ela olhava tudo à sua volta, com a sensação de quem descobria o mundo; como um peixe que fora solto no oceano, após quase dez anos de vida num aquário. A liberdade era assustadoramente encantadora.

Ela apontava para as crianças, conforme as via; para os cães, para os diferentes tipos de carro, de construções; tudo era novidade.

Nicole prometeu que, após a festa, a levaria para conhecer alguns lugares especiais. A escola onde a moça trabalhava não ficava muito longe e logo elas chegaram. Porém, o curto trajeto que Anny fizera pelas ruas já fora suficiente para encantá-la.

A escola era pequena, com as paredes azuis e um lindo jardim, que deixou Anny maravilhada.

– Hoje é o festival de primavera aqui na escola. É um dia muito especial – falou Nicole.

Elas adentraram o prédio e Anny, pela primeira vez, cruzou os corredores de uma escola, até vislumbrou algumas salas de aula. Seu coração desejava que ela tivesse tido a oportunidade de frequentar uma escola daquelas. Então, chegaram a um bonito salão, todo enfeitado, onde havia mesas com petiscos variados, músicas alegres tocando, cartazes feitos pelos alunos, flores para todos os lados, famílias e muitas crianças. Havia também um palhaço divertindo a garotada.

Anny não conseguia disfarçar a alegria que estava sentindo. A música, os risos, as cores, tudo penetrava sua alma e a fazia sentir-se mais viva que nunca. Pela primeira vez ela sentia que fazia parte do mundo, que pertencia ao mundo.

Uma garota veio cumprimentar a professora Nicole e, depois, disse para Anny:

– Oi, eu sou a Wendy, quem é você?

– Sou a Anny.

– Você estuda aqui? – perguntou Wendy.

– Não, mas eu gostaria.

– Anny, você quer conhecer minha irmã e vir brincar conosco? – convidou Wendy.

– Claro! – respondeu Anny, sorrindo.

– Então, venha, minha irmã se chama Pamela, ela está logo ali.

Nicole ficou feliz que Anny tivesse se enturmado e foi cumprimentar os outros alunos.

Logo, a menina já estava rodeada de novos amigos. Os alunos ficaram muito curiosos ao ver uma criança diferente por ali e foram conhecê-la. Ela fez amizade não só com as irmãs Wendy e Pamela, mas com muitos outros coleguinhas. Anny era muito simpática e agradava a todos. Ela e os novos amigos brincaram, dançaram, riram com o palhaço, comeram petiscos, enfim, se divertiram como ela nunca havia ousado. O mundo sorria para ela novamente e, com gostosas gargalhadas, ela retribuía.

À tarde, os alunos começaram a recitar poemas que haviam escrito sobre a primavera e a mostrar seus coloridos desenhos no palco do salão. Anny aplaudia cada poema, afinal, assim como Pepeu a ensinara, as rimas e as palavras também eram uma forma de arte, e ela estava achando tudo mágico.

Quando o último aluno recitou, Wendy disse:

– E a Anny? Ela não recitou o seu poema!

– É que a Anny é nossa convidada especial, então ela não teve tempo de preparar um poema – explicou Nicole.

– Mas ela deveria dizer alguma coisa sobre a primavera – falou a outra garotinha, Pamela.

– Se ela quiser, teremos prazer em ouvi-la. – falou Nicole – O que você acha, Anny?

– Eu quero subir no palco e falar – disse a garota.

Anny, animada e timidamente, subiu a pequena escada que conduzia ao palco do salão da escola e pegou o microfone. Ela não sabia o que dizer, não havia preparado um poema, então simplesmente deixou que seu coração a guiasse, enquanto todos voltavam suas atenções a ela:

– Meus amiguinhos, eu não preparei nada para dizer. Os poemas e os desenhos que vocês fizeram estavam muito bonitos. Eu nunca tive a oportunidade de falar para tantas crianças e tantas famílias; tampouco tive a oportunidade de frequentar uma escola tão incrível como esta. Eu não quis perder a oportunidade de ser ouvida hoje, que é um dia muito especial para mim. Eu quero agradecer a Nicole por ter me trazido aqui hoje. Eu sinto falta do meu pai e da minha mãe, mas devo dizer que a Nicole tem me ajudado a enfrentar tudo isso. Ela é uma pessoa muito boa e eu agradeço ao Papai do Céu todos os dias por tê-la colocado em minha vida. Eu gosto muito da primavera, porque os jardins ficam floridos e bonitos. Então, eu queria dizer para vocês apreciarem a primavera todos os anos, porque ela nos traz alegria e conforto. Obrigada.

Todos aplaudiram. Nicole não se conteve e derramou uma lágrima de felicidade. Anny correu ao seu encontro e a abraçou muito forte, aumentando a onda de aplausos no salão.

A festinha continuou animada. Anny brincou ainda mais com seus novos colegas e até realizou seu sonho de entrar em uma sala de aula.

Ela sentou-se em uma cadeira e ficou imaginando como seria divertido estar naquele local todos os dias.

– Por que os seus pais não deixam que você frequente uma escola? – perguntou Nicole.

– Papai diz que eu sou muito nova para entender, mas acho que tem alguma coisa a ver com o trabalho deles.

– O que eles fazem?

– Eu também não sei – disse Anny – Eles vão me contar quando eu for mais velha.

Nicole olhou desconfiada para a garota. Anny, então, foi olhar o fundo da sala de aula, onde viu algo maravilhoso.

– O que é isso, Nicole?

– É um globo terrestre. Ele representa o nosso mundo todo.

– Puxa, que lindo! – disse Anny – Onde está a Inglaterra?

– Bem aqui – falou Nicole, mostrando o país.

– E o que é todo esse azul?

– É o mar, Anny.

A garota olhou maravilhada, achando tudo imenso e bonito; sentiu vontade de ganhar asas.

Ela era parte daquilo tudo. Agora sabia disso.

Mais tarde, foi despedir-se dos coleguinhas, dando um abraço em cada um deles, e, junto a Nicole, continuou o passeio.

O lugar a que Nicole prometera levá-la era uma gostosa pracinha, com brinquedos que Anny adorou. Elas tomaram sorvete, comeram algodão-doce, brincaram e, para completar, deram uma volta pela cidade em um bonde inglês.

O bondinho era encantador e havia muitas crianças nele. Anny olhou tudo na cidade, divertindo-se e perguntando tudo a Nicole, que lhe ensinava com o maior prazer. Mas o que mais a encantava era o céu. A imensidão azul que coroava a cidade de forma tão esplêndida, chegando a dar medo. Era como um enorme abraço azul, daqueles que não se quer mais soltar.

A imensidão do céu pela cidade era um espetáculo para ser admirado todos os dias. Era mágico, era lindo, divertido e suave. Mais uma vez, Anny lembrou-se de Pepeu.

Quando chegou em casa, já era noite e a menina estava exausta, porém mais feliz que nunca. Nicole levou-a até seu quarto e disse:

– Boa noite, querida, logo eu volto para visitá-la.

Anny começou a chorar.

– Você está triste? – perguntou a moça.

– Não – disse Anny –, são lágrimas de felicidade. Hoje foi o dia mais feliz da minha vida. Obrigada, Nicole.

Quando ficou sozinha, a menina olhou para a Casa Grande e, depois, para o céu estrelado. Disse:

– Obrigada, Papai do Céu – caindo no sono.

■

A muitos quilômetros de distância, Barbara encontrava-se deitada em um chão duro e frio, que nada tinha a ver com sua confortável cama. Ela lembrava-se de estar andando nas ruas de um pequeno país e, de repente, havia acordado naquele quarto pequeno e escuro. Às vezes ouvia algumas vozes do lado de fora e, em raras ocasiões, passavam-lhe alguma coisa horrível para comer.

Naquele dia, o lado de fora do quarto estava mais agitado e ela resolveu ser enérgica:

– O que está acontecendo? Deixem-me sair!

– Cale a boca, madame, se não quiser levar uma surra! – respondeu uma voz de fora do quarto.

– Por que eu estou aqui, seu abutre?

– A madame sabe muito bem o que fez. Agora cale a boca, já estamos entrando em contato com o seu marido. Reze para ele fazer tudo o que queremos, senão seus dias estarão contados, madame – a voz ria do outro lado da porta.

– Vocês pegaram a pessoa errada! – Barbara gritava e batia na porta.

– Cale a boca! É o último aviso que lhe dou! – berrou a voz.

Barbara sentiu medo e deixou-se cair chorando ao chão. Ela sabia que não era a pessoa errada, mas ela também sabia que não havia como mudar os erros do passado:

– Reynold, por favor, Reynold, faça o que eles mandarem, mas me tire daqui...

Ela dizia entre lágrimas, pedindo que o marido, onde quer que estivesse, a ajudasse.

■

Anny despertou no dia seguinte com a luz do sol invadindo o quarto através do vidro da janela. Acordou entusiasmada, ainda repleta de alegria pelo dia anterior. Mal podia esperar quando seria o novo passeio com Nicole e para onde a amiga a levaria.

Ela foi cuidar de seu jardim, que estava lindo, graças à bonita primavera que fazia aquele ano.

Depois, se sentou no chão e ficou olhando para a Casa Grande; apesar da alegria que estava vivendo, seu coração ainda sentia falta do balanço.

As alegrias em sua vida eram tantas, que ela nem se recordava do estranho homem que vira na Casa Grande há alguns dias.

Continuou a contemplar sua casa, com grandes saudades. Então, desviou o olhar para a janela do quarto de brinquedos e, quando voltou a olhar seu balanço, ele estava ocupado:

– Pepeu, o que você está fazendo aí? – ela perguntou, vendo o amigo balançar.

Ele olhou para ela, sem sorrir, então Anny disse em alto som entre os canteiros:

– Você ainda está bravo comigo por causa da carta? Perdoe-me, eu não fiz de propósito. Eu o amo, Pepeu, sinto sua falta, tenho tanta coisa para lhe contar. Quero dividir tudo com você, meu irmão. Você é parte importante de mim.

Então, para sua surpresa, Pepeu fez um gesto, chamando-a para ir até ele.

Anny ficou feliz, pensando que ele pudesse tê-la perdoado, e tentou pular o muro. Ela não conseguia, então buscou uma cadeira e, após muito esforço, conseguiu chegar à Casa Grande.

Ela correu até o balanço. Pepeu desceu e deixou-a subir, então ele começou a empurrá-la.

– Você me perdoa, Pepeu? – ela perguntou.

– Depois conversaremos, pequena. Agora, aproveite o seu balanço.

Anny fez o que o amigo disse e fechou os olhos enquanto balançava. Ela ficou vários minutos assim, lembrando-se das vezes que estivera ali com os pais, lembrando-se da doce música que sua mãe costumava cantar.

Ela sentia os embalos de Pepeu e seu coração sorria ao estar novamente na presença do querido amigo, do mágico, do cavaleiro bondoso...

Os dias sem ele haviam sido muito difíceis. Embora tivesse se alegrado muito com as intervenções de Nicole, a ausência de Pepeu causava uma dor inexplicável.

Doce era estar novamente ao seu lado.

Quando abriu os olhos, contudo, Anny viu que Pepeu não estava mais ali, mas alguém a observava.

Seu coração acelerou ao ver a senhora Jane parada à sua frente, vendo-a balançar.

– Muito bem – disse a mulher –, vamos já para casa. Desta vez você terá o castigo que merece, e a Nicole não estará aqui para defendê-la.

6

ATÉ A LUZ DIZER ADEUS

Com muito esforço, virou-se para ver de onde vinha a chama que iluminava seu quarto. Apesar da dor, conseguiu girar na cama e ver uma vela acesa. Aquela luz trouxe-lhe paz na escuridão, e ela ficou contemplando a vela derreter por horas. Não conseguia se mover devido à dor, então ateve-se a olhar para a luz, como se ela representasse sua esperança e vontade de viver. E ela não estava sozinha: "Papai do Céu, estou com medo, estou com dor. Fique comigo... Fique comigo, Papai do Céu, até a luz dizer adeus, por favor, não me deixe..."

Anny acompanhou a senhora Jane até a pequena casa onde viviam, sem dizer uma só palavra.

Chegando lá, Jane deixou a garota sozinha na sala e ordenou que ela esperasse.

Em seguida, a mulher voltou segurando a cinta de Hermes, tremendo de raiva ao olhar para Anny. Então, com a voz exaltada e os olhos ameaçadores, disse:

– Tire o vestido.

– O quê? – perguntou a garota, também tremendo, mas de medo.

– Você ouviu, tire o vestido! – Jane gritou.

Anny fez o que ela mandou, depois, conforme as ordens que a mulher continuou a dar, ela deitou-se no sofá, com as costas para cima.

Jane não escolhia o lugar em que a cinta alcançava o corpo de Anny, era onde sua raiva a levava. Cada centímetro do corpo da menina era castigado diversas vezes.

A dor era tanta que ela chegava a gritar. Mas isso enfurecia ainda mais a senhora Jane. Anny teve que, com um esforço sobre-humano, aguentar a dor e chorar em silêncio, escondendo a face entre as mãozinhas e pulando a cada golpe.

Jane ia enumerando razões para os golpes:

– Este é pela sua ousadia, este pela maluquice, este pela Nicole, este é por ter nascido...

Foi tanto tempo sendo castigada que Anny sentia, além das lágrimas que lhe encharcavam o rosto, sangue escorrendo por algumas partes de seu pequeno corpo. A dor era tão absurda que ela conseguiu apenas dizer em pensamento: "Me ajude, Papai do Céu, acho que estou morrendo."

Então, foi como se a dor passasse e ela pudesse sentir que estava sendo carregada por mãos carinhosas. Anny não conseguia abrir os olhos, mas era como se um anjo a tivesse pegado no colo e retirado daquele sofá. Mãos invisíveis seguravam-na e poupavam-na dos golpes de cinta. Ela não sentia mais dor, mas continuava a ouvir os sons das cintadas que cortavam o ar e atingiam o seu corpo.

Sentia-se bem, estava sendo carregada por algo, ou melhor, por alguém de muita luz, por uma energia boa, que conseguia transmitir-lhe paz naquele momento de extrema dor.

Tudo o que ela conseguia pensar era na tranquilidade daquele momento, na paz, no sossego, no brilho...

Ela ficou aconchegada no colo, que podia ser do Papai do Céu, ou de um anjo enviado por Ele, ela não sabia e não precisava saber, estava bem. Não tinha noção se dormia ou se permanecia acordada, muito menos se havia morrido e sido recepcionada por um anjo. Tudo o que sabia é que seu corpo estava sendo castigado a alguns centímetros, mas ela já não podia sentir.

Aos poucos, abriu os olhos e uma luz infinitamente forte cobriu-lhe a vista. Foi como se o tempo e o espaço tivessem deixado de existir e tudo o que havia no mundo era luz e felicidade. Ela já não podia ver Jane, nem mais ouvir os golpes de cinta que seu corpo recebia. Tampouco tinha dor ou sangue deslizando pela pele.

Em meio a tanta luz, era difícil enxergar. Em meio a tanta paz, era impossível ter medo. Anny esforçou-se, mas não conseguia visualizar o rosto de seu Benfeitor, daquele que a carregava no colo num momento de dor e desespero, poupando-a do sofrimento.

De repente, a claridade permitiu que ela vislumbrasse rapidamente quem estava ali. Anny sorriu e disse:

– Senhor Jesus...

Seu Benfeitor apenas abriu um amplo sorriso, tornando a paz daquele abraço ainda maior. A menina continuou a dizer:

– Então, tudo o que me ensinaram é verdade... Jesus está sempre a olhar por nós, as criancinhas, a nos guardar quando temos medo e a nos proteger quando temos dor. Eu estou nos braços de Jesus, estou sendo carregada por Ele.

O Benfeitor continuava a olhar para ela e sorrir. Seu delírio, contudo, era tão intenso que ela não mais visualizava Jesus. Por alguns segundos pensou ter visto um sorriso conhecido, de um cavaleiro bondoso... Mas também não podia afirmar. Ela desistiu de descobrir quem a carregava. Apenas aconchegou-se no colo daquele anjo. Não existem palavras, em qualquer idioma que seja, suficientes para descrever aquele colo, aquela luz. Muito menos a emoção que a menina vivia nos braços de um Benfeitor.

A calma foi levando Anny para dentro de si e seus olhos se fecharam. Era impossível resistir. A luz, aos poucos, se extinguia e as dores voltavam a torturá-la.

Finalmente, Jane parou de castigá-la e ficou sentada no chão olhando para o corpo imóvel de Anny no sofá.

Hermes entrou pela porta naquele instante e, ao ver o que se passara, ficou furioso:

– O que você fez? Você matou a menina? – berrava descontroladamente.

Ele correu até Jane, segurou-a com força pelos ombros e deu-lhe um forte murro no rosto, que a fez sair cambaleando para a rua. Ela parecia descontrolada e completamente fora de si.

Hermes, então, pegou o corpo de Anny do sofá e levou-o até o quarto da garota, colocando-o sobre a cama. Acendeu uma vela e a colocou sobre a janela, de onde se podia ver a Casa Grande, dizendo:

– Nos perdoe, garota. Espero que sua alma nos perdoe de onde estiver.

Ele passou uma das grossas mãos na face da pequena Anny e cobriu-a com a manta vermelha.

■

Hermes foi para o seu quarto, ainda confuso com o que iria acontecer a ele e à esposa. Pegou a foto de sua amada Josephine e chorou; chorou por muito tempo. Enfim, disse:

– O que eu fiz da minha vida?

■

Anny sentiu cada vez mais dor e percebeu que não estava mais no colo confortável de quem a segurara na hora do castigo. Não conseguia se lembrar do rosto de seu Benfeitor, mas sabia que Papai do Céu enviara alguém para protegê-la.

Anny, porém, não sabia que, se aquele Benfeitor não a tivesse pegado no colo, ela não teria resistido à dor dos últimos golpes furiosos de Jane.

Sua vida fora salva por um anjo.

Anny nunca saberia se havia visto realmente o rosto de Jesus ou se o imaginara, devido à sua falta de consciência no momento da dor. Contudo, não havia dúvida de que alguém a salvara naquele momento. Alguém *especial*. Não era possível saber, entretanto, se algum cavaleiro de sorriso bondoso e boina marrom a carregara no colo, se fora o próprio Jesus quem a socorrera, ou, ainda, algum outro anjo enviado pelo Papai do Céu especialmente para aquela missão. Mas isso não importava. Bastava saber que, lá do alto, viera a ajuda de que ela tanto precisara, devido à sua fé inabalável e à pureza de seu coração.

Anny, então, deu-se conta de que estava deitada na cama de seu pequeno quarto, sozinha. Seu corpo todo doía e sangue manchava o lençol. Com muito esforço, virou-se para ver de onde vinha a chama que iluminava seu quarto. Apesar da dor, conseguiu girar na cama e ver uma vela acesa.

Aquela luz trouxe-lhe paz na escuridão e ela ficou contemplando a vela derreter por horas. Não conseguia se mover devido à dor, então ateve-se a olhar para a luz, como se ela representasse sua esperança e vontade de viver. Ela não estava sozinha, sabia que não estava; podia pedir o que fosse:

– Papai do Céu, estou com medo, estou com dor. Fique comigo... Fique comigo, Papai do Céu, até a luz dizer adeus, por favor, não me deixe...

Ela sentiu sua dor ser amenizada e seu corpo ser aquecido por aquela chama. Ficou ali, parada, olhando para a vela, até que ela derretesse por completo e a luz se extinguisse do quarto. Suas forças não eram suficientes nem para chorar. Apenas tímidas lágrimas escorreram de seus olhos, enquanto ela fitava a chama.

No meio da madrugada, Anny acordou. Estava tudo escuro e seu corpo continuava a doer muito. Ela precisava de ajuda, senão iria morrer.

■

Hermes continuava a olhar para a foto de Josephine e a pensar na pobre garota que a esposa matara a pancadas. Sentiu-se triste como nunca e pensou que era melhor acabar com tudo. Não tinha motivos para continuar com aquela vida infeliz. Deveria libertar-se da prisão que deixara sua existência se tornar. Pensou na espingarda que guardava há tantos anos, seria a chance de finalmente usá-la. Desde que seu irmão Benjamin morrera na Guerra, Hermes tornara-se radicalmente avesso a armas. Mas usá-la agora seria para uma boa causa: acabar com a infelicidade que o atormentava e com a culpa por ter feito escolhas erradas durante toda sua vida, culminando com a perda de tudo que ele valorizava e até com a morte de uma criança inocente.

Ele continuava a se lamentar e argumentar com a própria consciência. Mas chegou à conclusão de que acabar com tudo era a melhor opção. Afinal de contas, para ele, matar-se não significava acabar com a própria vida, há muito ele já havia deixado de viver. Com dificuldade, levantou-se em busca da arma. Foi quando a porta do quarto se abriu:

– O que você está fazendo aqui? Deixe-me em paz! – ele disse, pensando ter enlouquecido e estar vendo fantasmas.

– Senhor Hermes, o que o senhor está falando? – perguntou Anny.

– Você está morta! Jane a matou! – ele berrou.

– Eu não morri, senhor Hermes, mas preciso de sua ajuda, senão irei morrer de verdade.

Dizendo isso, Anny caiu desmaiada ao chão e o homem correu para ajudá-la.

Por ironia da vida, a menina havia sido também um anjo enviado para ajudar Hermes naquele momento.

Ela havia salvado a vida do amargurado homem, impedindo-o de acabar com tudo.

■

Hermes abaixou-se até o corpo de Anny caído ao chão. Pôde sentir sua pulsação:

– Ela está viva! É um milagre! – disse o homem.

Ele pegou o pequeno corpo cheio de ferimentos e levou-o até o quarto da menina, tentando pensar rápido em como poderia ajudá-la. Ajeitou-a na cama e disse:

– É a minha chance de fazer algo, é a minha última chance de não fracassar. Você não vai morrer, eu juro!

O suor escorria por sua face, enquanto ele pensava: "Um médico, preciso de um médico." Andava de um lado para o outro, pensando até que uma ideia lhe ocorreu: "Já sei! Aquele senhor que cuidou da Jane quando ela adoeceu há alguns anos. Era um médico muito competente. Por sorte ele ainda deverá morar no mesmo local e, por sorte, saberei chegar até lá".

Então, outra ideia lhe ocorreu, mas não era muito animadora como a anterior. Ele olhou para Anny, que estava inconsciente, e disse:

– Eu preciso trazer um médico até você. Por favor, aguente firme até eu chegar. Não desista, a ajuda está a caminho. Você terá que ficar sozinha, mas não a abandonarei.

Então, ele abaixou-se até a menina. Ficou a fitá-la por um instante. Ela era uma criança muito bonita, era a primeira vez que reparava em sua face:

– Parece um anjo – ele pensou.

Hermes teve um gesto impulsivo de dar-lhe um beijo na testa, mas recuou antes que o fizesse. Pensava em como seria se tivesse sido pai, em como seria educar e criar uma criança que daria continuidade a seus passos e carregaria seus ensinamentos. Um pequeno aventureiro, um explorador!

Porém, não podia perder tempo com pensamentos. Cada minuto poderia ser precioso para a garota. Olhou-a novamente. Era impossível não se envolver com aquela face de anjo. Hermes há muito desconhecia a emoção e a verdadeira leveza do que é viver, mas Anny devolvera isso a ele. A vida não lhe dera filhos, mas trouxera até ele uma criança especial. De uma maneira engenhosa, a vida dera-lhe a chance de experimentar o que era cuidar de alguém. Ele passou todos os dias, desde a chegada de Anny em sua casa, desperdiçando essa nova oportunidade. Era a chance de mudar, de agir certo pela primeira vez. A menina salvara sua vida duas vezes. Uma havia acontecido há poucos minutos, quando ele estava à beira de cometer suicídio. Mas a primeira vez ocorrera no dia em que ela chegou. Nesse dia, Anny trouxera consigo luz, cor, emoção, pureza, infância. Tudo aquilo de que Hermes precisava para sair do abismo e ele recusara-se a aceitar. Parecia até que tinha medo de ser feliz outra vez. Pensava, agora, que a vida estava sendo generosa há muito tempo e que, se ele não agarrasse aquela oportunidade, tudo estaria, de fato, acabado.

Quando tomamos uma decisão em nossas vidas, qualquer que seja, ela deve se tornar a nossa razão de viver. Se a dúvida ou o arrependimento existirem, nunca viveremos em paz, nunca honraremos a nossa escolha e, dessa forma, é como se não tivéssemos feito escolha alguma. Portanto, Hermes tomou uma decisão naquele instante, sentado ao lado do corpo imóvel de Anny, e isso passaria a ser a sua razão de viver. Ele decidiu salvar a vida da garota não apenas naquele momento, mas em todos. Decidiu que ela se recuperaria e, depois, ele tomaria providências para que ela se sentisse em casa ao seu lado. E, mais que tudo, ele decidiu que salvaria a si próprio.

Hermes passou uma das mãos sobre a face da garota e derramou uma lágrima.

Então, olhou para o teto e disse, do fundo do coração:

– Senhor Deus, eu não sei se o Senhor existe. Mas se existir, eu suplico-Lhe que tome conta da garota até eu voltar. Ela terá que ficar sozinha, mas prometo que voltarei o mais rápido que puder. Cuide dela, para que ela apenas permaneça dormindo, sem mal algum, até que eu retorne com ajuda. Amém.

As lágrimas de seus olhos eram vertidas de forma tão sincera que queimavam sua face arrependida. Então, ele levantou-se e foi até o carro.

■

Hermes dirigia seu Topolino pelas avenidas inglesas a uma velocidade que nunca experimentara. O suor o incomodava, embora não estivesse calor. Ele tentava se concentrar em achar a casa do doutor... Não conseguia lembrar-se do nome do médico. Porém, era vital que se lembrasse do endereço. Estava longe de casa, quando chegou ao bairro em que pensava ter ido buscar o médico quando Jane precisara:

– Só pode ser por aqui, faz tempo, mas lembro-me vagamente deste local.

Ele, então, passou por uma pracinha:

- Não, definitivamente não havia praça alguma da outra vez.

Ele mudou a direção do carro e guiou-o para a segunda opção que tinha em mente.

Passados alguns minutos, ele chegou a outra ruela. Tentava reviver a outra vez em que estivera em busca do doutor...

Ele diminuiu a velocidade do Topolino e ficou olhando as pequenas casas tipicamente inglesas que o circundavam - parecia ser ali!

Definitivamente aquela rua era familiar. Ele fez tanto esforço que conseguiu se lembrar de que chovia da outra vez em que estivera ali e de que precisou pedir informações para achar a casa do médico. Mas, assim como naquele dia, a rua estava vazia e escura, exceto por um rosto miúdo que observava o céu, debruçado em uma pequena janela. Hermes passou em frente a uma casinha muito familiar e ficou espantado ao ver o mesmo rosto miúdo que vira naquela exata posição, anos atrás:

- É ele, ele me ajudou da última vez em que estive aqui. Foi há anos, mas ele continua no mesmo lugar; que sorte!

Hermes sentia uma sensação estranha. Voltar àquele lugar e encontrar o único homem que encontrara da outra vez, no exato lugar e na exata posição de anos antes, dava-lhe a sensação de que voltara no tempo.

Ele desceu do carro e aproximou-se do estranho senhor, que parecia não notar sua presença. Ele era muito velho, tinha a pele do rosto totalmente flácida e repleta de rugas, e os poucos cabelos que lhe restavam eram indiscutivelmente brancos. Ele contemplava o céu.

- Com licença - disse Hermes -, desculpe incomodá-lo.

O homem continuava a fitar o céu, como se Hermes não estivesse ali:

- Com licença, senhor, sabe onde vive um médico aqui por perto? - não houve resposta, nem tampouco o homem desviou o olhar do céu - Senhor - insistiu Hermes -, por favor, senhor! Preciso de ajuda com urgência!

Ele insistiu mais alguns minutos, então resolveu que de nada adiantaria e que era melhor voltar para o carro e continuar a procurar sozinho.

– Deve ser um louco – pensou Hermes.

Ele ia abrir a porta do Topolino, quando uma voz fraca penetrou seus ouvidos:

– Não se vá antes que eu o ajude.

Hermes olhou para o senhor e viu que, pela primeira vez, ele retribuía seu olhar:

– Pensei que não tivesse me escutado – disse Hermes.

– Claro que escutei, apenas não podia deixar de me concentrar no que Bety me falava, justamente no mesmo instante que você. A propósito, pode me chamar de louco, visto que não sigo as regras que as pessoas julgam "normais" – falou o senhor da janela.

Hermes ignorou o comentário sobre a loucura e olhou ao redor. Não havia ninguém ali, exceto os dois:

– Quem é Bety? – perguntou.

– Bety Lou, minha querida esposa – falou o velho, suspirando.

– E onde ela está que não a vejo? – insistiu Hermes, achando tudo muito estranho.

– Ela morreu em 1923.

– Mas estamos em 1948, e o senhor disse que ela acabou de lhe falar!

– De fato – disse o homem, com a voz fraca –, ela fala muitas coisas.

– Eu é que devo estar doido – disse Hermes –, perdendo meu tempo com besteiras. Boa noite.

– Não se vá. E novamente insisto que não julgue aqueles que não conhece e que têm crenças diferentes das suas. Bety Lou me disse que sou o único que pode ajudá-lo neste momento.

– Não posso dar ouvidos a alguém que pensa falar com fantasmas e que não sai do lugar há anos! Desculpe-me, mas vim aqui há certo tempo e o senhor estava no mesmo lugar e na mesma posição que hoje – disse Hermes.

– Ah, sim, você deve achar estranho, como muitos acham. Os homens sempre julgam o comportamento dos outros, sem saber exatamente da história que os permeia. Não lhe devo explicações, mas digo apenas que eu e Bety éramos adoradores da lua e das estrelas. Ela vem visitar-me todas as noites desde que partiu e ficamos a contemplar o céu juntos e a conversar por horas.

– Mas chovia da última vez em que estive aqui. Não havia estrelas no céu!

– Engano seu, meu caro, as estrelas sempre estão lá. Tolos são aqueles que deixam uma simples chuva, que é também uma maravilha divina, impedi-los de ver o brilho do céu.

Hermes ia novamente abrindo a porta do carro, quando o homem disse:

– Bety pede que eu insista, sou o único que pode ajudá-lo.

Hermes lembrou-se de Anny, deitada, ferida e sozinha naquela casa. Então, disse:

– Por favor, ajude-me a achar o médico que vive nesta rua, eu me lembro de que era logo ali na frente, mas não sei em qual das casas.

– Havia mesmo um médico, a dois quarteirões, na terceira casa.

– Havia? Ele se mudou? – perguntou Hermes, frustrado.

– Não – respondeu o senhor.

Hermes respirou, aliviado:

– Então, vou me dirigir para lá agora mesmo. Não sei como posso agradecê-lo...

– Ele morreu – respondeu o homem, da janela.

Hermes sentiu-se idiota e incompetente. Não seria capaz de proteger a garota; perderia a última chance que a vida estava lhe dando para fazer algo que realmente valesse a pena.

– Mas posso ajudá-lo.

– Não, não pode – respondeu Hermes –, está tudo acabado.

– Nada está acabado! Nunca mais diga isso.

– Então como pode me ajudar?

– O doutor que morreu não era o único médico desta rua. Eu também sou.

– O senhor? – perguntou Hermes, incrédulo.

– Exatamente. Não pratico Medicina desde que Bety Lou partiu, mas exerci minha profissão por muitos anos e, se me permite dizer, exerci-a com grande competência. Há semanas Bety me dizia para que eu me preparasse, pois chegaria alguém clamando por ajuda e eu teria que reviver meus dons e fazer aquilo que mais amava – ajudar alguém. Hoje é uma grande noite, é minha chance de me sentir útil novamente.

– É também a minha – disse Hermes.

– Sendo assim, não percamos mais tempo. Há alguns dias eu tirei do armário meus instrumentos de trabalho e preparei minha maleta médica. Eu sabia que o senhor viria.

Hermes não queria perder mais tempo com perguntas. Fez sinal para que o homem o acompanhasse.

O velho médico saiu de sua pequena casa. Porém, antes que ele entrasse no carro, Hermes disse:

– O senhor poderia pedir para que Bety Lou não nos acompanhasse, por favor?

– Por quê? O senhor tem algo contra ela? – indagou o médico.

– Não, absolutamente nada. Digamos apenas que a presença dela me... constrange.

– Certo – disse o homem. Então, Hermes entrou no carro e pôde ouvir o médico dizer: – Querida, por favor, não insista. Você ouviu, Bety, é melhor ficar e esperar até que eu retorne.

O senhor bateu a porta do carro e Hermes deu a partida.

– Meu nome é Frank – ele disse.

– Muito prazer, Frank, sou Hermes, mas creio que já nos encontramos uma vez, acredito que o senhor não esteja lembrado...

– Claro que me lembro, tenho uma ótima memória. Lembro-me claramente do seu rosto e de ter indicado a você a casa de meu falecido vizinho e colega de profissão – disse Frank.

– E por que não me disse, da outra vez em que estive aqui procurando por ajuda, que o senhor também era médico?

– Você não perguntou.

■

Anny abriu os olhos e enxergou tudo nas cores branco e preto. O Reino Xadrez estava à sua frente. Tudo estava em seu devido lugar: as árvores, os animais, o riacho, o gramado, as peças de cristal, o castelo e a borboleta ao seu redor, brincando ao vento. Porém, mais uma vez, faltava algo e Anny desejou mais que nunca saber o que estava faltando. Era algo diferente desta vez. Foi então que uma conhecida figura veio andando em sua direção:

- Olá, senhor Bispo! - ela disse - Gostaria de saber por que me sinto tão estranha hoje. O reino parece lindo, como sempre, mas não parece o mesmo.

- Não conseguimos nos encontrar dentro de nós mesmos quando falta paz em nosso coração. Não importa que tudo esteja em seu lugar, nosso coração não está.

Anny lembrou-se do castigo que recebera e instantaneamente a dor começou a invadi-la.

- Não pense na dor. Se pensar, ela ganhará vida. Tudo está dentro de nós; nós temos o poder de tudo - disse o Bispo - Não deixe a mágoa tomar conta de seu ser. Você é uma pessoa especial, Anny, deve continuar no caminho da compreensão. Sabe que o Papai do Céu está a olhá-la em todos os instantes e lhe reserva um futuro de risos, para compensar as lágrimas que você derruba no presente. Não desanime.

- Não quero desanimar, senhor Bispo. Não quero guardar mágoas - disse Anny, começando a chorar - Como devo fazer?

- Pense naqueles que ama, mesmo que estejam longe, e suas lágrimas secarão. O amor invadirá seu coração e será irradiado até para aquela que a maltratou. Lembre-se de que em seu peito vivem aqueles que você ama. Esta lição você aprendeu sozinha, ao reencontrar os seus pais e, no amor deles, um lar para seu coração.

Anny fechou os olhos e pensou nos pais. Pensou em Nicole, em Pepeu, no senhor Hermes, nos avós que não via desde muito pequena e, mesmo sem conseguir se lembrar de suas fisionomias, sabia que os amava. Lembrou-se, por fim, de Jane e tentou amá-la também. Nesse instante uma suave música invadiu-lhe os ouvidos, percorreu todas as células de seu pequeno corpo, instalando-se em seu coração: "Quando a neve cair, vou estar com você... E quando a neve se for, vou lembrar de você... Faça chuva ou sol, vou sorrir ao pensar... Que a levo em meu coração...".

Era a voz de Cindy. Ela não sabia de onde vinha, estava em tudo e em nada ao mesmo tempo.

A pequena rainha abriu os olhos e viu que o Bispo sorria.

– Tenha fé, Anny, acredite num futuro melhor, que ele virá – o Bispo disse, antes de sumir.

A menina percebeu que a borboleta azul deixou os arredores do palácio e foi até o local onde ela estava. Anny, como sempre, ficou maravilhada com aquele pontinho azul-celeste, que deslizava ao seu redor fazendo movimentos graciosos, até que começou a voar em direção ao céu.

A rainha ficou no gramado a contemplar a borboleta, que voava cada vez mais alto, fundindo-se à imensidão azul. Ela lembrou-se das palavras do Bispo e compreendeu que, quanto maiores o amor e a esperança que mantivesse dentro do peito, maiores voos poderia alcançar; assim como a borboleta azul, símbolo de sua alma.

Anny, então, deitou-se no gramado branco e preto e ficou ali muito tempo, ouvindo a música que sua mãe cantava. Conseguiu reencontrar-se dentro de si mesma.

Ao longe, os pássaros voavam e os súditos de cristal caminhavam. Tudo era xadrez.

■

O doutor Frank cuidava das feridas de Anny com muito cuidado. Chegou a ter que suturar algumas, onde a pele havia sido demasiadamente lacerada. Ele era cuidadoso e um ótimo médico e entregava toda sua experiência e boa vontade para que a garota se recuperasse.

Hermes estava ao seu lado, não saiu dali um minuto sequer. Não queria deixar Anny naquele momento em que ela tanto precisava. Estava honrando a decisão que tomara.

Por horas, Frank cuidou da menina, da melhor maneira que pôde. Até que, lentamente, ela mexeu as pequenas mãozinhas.

Hermes endireitou-se e fitou-a com esperança.

Então, suavemente, Anny abriu os olhos. Ela viu um senhor à sua frente, alguém que não conhecia, mas os olhos dele eram bons. Ela estava muito fraca, então apenas esboçou um discreto sorriso.

– Muito bem – disse Frank –, este é o remédio mais milagroso: o riso!

Hermes pegou a mão de Anny e começou a chorar copiosamente:

- Obrigado, Deus; obrigado, Senhor!

Ela deu um novo sorriso e disse a Hermes:

- Eu te amo, papai.

As lágrimas desceram com ainda mais força pela face de Hermes, mas, pela primeira vez, eram lágrimas de felicidade.

■

- Jefferson, eu já disse que sei me cuidar. Não podemos perder esse cliente! - dizia a mulher.

- Eu sei, Cindy, mas coisas estranhas têm acontecido. Temo por nossas vidas e pela de nossa filha.

- Eu já disse que, em nosso serviço, nós não podemos nos dar ao luxo de temer a morte - respondeu Cindy - Eu vou e está decidido. Amanhã estarei de volta. Além do mais, a Anny está protegida, a senhora Jane não permite nem que ela espie pela janela, conforme o combinado.

- Você já sabe como vai fazer? - perguntou Jefferson.

- Sim, já obtive todas as informações de que precisava. Será fácil como tirar doces de uma criança.

- Boa sorte - disse o marido, beijando a esposa.

- Obrigada. Mas acredito que você precisará de mais sorte do que eu nas negociações com o marido da madame.

Dizendo isso, Cindy dirigiu-se para a rua e pegou um táxi até o aeroporto.

Algumas horas depois, ela estava em seu destino e não podia perder um minuto sequer, para que tudo saísse conforme o planejado.

Ela pegou novamente um táxi e desceu na rua de trás de uma cafeteria. Andou até a frente do local, de modo que o taxista não levantasse suspeita.

Depois, ficou escondida atrás de algumas construções do outro lado da rua, em frente ao estabelecimento.

Olhou para o relógio. A hora não poderia ser mais exata. Tirou o revólver da pequena bolsa de couro.

No mesmo instante, a dona da cafeteria deixava o local, como sempre fazia naquele horário. Porém, desta vez, ela não voltaria no fim da tarde para verificar os ganhos do dia – conforme Cindy informara-se sobre os mínimos detalhes de sua rotina.

Ela estava dirigindo-se ao carro quando uma bala atingiu seu coração, matando-a instantaneamente.

Houve gritos pela rua e uma menina saiu correndo de dentro do carro, gritando:

– Mamãe, mamãe! Não me deixe! Já perdi o papai, o que farei sem você? Mamãe!

Enquanto isso, Cindy colocava óculos escuros e apertava com segurança a bolsa contra o corpo, à medida que andava categoricamente pela rua, esbanjando beleza e sensualidade a caminho do aeroporto.

■

Anny acordou na manhã seguinte e, embora as dores continuassem a lhe fazer companhia, sentia-se bem melhor devido aos cuidados e carinhos de Frank e Hermes.

Não se lembrava de muita coisa. Com sacrifício conseguiu recordar-se de que Pepeu a chamara até o balanço e ela queria desculpar-se por ter lido suas palavras de amor e tristeza, mas eles não tiveram tempo de conversar, afinal, Jane chegara. Depois, ela lembrou-se de estar deitada no sofá, sem roupa, e sentindo o peso da cinta contra seu corpo.

– Havia alguém – ela pensou –, eu não estava sozinha com Jane, havia mais alguém na sala, alguém que trouxe muita luz...

Ela tentou se lembrar do Benfeitor que a pegara no colo, mas não conseguia, embora seu coração dissesse que alguma criatura divina a salvara naquele dia. Apenas a vaga lembrança trouxe-lhe muita paz.

Ela tampouco se lembrava de ter chamado Hermes de pai durante a madrugada.

Olhou ao redor e viu que o homem estava sentado ao lado da cama, adormecido.

Anny ficou a contemplá-lo por alguns instantes e percebeu que sua expressão mudara. Ela não sabia explicar como, mas ele estava menos ameaçador.

Como se percebesse que Anny o observava, Hermes despertou:

– Como se sente? – perguntou à menina.

– Bem – ela respondeu –, muito bem, eu acho.

– Que bom, Anny – disse o homem –, eu estive preocupado.

– Na verdade – continuou a garota –, estou muito feliz. Sabe por quê?

– Por que já não tem mais dores? – arriscou Hermes.

– Não. As dores continuam aqui. Mas estou feliz porque, pela primeira vez, o senhor disse o meu nome.

Hermes deu um profundo suspiro, até que barulhos vindos da cozinha chamaram a atenção deles:

– Quem está aqui? – perguntou Anny.

– É o Frank, o médico que cuidou de você.

Alguns minutos depois, o bondoso doutor entrou no quarto carregando uma bandeja repleta de comida:

– Bom dia! Trouxe um café da manhã especial para os dois. Vocês precisam se alimentar muito bem – dizendo isso, pousou a bandeja sobre a cama e serviu Hermes e Anny.

– Senhor Frank... – disse Anny.

– Apenas Frank, por favor, minha querida – corrigiu-a o médico.

– Desculpe, Frank. – disse a garota – O senhor... quer dizer... você acha que ficarei boa logo?

– Mas é claro! – respondeu o médico – Você já está boa, minha querida, e ficará ainda melhor!

– Que bom! – sorriu Anny – Porque preciso cuidar do meu jardim.

– Tenho certeza de que o senhor Hermes não deixará que suas flores morram enquanto você estiver de repouso, estou certo, Hermes? – perguntou Frank, dirigindo-se ao outro homem.

Hermes pigarreou e disse:

– Claro. Não se preocupe com nada, Anny, apenas em recuperar-se.

– E a senhora Jane? – indagou a garota.

– Por que quer saber dela? – disse Hermes.

– Ela está aqui? – perguntou a garota, enquanto tomava seu suco.

– Não – respondeu o homem – Ela saiu após o ocorrido e não sei se voltará. Mas se voltar, receberá o que merece: acabarei com sua vida.

– Não fale assim, senhor Hermes – disse Anny, voltando a achá-lo ameaçador.

– Depois do que ela fez com você, eu sou capaz de trucidá-la!

– Por favor, chega de violência! Se o senhor fizer isso, nunca teremos uma casa feliz. Deixe que ela volte e que tente me perdoar – falou Anny.

– Ela não tem motivos para ter que perdoá-la... – começou dizendo Hermes.

– Deve ter, sim. Senão não teria me batido. Mas eu decidi não guardar mágoas. Por favor, não guarde também.

Hermes calou-se. Frank olhava com imensa ternura para Anny:

– Nunca conheci uma pequena que fosse tão grande! – dizia ele – Bety Lou teria adorado conhecê-la.

– Quem é Bety Lou? – perguntou Anny.

O dia passou de forma adorável. Hermes e Anny ficaram ouvindo histórias sobre Bety Lou e Frank. Eles nunca tiveram filhos, dedicaram suas vidas a salvar as de outras pessoas. Bety também havia sido médica. Quase todo dinheiro que conseguiam, davam aos pobres. Por isso, viveram sempre em uma modesta e pequena casa, mas tinham tudo de que precisavam e, principalmente, tinham um ao outro. As histórias eram divertidas e fizeram Anny viajar pelo mundo em pensamento, imaginando todos os países em que Bety e Frank trabalharam como médicos ajudando pessoas que não conheciam e que nunca lhes pagariam – pelo menos, não com dinheiro, mas sim com gratidão e afeto, o que é ainda mais precioso.

Nos dias seguintes, Anny foi apresentando grandes melhoras e, a cada manhã, acordava com menos dores que no dia anterior. Sentia-se repleta de amor, devido aos maravilhosos cuidados de Frank (que lhe ensinava, dentre outras coisas, que para as verdadeiras amizades não há idade) e ao companheirismo de Hermes, que insistia em dormir no chão, ao lado da cama de Anny para não abandoná-la um minuto sequer e, ainda por cima, a chamava pelo nome, fato que quebrara enormes barreiras entre eles. Hermes saía dali apenas para cuidar do jardim. Anny passava os dias tentando convencê-lo a perdoar a senhora Jane, não guardar mágoas nem rancor. No final daquela semana, ele já estava aceitando a ideia de que ela voltaria para casa um dia e que ele não a trucidaria, nem provocaria mais brigas – já que era esse o desejo de Anny.

Nicole viera e soubera de tudo, o que fez o trabalho de Anny duplicar-se. Ela teve também que convencer Nicole a não chamar a polícia, nem querer revoltar-se contra a tia:

– Ela é de sua família, Nicole, eu não quero que você brigue com ela, por favor – dizia Anny –, esqueça isso. Eu já estou boa. E, conforme o Frank me disse, a Jane é, na verdade, quem mais precisa de ajuda, porque ela não sabe amar.

Em mais alguns dias, Anny, através de suas calorosas palavras, conseguiu fazer com que Nicole também sentisse menos rancor pela tia. Isso aconteceu no momento exato, porque logo Jane voltou.

Sem dar explicações de onde estivera e sem trocar quaisquer palavras sobre o castigo que dera em Anny, nem perguntar sobre o estado da menina, ela chegou em casa, como se nada tivesse acontecido.

Hermes já não precisava dormir ao lado de Anny, pois ela estava bem melhor. Então, desde que Jane voltou, ele passou a dormir na sala todas as noites, deixando a mulher sozinha no quarto.

Ela saía de casa pela manhã e voltava no fim da tarde, trancando-se, sem dizer uma palavra sequer.

Hermes agia como se ela não existisse e alegava continuar na casa exclusivamente por causa de Anny. Ele passou a trabalhar menos horas por dia e a passar mais tempo em casa com a menina. Continuava a cuidar do jardim diariamente.

Um dia, ainda em repouso no quarto, Anny sentiu que não estava sozinha e olhou para a janela.

Viu um lindo pássaro parado a observá-la:

– Roxie! – ela disse – Que bom que veio me ver!

O pássaro voou até ela e pousou em um de seus braços, trocando um afetuoso olhar com a garota:

– Não posso me esquecer da lição dos pássaros: vocês são livres, mas não deixam de criar laços com aqueles que amam. Eu cuidei de você quando adoeceu e, agora, você veio retribuir.

Anny beijou-o e deixou-o voar pela janela. No dia seguinte, ele voltou. Assim como no outro, no outro, e no outro dia; sempre ajudando a amiga a recuperar a saúde através de seus carinhos.

Nicole vinha dar-lhe aulas no quarto, enquanto ela se recuperava. Anny fizera questão de não parar as lições. Adorava aprender e passar mais tempo ao lado de Nicole.

Frank vinha todos os dias cuidar da garota, até o dia em que lhe deu alta:

– Você está ótima, Anny. Já não precisa de meus cuidados médicos!

– Mas o senhor continuará a vir me visitar, certo? – perguntou a menina.

– Claro! Mas que pergunta descabida! Você sabe que somos amigos agora e, portanto, virei com frequência visitá-la e espero que você também vá à minha casa!

Ele beijou a testa de Anny e despediu-se de Hermes, dizendo que não aceitaria pagamento algum pelos serviços:

– Mas o senhor é médico, deve cobrar! – insistia Hermes.

– De maneira alguma. – dizia Frank – O maior pagamento foi ver a Anny recuperada e também ter tido o prazer de conhecê-los. Agora, deixe-me ir, Bety me espera, e há alguns dias não tenho lhe dado a devida atenção. Passar bem.

Hermes havia se acostumado com o jeito peculiar de Frank e passara a admirar as diferenças entre eles e os mais estranhos costumes do velho médico, que dizia falar com o fantasma da esposa morta há décadas.

Tudo estava melhorando, mas um fato ainda preocupava Anny: a ausência de Pepeu. Ela não entendera aquela aparição repentina dele no balanço da Casa Grande e seu novo desaparecimento. Há muito tempo ela não conversava com o amigo; sentia falta dele, como se já não bastasse a saudade diária dos pais, que também não davam sinal de vida. Saudade, aliás, era uma palavra frequente no peito da garota. Ela também sentia falta de jogar xadrez. Desde que Jane destruíra seu tabuleiro, ela não pudera mais jogar, o que a deixava ainda mais solitária e com mais saudades de Pepeu:

– Você prometeu, Pepeu, mas não está cumprindo sua promessa. Volte para me ver. Desculpe se o magoei. Eu o amo, você é meu irmão mais velho – ela dizia todas as noites, olhando para o céu através da janela de seu pequeno quarto, na esperança de que, de onde estivesse, ele pudesse ouvi-la.

Os meses de 1948 foram se arrastando. Os ventos começavam a anunciar o inverno, que não demoraria a chegar. Porém, ainda não havia nem sinal da neve. Mas, mesmo assim, um dia, quando ela estava sentada no jardim com Tiara, Hermes trouxe-lhe a notícia:

– Seus pais estão aí.

– Não é possível! A neve não veio ainda! O senhor está falando sério?

– E alguma vez eu menti para você? – indagou Hermes – Agora, se troque, que eu a levarei até sua casa.

Anny sentiu uma súbita felicidade invadir-lhe o corpo:

– Aposto que eles vieram para ficar. Por isso vieram mais cedo – ela sorria com tal pensamento –, mas não posso deixar o senhor Hermes aqui. Já sei! Talvez ele venha morar conosco na Casa Grande! Lá tem espaço de sobra!

Alegre com tais pensamentos e com a presença dos pais, Anny colocou um bonito vestido amarelo e o chapéu que ganhara de Jefferson, cuidadosa para esconder suas feridas, já que não queria preocupar os pais com os castigos que recebera; pegou Tiara e foi junto com Hermes para a Casa Grande.

Hermes deixou-a lá e se retirou. Anny não conseguia conter sua alegria.

Assim que entrou pela porta da frente, viu o pai sentado no sofá e correu até ele, dando-lhe um demorado abraço:

– Eu te amo, papai, te amo muito – ela disse, chorando.

– Eu também, querida. E olhe como você cresceu! Parece uma moça! É linda como sua mãe.

Anny sorria em meio às lágrimas. Logo ouviu Cindy descendo as escadas, desvencilhou-se de Jefferson e gritou, correndo em direção à mulher:

– Mamãe!

Mãe e filha se abraçaram. Então, Jefferson foi até elas e abraçou-as também.

– Vocês voltaram para ficar? – perguntou Anny, repleta de esperanças.

– Não, Anny – disse a mãe –, viemos apenas vê-la, porque daqui a alguns meses estaremos muito ocupados. Seu pai insistiu em passarmos por aqui, mas amanhã bem cedo iremos embora novamente.

Anny esboçou um choro, então, Jefferson disse:

– Querida, não chore. Você ainda não se acostumou com nossa ausência?

– Claro que não, papai! Nunca vou me acostumar com uma coisa dessas – disse Anny –, mas não vou chorar. Quero aproveitar o dia de hoje, como se ele fosse infinito!

E assim fizeram.

Os pais atenderam a todos os pedidos de Anny: brincaram no balanço, no quarto de brinquedos, contaram histórias, sentaram-se para ouvir Cindy tocar piano (e Anny dançou, pela primeira vez após ter se recuperado da surra que levara – foi como sentir seu corpo ganhar vida novamente, deixando-o ser invadido pela arte); assistiram à televisão e comeram panquecas feitas por Anny.

No fim da noite, a menina estava sentada em sua cama, olhando seu pequeno quarto, sozinha. Ele tinha seus traços. Traços que ela deixou durante os anos em que viveu ali – mas que bobagem! Ela ainda vivia ali, aquele era o seu verdadeiro quarto! Porque lar é onde está também o nosso coração, e o dela nunca saíra da Casa Grande.

Enquanto matava as saudades daquele local tão amado, Anny ouvia os pais conversarem:

– Você sabe que não poderemos adiar nossa volta, Jefferson, as negociações com o marido da madame estão num ponto crucial – dizia Cindy.

– Eu sei, querida. Mas é que nós vemos a Anny apenas uma vez por ano, então eu pensei que pudéssemos partir amanhã à tarde e passar mais algumas horas com nossa filha – insistia o marido.

– Nada disso. O trabalho vem em primeiro lugar. Você sabe o quanto temos nos arriscado. Vir hoje já foi uma tolice. Ou nos dedicamos às negociações, ou estaremos perdidos! Você sabe que até a menina corre risco, caso...

Jefferson mandou-a silenciar:

– Não fale essas coisas em voz alta. Tudo bem, partiremos amanhã de manhã.

Alguns minutos depois, Jefferson entrou no quarto onde Anny estava:

– Boa noite, querida, já vamos dormir.

– Mas ainda é cedo! – disse Anny.

– Eu sei, mas sua mãe e eu estamos muito cansados. Temos trabalhado muito nos últimos tempos. Você vem dormir conosco?

– Claro, papai! – disse Anny, pulando no colo de Jefferson.

Os três deitaram-se na cama e Anny ficou a observá-los por muitas horas. Não sentia sono. Não queria que houvesse noite, não queria que houvesse amanhã. Queria-os por perto todos os dias. Amava-os mais do que se pode imaginar.

■

Nos dias seguintes, Anny estava cuidando do jardim com todo o amor que tinha no peito, quando percebeu que havia algo novo.

Havia nascido ali uma flor, única, diferente de todas as outras.

Sua cor era a mesma da oitava faixa do arco-íris e, ao mesmo tempo em que maravilhava Anny, também a instigava. Qual seria o nome daquela cor?

■

– Eu vou matá-lo, se algo der errado! Vou acabar com sua casa e sua família! Marque minhas palavras! – dizia o homem.

– Sim, senhor – respondeu Jefferson –, mas apenas gostaria que o senhor considerasse que temos feito o melhor que podemos, mas o marido de Barbara desconfia de tudo e diz que os culpados pagarão.

– Eu não considero nada! Apenas a sua incompetência! Acabe logo com essa palhaçada. Se o senhor Reynold não pagar o que pedimos, acabe com a mulher!

– Creio que ela já está sendo punida o suficiente – disse Jefferson.

– Você virou misericordioso agora, Jefferson? – perguntou o homem em tom de deboche – Quero mais torturas. O marido dela pensa que pode nos enrolar.

– Sim, senhor.

Jefferson voltou ao local que servia de cativeiro para Barbara. Cindy e dois capangas estavam lá.

– Vocês falaram com o marido? – ele perguntou.

– Falamos... – disse um dos homens – A mesma ladainha de que sabe quem está por trás disso tudo. E que tem um plano para acabar conosco.

– Muito bem. – disse Jefferson – Pegue novamente os materiais e inicie mais uma sessão de tortura com a refém; ordens do chefe.

– Deixe que eu mesma faço isso. Será um prazer – disse Cindy, entrando no quarto onde Barbara estava quase inconsciente.

– De novo, não. Mate-me, mas não me torture novamente – disse a voz fraca da madame.

– Cale a boca, sua vaca! – ordenou Cindy.

E, em seguida, apenas os gritos de Barbara podiam ser ouvidos. Eram gritos tão profundos, seguidos de gemidos e lamúrias de dor:

– Mate-me, mate-me de uma vez! – ela dizia.

Até que o silêncio voltou a reinar e Jefferson imaginou que ela tivesse desmaiado novamente.

Ele não teve coragem de entrar no quarto. Não queria ver a amada e bela esposa sujar as próprias mãos com violência.

■

Nicole chegou cedo aquele dia:

– Hoje não tenho que ir à escola, então resolvi passar o dia todo com você – disse a Anny.

A garota lhe deu um forte abraço e elas foram até os jardins.

– Como tem sido? – perguntou Nicole – A tia Jane lhe fez mais alguma coisa?

– Não. Ela tem passado mais tempo fora de casa e não fala com o senhor Hermes. Finge que nós dois não existimos.

– Melhor assim – disse Nicole –, ela também anda seca comigo, mas não me importo. E o senhor Hermes, como tem tratado você?

– Ele tem sido muito gentil comigo. Às vezes, à noite, conversamos sobre coisas divertidas e ele até me deixa ouvir o rádio ou ver televisão. E ele prometeu que um dia vai me levar para dar uma volta em seu carro.

Elas foram interrompidas por uma voz amarga:

– Falando mal de mim, aposto – disse Jane, aproximando-se das duas.

– Titia, não comece, por favor – pediu Nicole, ainda sem coragem de olhá-la nos olhos.

Jane soltou uma cínica risada e continuou:

– Como vai Charlotte?

– Ela escreve sempre que possível, está muito bem – respondeu Nicole, referindo-se à sua mãe, que fora embora do país em busca da felicidade, fato que Jane reprovara.

– Aposto que está a cada dia mais louca – riu Jane.

– Não fale assim da mamãe, eu não lhe dou o direito – disse Nicole, agora encarando a tia.

– Está bem. Mas se você aprova as loucuras daquela demente é porque no fundo é igual a ela. E eu que pensei que você honrasse nossa família.

– Titia, não insista em querer discutir ou tentar voltar-me contra minha mãe. Isso não vai acontecer. Agora, por favor, deixe-me dar aulas a Anny. Ah, também quero comunicar que no final de semana a levarei para um passeio – disse Nicole.

Anny sorriu, e Jane disse secamente:

– Jamais. A menina não voltará a sair.

– Mas, titia, foi o nosso combinado – insistiu Nicole.

– Isso foi antes de ela quebrar as regras e tornar-se ainda mais enxerida, pensando que aqui é como se fosse a casa dela.

Nicole ia protestar, mas Jane continuou dizendo:

– Se ela sair por aquela porta, não poderá mais entrar. Seria até bom me ver livre dela. E você, Nicole, acertará as contas comigo.

Dizendo isso, Jane foi trabalhar, deixando Anny e Nicole a sós:

– Não tem problema, Nicole, eu não me importo. Se você vier me visitar, já fico contente.

– Você se contenta com tão pouco, Anny, dá até dor no coração. Além do mais, titia está sendo cada vez mais irracional.

– Não vamos mais brigar. Se ela me expulsar, eu não terei para onde ir. Ficarei longe da Casa Grande, de você, do senhor Hermes e do meu jardim. Eu prefiro que as coisas fiquem como estão, não quero mais desobedecer à senhora Jane.

– Está bem – disse Nicole, contrariada –, mas é uma pena, as meninas da escola gostaram tanto de você. Eu disse que a levaria lá outra vez.

Anny sofreu ao pensar na tarde maravilhosa que tivera com outras crianças, que tinham a felicidade de ter amigos e de frequentar uma escola.

Nicole resolveu mudar de assunto e começou a contar uma divertida história. Elas tiveram um delicioso dia, embora a menina ainda sentisse falta de jogar xadrez e ainda mais falta de Pepeu, que continuava desaparecido.

Outro dia, quando veio visitar Anny, Nicole trouxe doces deliciosos que preparara. A menina adorou e, depois que comeram, disse, pegando na mão de Nicole:

– Venha até o jardim, quero lhe mostrar algo.

Nicole seguiu-a até os fundos da casa, então Anny agachou-se e tocou uma delicada e bonita flor:

– Que linda flor! – disse Nicole.

– Eu sei, é a minha preferida. Ela é nova em meu jardim, mas é muito especial. Sei que nasceu como prova de meu amor por esses canteiros. Porém, não sei o nome de sua cor – falou Anny.

– Como não? – disse Nicole – Ela é branca.

– Não é branca, Nicole, ela é *daquela* cor.

– Qual cor?

– A cor que completa o arco-íris. A cor que sempre vejo, mas nunca sei o nome – disse Anny.

– Como assim completa o arco-íris? – questionou Nicole.

– A oitava cor – disse Anny –, a mais bela de todas.

Nicole ficou a pensar por um instante. A flor era indiscutivelmente branca; assim como o arco-íris tinha apenas sete cores:

– Minha querida – disse a moça –, acho que você se confundiu.

– Não, Nicole. Você tem que acreditar em mim. A oitava cor do arco-íris é a mais bela, eu a vejo por toda parte desde quando eu era muito pequena, mas não sei seu nome, ninguém nunca me ensinou.

Aquele dia, Nicole foi embora decidida a pesquisar sobre aquele assunto e achar respostas para o que Anny dissera. Ela ainda era uma criança, mas era muito especial e inteligente, devia haver alguma explicação àquela história sobre a oitava cor do arco-íris.

■

Dezembro chegou e trouxe consigo, além do frio típico da Inglaterra, o décimo aniversário de Anny.

Nicole havia combinado com o senhor Hermes e, na manhã de sete de dezembro, Anny acordou e encontrou os dois esperando por ela na cozinha com um delicioso bolo de aniversário.

Anny correu feliz e abraçou o senhor Hermes e Nicole, agradecendo-os pela surpresa.

Ganhou do senhor Hermes um vestido novo, que correu para vestir:

– Ficou linda como uma rainha – disse o homem, vendo Anny na nova roupa, irradiando felicidade.

– Obrigada, senhor Hermes, o senhor tem muito bom gosto.

Ela deu um beijo nele e, então, recebeu o presente de Nicole:

– Puxa! – ela exclamou – É igual àquele que vi na sua escola!

– Exatamente. – disse Nicole – Eu me lembro de como você havia adorado, então resolvi dar-lhe um globo terrestre igualzinho àquele.

– Obrigada, Nicole. Agora poderei estar em todos os lugares do mundo.

– Que bom que gostou – disse Nicole, beijando a garota.

Os três tiveram um maravilhoso dia. Anny riu à beça e se divertiu como uma garota de dez anos. Só queria que os pais pudessem estar ali. Assim como Pepeu.

Hermes foi para a sala ver um pouco de televisão, deixando Anny e Nicole a sós.

– Eu quero lhe mostrar algo – disse Nicole.

– Vamos para o jardim.

Sentaram-se em meio aos canteiros e Nicole tirou um grosso livro da bolsa, dizendo:

– Desde que você me contou sobre a cor que via e não sabia o nome, fiquei com aquilo na cabeça e não me cansei de procurar. Comecei pela biblioteca da escola, então fui a todas as bibliotecas da cidade e ontem, após muita busca, achei a informação de que precisávamos. Está aqui, neste livro que explica as diferentes sensibilidades que as pessoas possuem; ele foi escrito há mais de um século. Apenas um pequeno trecho fala sobre a oitava cor do arco-íris. É pouco, mas já diz muito sobre você, Anny.

Nicole abriu o livro em uma página que deixara marcada e leu:

> Como temos ressaltado através deste livro, existem diferentes sensibilidades que tornam as pessoas únicas. Algumas possuem mais que um dom. Já discutimos sobre os cheiros, as emoções, as vibrações, e agora falaremos brevemente sobre a capacidade que algumas pessoas têm de ver cores diferentes das conhecidas pela maioria. É um caso pouco estudado de sensibilidade, mas é extremamente encantador. Quem possui esse dom vê uma cor a mais que todos desde que nasceu. É um dom, portanto, que nasce e morre com a pessoa e se acentua nos momentos de profunda emoção. Há relatos de que a cor vista é indescritível e não se assemelha a nenhuma das que temos conhecimento, portanto, não é possível imaginá-la. Há relatos também de que a cor vista pelos sensíveis seria a oitava cor do arco-íris e que ela se manifesta em outros espetáculos da natureza, como ao crepúsculo ou ao nascer do sol, e até mesmo em flores de uma suavidade sem igual. Tudo o que é dessa cor magnífica é visto aos olhos dos insensíveis como branco, já que nele existem todas as cores simultaneamente. Alguns dizem que ver uma cor a mais é apenas um dom que algumas pessoas mais sensíveis trazem consigo. Outros discordam, dizem que essa cor existe no Reino dos Céus e que apenas os anjos são capazes de reconhecê-la na Terra.

Anny ficou alguns instantes em silêncio, absorvendo as palavras que Nicole acabara de ler. Por fim, disse:

– Você acha que sou *sensível*?

– Tenho certeza, Anny – falou Nicole –, isso explicaria muita coisa.

– Como o quê? – quis saber a menina.

Nicole sorriu e disse, olhando-a diretamente nos olhos:

– Você não é apenas uma pessoa boa, Anny. É uma criança que traz consigo ensinamentos seculares e uma bondade que não mais se encontra, principalmente agora que o mundo acabou de vivenciar outra guerra e que só há espaço para ganância e orgulho no coração das pessoas. Você tem uma vida difícil, mas é mais feliz que muita gente; aceita tudo, compreende tudo, busca aprender em tudo. Você tem uma comunicação com a natureza que é também muito especial, seja através das flores ou dos pássaros, que é tudo a que você consegue ter acesso neste quintal. E seus olhos, minha querida, e suas palavras... São carregados de amor e ternura.

– Mas você acha que... Que eu sou um anjo? – perguntou Anny, inocentemente.

– Eu acho que a palavra anjo pode ser interpretada de formas diferentes. Portanto, de certo ponto de vista, você é, sim, um anjo que vive entre nós. Tenho certeza de que a energia que emana de você é diferente e única e, embora tenhamos poucas informações no momento, um dia, casos semelhantes ao seu serão estudados e ficará comprovado que existem anjos vivendo entre nós...

Anny abraçou a amiga e elas ficaram ali por muito tempo, digerindo as informações.

A doce menina compreendia agora a ligação que tinha com a natureza... As plantas, o céu... Tudo era fonte de sua cor favorita.

Naquela noite, ela deitou-se em sua pequena e dura cama, e ficou a contemplar as estrelas e a conversar com o Papai do Céu e com os anjos que a olhavam lá de cima. Imaginou o que haveria em cada uma daquelas estrelas que lhe sorriam todas as noites. O brilho das estrelas a fez lembrar-se do sorriso de Pepeu e seu coração chorou ao sentir saudades do amigo, há muito tempo ausente...

Logo ela pegou no sono, mas, desta vez, não foi para o Reino Xadrez. Teve um sonho confuso: viu-se correndo em meio a muitos arco-íris, todos de oito cores. A oitava cor era, de fato, a mais bela e era também inexplicável e inigualável.

Porém, logo o céu se fechou no sonho de Anny, fazendo tudo parecer um pesadelo. Ela corria, sem ter onde se esconder. Começou a gritar e a sentir-se desesperada. Foi então que o viu.

Era seu pai, Jefferson, que também parecia correr, fugindo de algo:

– Clemência, eu peço clemência! – ele gritava.

Anny se desesperava, mas, quanto mais tentava alcançá-lo, mais ele se distanciava, e seu desespero aumentava.

– Eu tenho que protegê-lo, eu prometi a ele que estaríamos sempre juntos – dizia Anny, chorando.

A menina abriu os olhos. Estava de novo em seu pequeno quarto. Olhou pela janela e viu a Casa Grande, estava deserta. Ainda era noite e a lua brilhava imponente no alto. Apertou Tiara bem forte nos braços. Seu coração ainda estava acelerado, quando disse para si mesma:

– Foi apenas um pesadelo – ela pensou por um momento, e continuou: – Mas e se for real, e se for um aviso de que papai corre perigo?

Tentou não preencher o coração com pensamentos negativos. Levantou-se e foi até a cozinha beber um copo d'água.

A lua realmente estava bonita no céu. Era uma linda noite de inverno na Grã-Bretanha.

Quando ia voltar para o quarto, ouviu choros, que pareciam vir do jardim.

Abriu vagarosamente a porta dos fundos e viu um rapaz sentado entre os canteiros, a chorar.

Anny aproximou-se e disse:

– Pepeu?

7

ANGEL

Tirou a boina da cabeça, segurou-a junto ao coração, e ficou parado com um pé em cada degrau, a contemplar aqueles cabelos. As ondas dos fios castanhos se misturavam ao longe com as ondas do oceano e ele pôde sentir a alegria invadir cada célula de seu corpo. Ela estava parada bem à sua frente. Usava um vestido azul, como o mar e o céu, que eram seus únicos companheiros naquele local esquecido pelo mundo...

– Anny, me perdoe – ele disse, entre as constantes lágrimas que lhe banhavam o rosto.

– Olhe para mim, Pepeu.

Mas o rapaz não conseguia. Sentia-se envergonhado e, por isso, mantinha a cabeça para baixo, contemplando os próprios pés:

– Me perdoe – ele sibilava.

– Eu não tenho do que perdoá-lo, apenas estou feliz que tenha voltado – disse Anny.

– Tem, sim – dizia Pepeu –, desculpe-me pela ausência, pela falta de explicações e, acima de tudo, por aquele dia no balanço da Casa Grande, quando Jane a encontrou.

– Eu sempre soube que não havia sido sua culpa, Pepeu. Sei que você não é mau.

– Ninguém é mau ou bom por completo – disse Pepeu.

– Você é bom. – falou Anny – Eu acredito nisso, você também deveria acreditar.

Eles ficaram em silêncio alguns instantes, até que a menina perguntou:

– Por onde você andou?

Pepeu lutou para falar aquelas palavras, mas, vagarosamente, conseguiu dizer:

– Eu estive no mar, esperando por ela... Mas não pude encontrá-la... Anny, quando você leu a carta, senti raiva, mas só depois percebi que não era de você. É impossível sentir raiva de você, minha pequena... A raiva era de mim mesmo, por tê-la perdido...

– Eu não compreendo, Pepeu, quem é ela?

Ele ignorou a pergunta e continuou a falar:

– Eu fui para o mar e decidi que não sairia de lá até encontrá-la. Eu senti sua falta, minha pequena, mas meu coração precisava ficar junto ao mar naquele momento. Você compreende e me perdoa? – ele fez uma pausa, então, continuou: – Porém ela não voltou... Eu passei dias e noites junto ao mar, mas não vi ao menos um sinal dela. Fui sentindo-me cada vez mais só, então, decidi voltar e me abrir com você, minha pequena... Você é tudo o que eu tenho no mundo.

Anny abraçou o amigo:

– Pepeu, eu o amo tanto. Senti falta de você, de sua alegria, de sua mágica... Mas compreendo que você precisou se afastar por um tempo... Espero poder ajudá-lo, não quero vê-lo triste desse jeito. Conte-me tudo, Pepeu.

Ele criou coragem e olhou, finalmente, nos olhos de Anny. Por entre lágrimas, disse:

– Chegou o momento. Contarei tudo a meu respeito... Está na hora de abrir o meu coração. Minha pequena, eu confio em você, e isso significa...

– O mundo – completou Anny.

Estados Unidos, 1933

Ele nasceu com a arte no coração. O pai dizia que era essa a maior e melhor herança que a mãe havia lhe deixado. Ela morrera no momento em que ele nasceu, deixando-o aos cuidados do carinhoso pai por toda a infância.

"Pepeu", assim o pai o apelidara desde pequeno. Ele acostumara-se tanto que mal lembrava que tinha um verdadeiro nome.

A mãe havia sido uma excelente atriz, segundo o pai sempre se orgulhava ao contar. Participava de grandes peças teatrais pelos melhores palcos dos Estados Unidos e sua voz era uma das mais lindas e doces da América.

– É uma pena que você não tenha tido tempo de conhecê-la – dizia o pai.

– Mas eu a conheci e muito bem. – respondia Pepeu – Quando eu estava em sua barriga, ela costumava cantar para mim. Eu não sei se isso é exatamente uma lembrança, mas meu coração, de certa forma, se lembra de sua música... Acho que, por nove meses, suas canções repletas de carinho e sua voz aconchegante me fizeram nascer já um amante da arte!

O pai ficava com os olhos marejados de lágrimas ao ouvir o filho falar aquelas palavras sobre a mulher que ele tanto amara na vida:

– Eu juro, papai, que vou ser igual a ela. Vou levar arte às pessoas, emoção...

– Tenho certeza de que vai, Pepeu, você é um menino especial, consegue tudo o que quer! – dizia o pai.

Em 1933, ele completou sete anos de idade. Em seus poucos anos de vida, já tinha muita experiência com a arte.

Desde muito pequeno, o pai incentivou sua carreira, levando-o para testes e mais testes, sempre em busca de oportunidades. E foi a partir das pequenas chances que ele se tornou, aos poucos, um grande talento.

Pepeu fez peças de teatro, musicais, tocou piano, dançou, fez rir, fez chorar, emocionou... Muitas foram as pessoas que tiveram o privilégio de vê-lo em cena, de vê-lo fazer o que mais amava na vida: a arte em sua mais pura e verdadeira concepção.

Os anos se passaram, a paixão pela arte não lhe dava tempo para mais nada, ele dedicava cada dia de sua vida a emocionar as pessoas. Porém, em 1947, seu destino mudou.

Por um lado, seria de uma forma muito amarga e dolorosa, mas, por outro, da mais suave e misteriosamente bela forma... Suave como as ondas do mar... Misteriosa com o deserto que o envolvia...

Estados Unidos, 1947

Poucos anos antes, Pepeu e um grupo de amigos haviam formado uma companhia de teatro de rua. Eram nove jovens que acreditavam na pureza da arte passada de forma acessível e clara para a população que mais carecia de informação, diversão e, sobretudo, emoção. Pepeu recusara grandes propostas, optando por fazer a arte de seu jeito, a arte para quem dela precisasse.

Ele se lembrava do dia em que um grande cineasta o convidara para ser parte do elenco de um filme que seria sucesso garantido:

– Pense bem, rapaz, eu não costumo fazer essas ofertas – dizia o cineasta.

– Já pensei, senhor, e, com todo respeito, minha resposta é não.

– Você tem noção de que está recusando a proposta da sua vida? – bradava o homem.

– Eu não concordo, senhor, tenho planos diferentes para minha vida – dizendo isso, Pepeu fechou aquela porta com a certeza de que abriria muitas outras.

O grupo itinerante formado por Pepeu e mais oito jovens, incluindo moças e rapazes, se autointitulava "Anjos da Arte". Eles viajavam pelo interior dos Estados Unidos, passando de estado em estado, levando arte a todos que dela precisavam. Faziam teatros de rua, apresentações em pequenos palcos, arte nas avenidas e esquinas, sempre levando alegria a todos. Muitas lendas acerca dos Anjos da Arte se formaram; muitos eram os que esperavam e ansiavam por encontrá-los e, num belo dia, eles apareciam, como num passe de mágica e logo tornavam a desaparecer pela América.

Não houve um dia de sua vida em que Pepeu se arrependesse de sua escolha:

– Eu escolhi ser um grande artista, segundo a minha visão de mundo e segundo o chamado do meu coração. – ele dizia aos amigos – Minha mãe estaria orgulhosa de mim.

Eles viajavam em um pequeno caminhão doado pela prefeitura de uma cidade do interior do Texas. Revezavam a direção de modo que as rodas nunca deixassem de girar e faziam daquele veículo seus lares e, daqueles amigos, suas famílias.

– Eles não são reais – muitos diziam.

– São, sim, são super-heróis – outros argumentavam.

– Será que eles realmente conseguem desaparecer como fumaça? – indagavam por todo o país.

– O nome diz tudo, eles são anjos – alguns afirmavam.

Os comentários eram muitos e costumavam divertir os jovens atores. Porém, houve um menino no Tennessee que disse:

– Eles têm o poder de fazer magia.

Aquela frase passou a permear os pensamentos de Pepeu. Em qualquer lugar que estivesse, ele se lembrava do garoto do Tennessee. Fosse no interior da Carolina do Norte, ou no Novo México, ele continuava a ouvir dentro de sua mente: "Eles têm o poder de fazer magia".

– Quero ser mágico! – ele disse aquela manhã aos colegas, após muito pensar.

– Que história é essa? Você não quer mais ser ator?

– Claro que quero, meus amigos. Acredito que espetáculos de mágica trarão ainda mais brilho às nossas apresentações. Vou encontrar alguém que me ensine, depois passarei todos os ensinamentos a vocês e tenho certeza de que, assim, levaremos ainda mais emoção e alegria a todos os americanos!

Todos aplaudiram a ideia de Pepeu.

O pai do rapaz, embora humilde, sempre foi extremamente sábio e lhe ensinara valiosas lições, que ele levaria para a vida toda. Se, por um lado, a vida tirara-lhe a mãe, por outro, presenteara-lhe com um pai maravilhoso, um grande homem e exemplo de ser humano. Ele dedicou-se a criar o garoto como um homem de bem, como um artista encantador e como um rapaz doce e sensível, sempre a olhar para os lados, buscando aqueles que precisavam de sua ajuda e, acima de tudo, de sua emoção. Contudo, dentre as muitas lições ensinadas pelo pai, havia uma que se destacava. Uma lição da qual Pepeu não se esquecia, nem por um minuto sequer:

– Sempre ouça o seu coração, meu filho. – o pai dizia – Quando tiver que tomar qualquer decisão ou encontrar qualquer caminho na vida, simplesmente pare e dê ouvidos ao coração. Fique em silêncio alguns minutos dialogando com ele. Esqueça-se de tudo e torne o mundo ao seu redor silencioso, como se nada mais existisse. Como se o seu coração fosse o mundo todo. Abra amplamente os ouvidos, apenas para seu interior e, assim, você será capaz de escutar a voz que vem de dentro. Ela nunca erra e nunca nos permite errar.

Naquela noite suave e mansa, quando todos dormiam no caminhão (exceto o amigo que dirigia, já que aquelas rodas nunca paravam em lugar algum), Pepeu foi até o fundo da carroceria, sentou-se com os pés pendentes ao vento, e ficou a contemplar a estrada. Sentiu que estava preparado e, então, fechou os ouvidos para o mundo ao seu redor. A vida, o Tudo e o Nada se transformaram apenas em seu coração; era como se nada mais existisse. O rapaz passou a dialogar consigo mesmo e, testemunhando a magnífica magia da vida, ele ouviu uma voz doce que emanava de dentro de si – era a voz do seu coração. Este disse a Pepeu que ele estava no caminho certo e que a mágica era apenas a primeira grande ideia que traria ao grupo. E disse também para que ele não fracassasse em seus objetivos, pois alguém especial cruzaria o seu caminho e lhe traria uma nova missão.

Foi num inverno rigoroso no estado de Michigan que ele se tornou um mágico. Pepeu cumpriu a promessa que fizera aos amigos. Após encontrar um mestre e aprender diversos truques, ele passou todo seu conhecimento aos Anjos da Arte. Dessa forma, eles uniram mágica às encenações e levaram ainda mais alegria e risos por onde passavam.

Dia após dia, eles cumpriam sua missão pelas terras norte-americanas. A verdadeira mágica dos jovens era despertar o riso nas faces mais tristes e desesperançadas. Pepeu estava certo, assim como o garoto do Tennessee: os Anjos da Arte tinham cada vez mais o poder de fazer magia...

Não havia um estado que eles não houvessem explorado, não havia um canto dos Estados Unidos que eles não conhecessem, não havia uma pessoa no país que não tivesse ouvido o nome daqueles artistas, assim como não havia um público que não se alegrasse ao vê-los em cena.

Pepeu conheceu muitas pessoas, cada uma com seu jeito peculiar ensinando-lhe algo de especial. As lições simples do dia a dia sempre foram as mais sábias e se uniram a tudo o que o pai lhe ensinara, tornando-o uma pessoa encantadora e inesquecível.

Tantas foram as pessoas, tantas as culturas, tantas as maravilhosas diferenças que cruzaram o seu caminho... São as diferenças entre os homens que enriquecem a vida – ele compreendeu isso por suas andanças.

Seu coração continuava a pertencer a todos e, ao mesmo tempo, a ninguém. A estrada, a vida incerta, a arte – eles eram o seu lar e sua razão de viver.

Pepeu amava incondicionalmente a arte, os Anjos da Arte; a mãe, que não conhecera ao certo; as pessoas que os assistiam e que lhes davam forças para continuar; e o velho pai, que continuava a viver na pequena casa, cuidando de poucas vacas. Pepeu, apesar da vida incerta, o visitava em todos os finais de ano.

Na virada do ano que mudaria tudo na vida do jovem rapaz, de 1946 para 1947, ele atrasou-se e, pela primeira vez, não viu o ano terminar e começar ao lado do pai, na pequena casa onde vivera antes de juntar-se aos Anjos da Arte.

Pepeu estava em Nevada quando viu a meia-noite chegar. Mas seu coração estava junto do velho pai, tão distante fisicamente, no interior de Nova York a esperar pelo filho querido...

Com alguns dias de atraso, o caminhão parou na pequena estrada de terra em Nova York, e Pepeu desceu euforicamente. Ele corria tanto que o ar chegava a lhe faltar:

– Papai! Estou em casa! – gritava a plenos pulmões.

A pequena casa, que ele tanto amava, que guardava lembranças de uma doce infância ao lado do pai, estava à sua frente, a poucos metros. Ele corria para alcançá-la.

Tudo estava normal. Viu as poucas vacas no pasto e a porta da frente aberta. Entrou correndo:

– Papai! – ele gritava.

Não havia resposta.

Ele passou pela pequena sala e foi até o quarto do pai.

De longe, na estrada, os Anjos da Arte ouviram o grito de Pepeu e saltaram do caminhão para ver o que estava acontecendo.

Os amigos entraram na pequena casa e encontraram o rapaz debruçado sobre o corpo do pai na cama, chorando tanto que tudo o que eles puderam fazer foi permanecer em silêncio e esperar até que as lágrimas de Pepeu diminuíssem. Não seria justo interrompê-las.

Bony, uma das artistas do grupo, trouxe um copo de água para Pepeu e foi a primeira a dirigir-lhe a palavra:

– Ele foi um grande homem – disse.

Pepeu afastou o copo de água e continuou a chorar. Depois de mais alguns minutos, ele disse:

– Foi minha culpa.

– Que besteira é essa, Pepeu? – perguntou Bony.

– Ele morreu de desgosto. Eu fiquei muito tempo sem vê-lo.

– Garanto que não há nesta terra pai que se orgulhe mais do filho. – disse Bony, enfaticamente – Ele o amava, Pepeu, e todas as vezes que falava de você era para se orgulhar do grande artista e grande homem que você é. Você tem o dom de levar a alegria e isso é tudo que as pessoas precisam. Recomponha-se, meu amigo, nós precisamos de você. A emoção não pode parar.

– Os Anjos da Arte não existem sem você – disse um amigo.

– Estamos do seu lado e faremos com que honre ainda mais seu pai e sua mãe.

– De onde ele estiver, terá ainda mais orgulho de você a cada dia.

Mediante tantas palavras amigas, Pepeu não teve como não reagir.

Nos dias que se seguiram, eles fizeram um discreto enterro ao pai do amigo, apenas com a presença de alguns moradores da região. Pepeu cuidou das terras e das poucas vacas e, logo, por graça do destino, encontrou uma família que tinha tudo: amor, carinho, compreensão; menos um lar. Ele lhes deu a pequena terra que pertencera aos pais e as poucas vacas magras e sumiu novamente pela América, junto aos Anjos da Arte.

Com o tempo, a arte trouxe-lhe novamente a alegria e ele voltou a atuar, fazer truques de mágica e encantar a todos, enchendo o pai e a mãe de orgulho. Eles ainda viviam em seu peito, lá era o lar verdadeiro daqueles dois que lhe deram a vida e que ele tanto amava.

Havia dias em que a tristeza era tanta que ele isolava-se e conversava apenas com o coração. Este lhe dizia para não desanimar, para não se entregar: o mundo precisava de sua alegria e, de uma forma misteriosa, os pais o acompanhavam.

Enquanto o ano de 1947 corria, as rodas do caminhão giravam por todos os Estados Unidos da América.

A tristeza havia sensibilizado ainda mais o coração de Pepeu e ele se tornou mais atento ao sofrimento do próximo. Foi vendo miséria, doença, preconceito, saudade, tristeza e abandono que ele teve outra grande ideia. Na verdade, havia sido uma ideia sugerida por seu coração, em uma das muitas conversas que tiveram. Era algo que traria ainda mais satisfação aos artistas e os levaria de encontro ao verdadeiro destino daquela arte itinerante especial.

Certa noite, eles estavam parados no interior do Alabama, em volta da fogueira, cantando alegres canções, quando Pepeu anunciou:

– Meus amigos, temos levado o riso e a alegria e cumprido nosso propósito inicial, mas creio que seja hora de ampliarmos nossa missão.

– Do que você esta falando, Pepeu?

– Estou falando que todos precisam de alegria, até aqueles que fingem não precisar; mas há alguns que estão ainda mais carentes de nossa arte, e é a estes que devemos atender.

Em poucos dias, os Anjos da Arte estavam fazendo apresentações em orfanatos, hospitais, clínicas de repouso, presídios, escolas, albergues e em todos os lugares em que o coração de Pepeu dizia haver pessoas sedentas de alegria.

Nas poucas horas em que dormia, Pepeu sentia-se completo; ele estava realizando sua missão.

Seu coração estava em paz.

Sua alma sorria.

O ano de 1947 estava sendo de grandes mudanças para Pepeu. Mas havia ainda mais uma surpresa que o destino lhe reservara. Ela o esperava no interior da Califórnia.

Califórnia, Estados Unidos, 1947

O verão quente chegou sem anúncio, enquanto os jovens artistas percorriam estradas sem destino: para onde os corações os levassem. Pepeu estava sentado com outros três amigos no fundo do caminhão, a cantar canções de estrada que eles mesmos inventavam.

O sol brilhava forte e refletia nas ondas do mar abaixo daquelas colinas. Era uma paisagem admirável. A estrada de terra margeava algumas chácaras, e as pequenas casas e cercas não impediam a visão privilegiada do Pacífico.

O caminhão estava em uma porção de terra tão alta que, quando se olhava para o mar abaixo, tinha-se a impressão do infinito. Um infinito azul. Lindo de se ver.

Em meio a canções e momentos de sossego e paz junto aos amigos, Pepeu sentia que algo o incomodava. Era seu coração querendo falar-lhe. Há dias os ventos pareciam mudar, não apenas trazendo o verão à Califórnia, mas aquecendo também o coração do rapaz.

Ele não sabia explicar. Sentia-se diferente. Até o azul parecia mais azul. E o infinito, logo abaixo de seus pés, parecia ainda mais infinito, perturbando-o.

De repente, como em um daqueles instantes mágicos que a vida traz de presente, uma brisa suave penetrou as narinas de Pepeu, e não foi ele quem fechou os ouvidos para o mundo, desta vez foi o mundo que ficou em silêncio ao seu redor. Seus amigos continuavam a rir e a cantar, mas ele não conseguia mais ouvi-los. Seu coração o chamava, e Pepeu só tinha ouvidos para ele. Nada mais existia. O Tudo e o Nada lhe pertenciam.

Seus olhos fixaram-se nela.

Cabelos ondulados como as ondas do mar infinito aos pés das colinas; pele queimada dos trabalhos sob o sol quente da Califórnia; olhos expressivos como fogo em brasa e delicados como uma pétala de rosa ao desabrochar. Sem perceber, Pepeu ficou em pé na carroceria do caminhão, a contemplá-la. Não sabia seu nome, não sabia nada a seu respeito, mas seu coração a conhecia e, de certa forma, a reencontrara naquele momento mágico.

Ela estava sentada em um banco de madeira, a acariciar as orelhas de uma cabra; trajava um vestido amarelo com flores e parecia ser a única pessoa naquele local afastado do mundo.

Era um deserto. E, mesmo se não o fosse, assim parecia a Pepeu. Ele não vislumbrava mais ninguém.

A moça havia retribuído seu olhar, fazendo com que o Tudo e o Nada se tornassem ainda mais expressivos e convidativos.

Pepeu não estava enganado: sabia que seu olhar havia sido retribuído.

Conforme o caminhão passava em frente à propriedade na qual a moça estava sentada, ela o acompanhava sem sair do lugar, com um olhar que dispensava palavras, mas traduzia tudo de mais lindo e pleno que havia no mundo.

Não era mais o Tudo e o Nada.

Era o Infinito.

Naquele dia, Pepeu levou ainda mais alegria às crianças da pequena escola no interior californiano. Sua vibração era tanta que contagiava a todos.

Pela noite, Bony procurou-o para conversar:

– Você está diferente, Pepeu – ela disse.

O rapaz isolara-se no fundo do caminhão para tocar gaita e contemplar o mar. A agitação noturna das águas assemelhava-se à agitação no peito do jovem. Os sons da gaita acompanhavam as ondas do Pacífico, que desenhavam as ondas do cabelo da moça em seus pensamentos.

Ele não respondeu para Bony.

– O que mudou? – ela insistiu – Você é praticamente um irmão, deve se abrir comigo. Sinto que precisa falar.

– Eu a vi – foi tudo o que Pepeu disse.

– Quem? – indagou Bony.

– A dona do meu coração.

– Eu sabia. Eu vi como você a olhou. – disse a amiga – Você está falando da moça com a cabra, estou certa?

– Certíssima! – disse Pepeu, beijando a testa da amiga – Eu nunca senti isso, Bony, é tão intenso que chega a sufocar.

– O amor é uma coisa boa – disse a amiga –, mas ele traz consigo escolhas.

– Escolhas? – perguntou Pepeu.

– Sim, escolhas, que na hora certa você terá que fazer.

Ela ia se afastando, quando disse:

– Ela retribuía o seu olhar.

O coração de Pepeu pulou.

Então, Bony virou-se e disse, por fim:

– Amanhã passaremos pelo mesmo local, há um pequeno hospital naquelas redondezas que iremos visitar.

O coração de Pepeu pulou duas vezes.

Ele voltou a concentrar-se na gaita e nas ondas que se quebravam com força contra a praia abaixo. A agressividade da natureza manifestou-se em seus pensamentos. Tudo o que ele podia pensar é que voltaria a vê-la no dia seguinte.

O Infinito abria os braços, e Pepeu queria atirar-se em sua direção.

■

O caminhão dos Anjos da Arte passava pela pequena estrada na colina margeada pelo Pacífico. O coração de Pepeu pulava a cada giro das rodas do veículo, aproximando-o da moça com a cabra e com o cabelo igual às ondas do mar.

Ela estava novamente sentada, acariciando o animal e olhando para a estrada. Usava um vestido que balançava com a brisa.

Indo e vindo.

Seus cabelos, seu vestido. Eram como uma dança que convidava Pepeu.

O caminhão passou e ela o acompanhou com o olhar novamente. Algo havia preenchido seu coração de esperanças, mas o veículo apenas passou, como no dia anterior, e continuou seu caminho.

A moça levantou-se e andou por entre a grama alta, dirigindo-se até a cerca que ladeava a estrada.

Debruçou-se num pedaço de madeira e ficou a contemplar o caminhão distanciar-se. De repente, pensou ter visto as rodas pararem. Acreditou que fosse apenas sua imaginação dando vida a seus desejos.

Porém, foi naquele exato momento em que fantasia e realidade misturaram-se subitamente, que um rapaz moreno, de rosto bondoso, lábios grossos, usando suspensórios, boina e meias altas, desceu do caminhão e veio correndo ao seu encontro.

Pepeu corria contra o vento e, quando estava a poucos metros dela, parou. Ficou a contemplá-la alguns segundos, imóvel, e a escutar seu coração: "Aproxime-se!".

Vagarosamente ele seguiu o conselho de seu interior e aproximou-se da cerca que os separava. Ficou, então, a contemplá-la ainda mais de perto. Eles estavam com as faces próximas, a poucos centímetros um do outro, e Pepeu podia ouvir os dois corações batendo acelerados.

Foi ali, naquele deserto envolto por um largo abraço do mar, que ele teve certeza, pela primeira e única vez na vida: o amor havia chegado. Era diferente do amor que tinha pelos pais, pelos amigos, pelas pessoas e até mesmo pela arte. Era um amor medroso e, ao mesmo tempo pleno de coragem; amargo e doce; estranho e velho conhecido; silencioso, mas que gritava aos seus ouvidos; fazia-o sentir-se o rei do mundo e, ao mesmo tempo, o mais covarde dos homens. Ele teve certeza de que seria impossível fugir do amor e que tolos eram os que tentavam e passavam a vida sem viver o que há de mais pleno.

– Tenho... Tenho que ir – ele conseguiu dizer.

A moça sorriu, então seu coração deu ainda mais pulos e uma orquestra tocou em seu interior ao ver aqueles lábios sorrindo para ele:

– Eu volto amanhã, se... Se tiver tomado minha decisão, espere-me até o fim do dia.

Então ele saiu correndo. Andar seria doloroso demais, pois a vontade de ficar ali para sempre o impediria de ir adiante. Ele correu muito e subiu no caminhão, que logo começou a andar.

Pepeu ficou em pé na carroceria, tirou a boina e acenou para a moça, cujos cabelos dançavam ao vento.

Uma dança que o convidava.

■

O dia no hospital, levando alegria àqueles esquecidos corações, fora a melhor cura que os Anjos da Arte poderiam levar aos doentes.

Pepeu, contudo, continuava atormentado com a decisão que teria que tomar.

Após os espetáculos, já no caminhão, Bony procurou Pepeu novamente e disse:

– O que você está fazendo?

– Como assim? – perguntou o rapaz.

– Creio que já tomou sua decisão e não optou pela moça com a cabra – disse Bony.

– Por que você diz isso?

– Porque, se você não percebeu, estamos pegando o caminho contrário desta vez. Demoraremos muito a voltar, ou você se esqueceu de que temos um país inteiro a percorrer?

– Não, não me esqueci, mas eu não consigo pensar no que fazer – disse Pepeu, com as lágrimas começando a escorrer pelo rosto.

– O que você quer para sua vida? – ela perguntou.

– Quero... Quero a arte, quero vocês – disse Pepeu.

– Você está mentindo – falou Bony –, e o pior de tudo é que está mentindo para si próprio. Vá atrás do amor, Pepeu, ele não costuma bater duas vezes à mesma porta. Sentiremos saudades, e você será sempre um Anjo da Arte, mas já não deve seguir conosco, porque seu coração nos abandonou no momento em que você a viu.

Bony saiu do lado de Pepeu e deixou-o sozinho, a falar com o coração.

Ele não dormiu aquela noite. Tudo o que conseguia pensar era que estava se afastando dela cada segundo mais.

Quando os primeiros raios do sol surgiram no estado da Califórnia, ele gritou:

– Pare já esse caminhão!

■

Pepeu não mais queria pensar no peso de suas decisões, apenas precisava seguir para onde seu coração o levava:

– Ele nunca errou – dizia para si mesmo, confortando-se.

Foi com grande pesar que desceu do caminhão, levando apenas a roupa do corpo, a gaita no bolso e o sentimento que o castigava. Tornaria a ver os amigos, ele sabia que não era uma despedida.

Pepeu andou pela Califórnia. Precisava percorrer todo o caminho que o caminhão traçara pela noite, até que voltasse ao local em que vivia a moça com a cabra.

Foi quando o sol estava a queimá-lo mais intensamente que ele se lembrou do que havia acontecido com o velho pai: Pepeu prometera chegar antes, mas atrasara-se e havia sido tarde demais. Ele precisava cumprir sua promessa desta vez e chegar até o fim do dia.

Quando se deseja com o coração, tudo é atendido.

Sendo assim, um carroceiro passou por aquelas bandas; estava indo na mesma direção que Pepeu e ficou feliz em levá-lo até o seu destino:

– O senhor conhece bem a região? – Pepeu perguntou.

– Muito pouco. – disse o homem – Sabe, meu rapaz, eu sou do mundo, conheço um pouco de cada canto, mas não pertenço a terra alguma.

– Eu também sou assim – disse Pepeu –, ou era... Não importa. O senhor gosta de gaita?

E pela estrada, ao som da gaita, eles foram até o lugar em que o coração de Pepeu queria chegar.

O rapaz desceu da carroça e viu o carroceiro se distanciar. Acenou-lhe, desejando uma boa viagem.

Então ficou a contemplar o local. Parecia tão vazio sem ela. O coração do jovem artista dominava todo o seu corpo, de modo que nem o sorriso bondoso em sua face – que irradiava tudo ao redor – estava amplo como de costume. Até seus lábios tremiam.

Vislumbrou o banco de madeira onde a contemplara pela primeira vez, mas não havia sinal algum dela, nem da cabra. Até as ondas do mar pareciam se quebrar com menos força na praia.

O deserto agora parecia sombrio.

E o que seria do Infinito?

Seu coração, desta vez, não sabia as respostas. Seus sentimentos, por outro lado, duelavam de forma descabida e aterrorizante.

– Eu estraguei tudo mais uma vez – ele disse para si mesmo.

Não havia ninguém naquele local e, além da casa atrás da cerca onde outro dia ele a vira, havia apenas uma pequena igreja a alguns metros.

Pepeu pensou ser ali o local ideal para dormir, até que pudesse se desculpar com a moça na manhã seguinte pelo atraso.

Sem ânimo, ele caminhou até o local.

A igreja ficava em cima de um pequeno morro após a propriedade onde ele vira a moça com a cabra e, ao subir, Pepeu pôde sentir a brisa forte do Pacífico e admirar melhor aquelas águas infinitas.

A pequena escadaria da igreja lhe dava uma visão privilegiada do mar e fazia com que sua brisa salobra lhe penetrasse cada poro do corpo, causando-lhe um arrepio, que ele não soube descrever se era pelo frescor do ar, ou pelo aperto no coração ao pensar nos fios dos cabelos da moça.

Ficou alguns instantes a contemplar o oceano. A imensidão que cobria seus olhos era tão minúscula perto do sentimento que explodia em seu peito, que a esperança de ter uma segunda chance no dia seguinte o invadiu. De certa forma, seu coração dizia que não era hora de desanimar.

Lentamente, Pepeu subiu os degraus da igreja, a contemplar os próprios pés e as pedras do chão. Tudo cheirava a mar.

Na escadaria, uma sombra surgiu, e veio ao encontro da sua. Seu coração soube antes de seus olhos quem estava ali naquele deserto junto a ele. Era o Infinito ganhando forma novamente.

Ele levantou lentamente a face e viu a moça descendo os degraus da igreja, caminhando ao seu encontro.

Tirou a boina da cabeça, segurou-a junto ao coração, e ficou parado com um pé em cada degrau, a contemplar aqueles cabelos.

As ondas dos fios castanhos se misturavam ao longe com as ondas do oceano e ele pôde sentir a alegria invadir cada célula de seu corpo.

Ela estava parada bem à sua frente. Usava um vestido azul, como o mar e o céu, que eram seus únicos companheiros naquele local esquecido pelo mundo.

Ela falou e sua voz pareceu uma manhã de primavera:

– Ângela.

– Ângela... – ele repetiu – Que nome lindo. Parece nome de anjo.

Ela sorriu. Pepeu sorriu de volta – de um jeito novo – e disse:

– Pedro Leopoldo.

Ele tomou-lhe uma das mãos e pôde sentir a suavidade de sua pele. Ela continuava a sorrir. Então, Pepeu levou a mão ao coração da moça e ela fez o mesmo, entrelaçando os finos dedos aos do rapaz. Eles souberam ali, nos degraus daquela igreja, onde tudo o que se podia ouvir era o silêncio, quebrado apenas pelas ondas do mar, que pertenciam um ao outro. Então, ele aproximou-se e a beijou.

Foi sem pensar que fizera aquilo e foi sem pensar que ela continuou o beijo. Ficaram ali por instantes que pareciam breves eternidades, a ouvir as ondas se quebrarem e o mar a comemorar o amor que os unira finalmente.

Para o céu, eram apenas dois pontinhos no deserto que, agora, formavam um só.

Cena linda de se ver.

■

Após afastarem-se, Ângela saiu correndo, deixando Pepeu nos degraus da escada, a contemplar seu vestido e seus cabelos voando ao vento. Ela corria na grama alta; as flores tornavam tudo mais belo e o coração de Pepeu dizia: "É isso!".

Ele entrou na igreja e adormeceu em paz.

Na manhã seguinte, os raios de sol o despertaram e ele alegrou-se ao ver que Ângela o fitava:

– Você está aqui há muito tempo? – perguntou.

– Acabei de chegar. – respondeu a moça – Vim ver se você tinha fome ou frio.

Pepeu sorriu e sentou-se de frente para ela:

– Eu apenas senti sua falta.

– Vamos caminhar na praia – ela disse, estendendo-lhe uma das mãos.

Os dois desceram as colinas em silêncio, novamente acompanhados apenas pela natureza que os cercava. Chegaram até a praia abaixo.

Caminharam alguns instantes na areia, a água batia em seus calcanhares e o vento da manhã os chamava para a vida:

– Você se lembra do momento em que me encontrou saindo da igreja? – Ângela perguntou.

Pepeu acenou com a cabeça, confirmando.

– Eu estava pedindo a Deus que o trouxesse de volta.

Pepeu segurou Ângela nos braços e acariciou sua face. Embora aquele fosse o momento mais lindo de sua vida, ele não podia negar que muitas perguntas o atormentavam:

– Você parece preocupado – disse Ângela.

– Eu gostaria de saber o que fazer da minha vida agora que a encontrei.

Eles deitaram-se na areia da praia e ali Pepeu contou a ela quem era, o que fazia, tudo o que vivera até aquele momento.

Então, foi a vez de Ângela falar:

– Meu pai era um homem muito mau e há alguns anos abandonou a mim, minha mãe e minha irmã Chloe nestas terras; fugiu com uma empregada, após anos em que nos maltratou e até agrediu algumas vezes. Foi muito difícil. Mamãe teve que arrumar forças para tocar nossas terras e, com poucos empregados, garantir nosso sustento. Eu e Chloe trabalhamos e ajudamos como podemos; mamãe já está muito cansada e a cada dia mais amarga com a vida. Como você viu, temos poucos vizinhos e tudo o que faço aqui é ajudar mamãe a cuidar das terras e dos animais. Eu e Chloe às vezes saímos para alguns passeios nas redondezas; eu gosto muito de caminhar junto ao mar... Há dois dias, mamãe e Chloe foram até a vila tratar de alguns assuntos e eu fiquei sozinha. Alguns funcionários ainda vêm nos ajudar e temos muita sorte que eles não o tenham visto.

– Por quê? – perguntou Pepeu.

– Porque mamãe não quer que tenhamos amizade com rapazes. Ela diz que no início são todos amorosos mas, depois de casados, mostram sua verdadeira face. Ela não quer para nós o mesmo destino cruel que teve.

– Você sabe que não sou assim, não sabe? – perguntou o rapaz.

– Apesar de ter visto tantas barbaridades que meu pai nos fez, eu não consigo acreditar que todos sejam iguais a ele. E sim, sei que você é diferente. É como se eu o conhecesse há muito tempo, como se tivesse esperado por você toda a minha vida. O dia em que o vi no caminhão foi como se nossos olhos tivessem se reconhecido após uma longa espera.

– Eu sinto o mesmo – respondeu o rapaz –, e creio que a explicação seja que nossas almas, assim como nossos corações, se conhecem e se buscam há muito tempo. Eu sempre senti sua falta, antes mesmo de contemplá-la com o olhar. É como se você sempre tivesse vivido dentro de mim e naquele dia em que nos encontramos foi como encontrar algo que eu buscava sem saber.

Eles ficaram em silêncio, a contemplar-se.

Pepeu, acariciando suavemente a face de Ângela, sorriu e disse:

– Mas como faremos?

– Não sei, Pedro, será difícil.

– Por favor, me chame de Pepeu.

– Desculpe, Pepeu...

– Acho que não poderei viver numa igreja a vida toda – disse o rapaz.

– Você deve ir para a vila. Não fica longe daqui, assim você pode vir me visitar quando quiser.

– Todos os dias – disse ele.

Ângela começou a rir e Pepeu indagou o motivo, então ela disse:

– Que tola sou! Pedindo para você criar raízes, sendo que tudo o que você ama é pegar a estrada.

– Agora, tudo o que eu amo está aqui – disse ele –, você está aqui e a arte está dentro de mim, não me falta nada.

Eles ficaram a contemplar o mar e a presenciar o silêncio que só era quebrado pelas ondas e pelos pássaros. Pepeu não se lembrava de ter tido um dia mais feliz.

No dia seguinte ele foi para a vila e, em pouco tempo, já estava se apresentando nas ruas. Todos ali conheciam os Anjos da Arte e ficaram felizes em saber que um daqueles artistas viera passar mais tempo na vila. Pepeu arrumou um público fiel, que todos os dias o prestigiava em peças curtas, truques de mágica e diversos espetáculos que ele improvisava. Logo ele arrumou um pequeno quarto para dormir e não havia um dia que passasse fome; todos o adoravam e o ajudavam como podiam, ninguém queria que a arte trazida por aquele rapaz voltasse a deixar a vila.

O pequeno hospital, a escola e a creche daquelas redondezas eram palcos frequentes do jovem artista. Ele estava cumprindo sua missão e estava próximo de Ângela.

Sentia-se o dono do mundo. E o era.

Todos os dias, no fim da tarde, eles se encontravam nas pedras próximas à igreja. A mãe e a irmã de Ângela haviam retornado, mas ela sempre conseguia arranjar um modo para encontrar-se com o rapaz. Conversavam sobre a vida, os planos para o futuro; Pepeu contava histórias que aprendera e que presenciara em suas andanças e, mais que isso, falavam sobre o que sentiam um pelo outro:

– Eu a amo tanto, Angel, tanto que não saberia explicar – ele dizia.

– Eu também, Pepeu, eu também o amo mais que qualquer coisa neste mundo.

O vaivém das ondas quebrava os breves silêncios.

■

Tudo corria bem. Pepeu tinha a arte e tinha Angel, não pedia mais nada à vida. Porém, uma tarde, quando a esperava na igreja, Angel não apareceu:

– O que terá acontecido? – perguntava-se o rapaz – Ela nunca se atrasa.

De repente ele ouviu passos e se alegrou em pensar que pudesse ser ela. Mas não era Angel, embora fosse uma moça muito parecida, apenas um pouco mais jovem e sem tantas ondas nos cabelos:

– Você é a Chloe? – Pepeu indagou-lhe.

Ela balançou a cabeça afirmativamente e perguntou:

- E você é o Pepeu?

- Sim! - respondeu o rapaz - O que aconteceu com a Ângela? Ela não quer mais me ver?

- Pelo contrário, ela diz que o ama.

Pepeu sorriu, mas, ao mesmo tempo, percebeu que algo ruim acontecera:

- Onde ela está?

- Está em casa. - disse Chloe - Um de nossos empregados tem seguido vocês há alguns dias e contou tudo à mamãe. Ela prendeu Ângela e disse que ela não sairá mais de casa e que jamais poderá vê-lo novamente.

- Isso não é justo! - berrou Pepeu - Nós nos amamos! Eu jamais faria algo que magoasse sua irmã.

Chloe ia saindo, quando Pepeu disse:

- Espere!

A moça girou nos calcanhares e ficou a fitá-lo:

- Você acredita no meu amor? - ele perguntou.

- Não acredito nos homens. Se você ama minha irmã, vá embora. Será melhor para todos.

- Eu não posso! Eu não posso viver longe dela! Ângela é o meu mundo agora.

Chloe voltou a afastar-se, Pepeu estava desesperado e resolveu tentar uma última vez:

- Você já amou alguma vez na vida? - ele perguntou.

Chloe não respondeu. Então, ele continuou:

- Você não sabe o que é viver por um sentimento que é maior que qualquer coisa que existe no mundo. Não queira comparar todos os homens porque teve uma experiência ruim com o seu pai. Eu não o conheci, mas, com certeza, ele não sabia o mal que estava fazendo a si mesmo. Aquilo não podia ser amor, se me permite dizer. O amor verdadeiro só vê o bem, só faz o bem e nada mais importa. Quando eu digo que amo sua irmã, não é da boca para fora, seria mais fácil se eu não a amasse, mas amor não é apenas escolha, é também destino.

Chloe ficou a fitá-lo alguns instantes, então disse:

– Ela está no quarto dos fundos. Mamãe colocou um empregado para vigiar o local caso você tentasse se aproximar. Porém, ele vai embora às dez da noite e, então, eu ficarei de vigia. Tentarei ser menos exigente. Mas, por favor, não faça besteiras.

Dizendo isso, Chloe correu de volta para casa, deixando Pepeu com um sorriso nos lábios.

■

Às dez horas em ponto, Pepeu estava escondido atrás de uma árvore, já dentro da propriedade da família de Ângela. Ele viu o último empregado ir embora e a mãe apagar a última lamparina. Então, viu Chloe de longe.

Vagarosamente, ele caminhou pelo mato e passou pela moça. Chloe lançou-lhe um olhar furtivo, mas não o impediu de continuar. Ele contornou a casa e chegou numa pequena janela que pertencia ao quarto dos fundos:

– Angel? – sussurrou.

– Pepeu? – respondeu a voz de Ângela – O que você faz aqui? Mamãe está muito brava.

– Eu sei, mas eu precisava ouvir sua voz.

– Ah, Pepeu, não acredito que não poderemos mais ficar juntos – disse a moça, chorando.

– Você realmente quer que eu vá embora? – perguntou o rapaz.

– Não, claro que não! Mas o que faremos?

– Lutaremos pelo nosso amor! Eu lutaria contra o mundo se fosse preciso.

– Ah, Pepeu...

– Angel, eu não sei como, mas você mudou a minha vida. Desde o primeiro instante em que a vi, é como se estivéssemos conectados por algo muito maior e mais poderoso que nós. Eu não consigo imaginar minha vida longe de você.

– Eu também, Pepeu.

– Voltarei amanhã. – ele disse – Eu te amo, meu anjo...

– Eu te amo também.

Pepeu saiu pela noite, deixando Ângela entregue aos próprios pensamentos.

Na noite seguinte, o rapaz levou uma flor a Angel e, na outra, um bilhete, que passou por debaixo da porta: "Não esqueça que a amo e que lutaremos pelo nosso amor."

Ângela sorria de felicidade a cada demonstração de afeto do rapaz e tinha esperanças de que eles conseguiriam, em breve, ficar juntos.

Pelas tardes, Pepeu continuava a fazer sua arte na vila, até que, um dia, a notícia chegou aos seus ouvidos:

– Eles estão vindo à cidade! Os Anjos da Arte!

Então, dois dias mais tarde, o caminhão, que por muito tempo fora a casa de Pepeu, entrou por aquelas estreitas ruas, levando os habitantes da vila à mais pura alegria, inclusive o jovem ator que ali vivia:

– Meus amigos, não esperava revê-los tão cedo! – ele disse, saudando e abraçando os oito colegas.

– Voltamos para buscá-lo, Pepeu! – disse um dos artistas – Você sabe que a Califórnia não estava em nossa rota nos próximos meses, então viemos apenas por sua causa.

– Do que vocês estão falando? – perguntou Pepeu.

– Ora, você não é o homem das ideias?

– Devemos muito a você, Pepeu, não partiríamos sem levá-lo conosco!

– Do que vocês estão falando? – insistiu Pepeu, sem nada compreender.

– É o seguinte – disse Bony –, lembra-se de quando você deu a ideia de levarmos o riso e a alegria àqueles que mais precisavam, em orfanatos, prisões, escolas, hospitais?...

– Claro que me lembro! – disse o rapaz.

– Pois bem – continuou Bony –, em nossas andanças temos ouvido muito sobre a Guerra que acabou há pouco e sobre como as pessoas na Europa estão precisando de ânimo para tocar suas vidas.

– Por isso – continuou outro amigo –, decidimos encerrar, por hora, as atuações dos Anjos da Arte na América e reiniciar nossas atividades como "Anjos da Guerra" em território europeu.

– Isso é maravilhoso! – disse Pepeu.

– Ficamos sabendo que muitos deixaram de sorrir naqueles países e que a alegria foi devastada pelos inúmeros confrontos. Aquele povo precisa de nós! Temos despertado o riso até na criança mais carente, no doente mais enfermo, no homem mais desesperançado; conseguiremos levar o riso para aquelas terras e torná-lo um antídoto para o mal da Guerra – disse Bony.

– Estou sem palavras. – falou Pepeu – Vocês são incríveis!

– Mas você vem com a gente, não vem? – perguntou um amigo.

– Não posso deixar a Ângela... A menos que... – disse o rapaz – ela venha conosco!

– Seria ótimo! – concordaram os amigos.

– Fiquem na vila hoje. À noite falarei com ela, então poderemos partir amanhã.

Às dez horas da noite, Pepeu estava novamente sob a janela dos quartos do fundo. Ele contou rapidamente à Ângela seus planos de ir à Europa e ela disse:

– Eu vou com você. Irei convencer Chloe a nos ajudar. Venha me buscar assim que o sol nascer.

■

Na manhã seguinte, antes mesmo de o sol nascer, o caminhão deixara a vila, rumo aos morros onde ficava a casa de Ângela. Quando os primeiros raios puderam ser vistos no horizonte, Pepeu já esperava, ansioso, junto à cerca.

Numa questão de segundos, o paraíso virou o caos.

Angel saiu correndo de dentro da casa, seguida por Chloe e por sua mãe.

Ambas pareciam furiosas, mas Ângela estava na frente e parecia tão decidida que nem ousava olhar para trás.

Rapidamente, ela subiu na carroceria do caminhão, ajudada por Pepeu e mais um amigo. As rodas do veículo começaram a girar, e a mãe e a irmã de Ângela ficaram na estrada a contemplá-la fugir de casa.

Angel acenou e gritou:

– Eu amo vocês!

Ao longe, se ouviu uma cabra balir.

As lágrimas escorreram pela face da moça, então ela disse:

– Espero que elas me perdoem um dia.

– Elas perdoarão. – disse Pepeu, segurando-a junto ao peito – Um dia o amor tocará o coração delas também e elas compreenderão a sua escolha.

Pepeu deu um leve beijo em Angel e ajoelhou-se a seus pés, na carroceria do caminhão, perante todos os seus amigos:

– Ângela, aqui está tudo o que eu mais amo. E para minha felicidade se tornar completa, eu gostaria de mostrar nosso amor para o mundo... Você aceita se casar comigo?

– Aceito.

Reino Unido, 1948

– E vocês se casaram? – perguntou Anny.

– Sim! – disse Pepeu – Na verdade, não oficialmente. Iríamos oficializar depois; porém, nos casamos na carroceria do caminhão assim que saímos da propriedade de Ângela. A própria Bony foi quem realizou nosso casamento e nossa festa foi ali mesmo, ao som de gaita, viola e muita música de estrada. Foi o dia mais feliz da minha vida.

Califórnia, Estados Unidos, 1947

As gaitas, violas e vozes estavam mais animadas que nunca no caminhão dos jovens artistas americanos.

O casamento de Pepeu era um evento importante para o grupo. Primeiro, porque o rapaz era extremamente querido entre os amigos. E também porque sua união com Ângela selava uma linda história de amor que chegara forte como uma tormenta, devastando tudo ao seu redor, mas que agora se provava eterna como a alma, tornando-se simples, pacífica e doce.

Os recém-casados dançavam animadamente na carroceria do caminhão, sob aplausos dos amigos.

Angel estava feliz como nunca estivera. Pepeu, por sua vez, experimentava uma paz que antes desconhecia.

Enquanto a trupe rodava pelo litoral da Califórnia, a fim de alcançar o voo que os levaria para a Europa, a festa do casamento se prolongou até tarde da noite.

O motorista, que também era um dos artistas, teve a ideia de que interrompessem a viagem aquela noite. Seria a primeira vez que o caminhão encontraria um repouso, já que os jovens artistas estavam sempre a revezar a direção, de modo que aquelas rodas nunca deixassem de girar.

Aquele, porém, era um dia especial e todos concordaram que os noivos mereciam uma noite calma.

Quando finalmente encontraram uma árvore frondosa na beira da estrada, estacionaram o caminhão sob ela e os artistas dormiram ali mesmo, exaustos de tanto dançarem na carroceria.

Angel e Pepeu pularam do caminhão de mãos dadas e se distanciaram dos amigos.

Caminharam abraçados em silêncio por vários instantes.

A brisa mansa da noite lhes trazia uma imensa sensação de felicidade, parecendo envolver seus corpos em um abraço, como se fossem um só. Distanciaram-se tanto do caminhão que já não podiam ver os artistas, assim como mais ninguém no mundo.

Estavam novamente acompanhados apenas pelo mar e pelo Infinito.

Pepeu guiou Ângela por um banco de areia e eles ficaram a contemplar a natureza ao redor.

O vento causava arrepios e o som do mar formava uma melodia harmoniosa, que era uma acompanhante propícia e convidativa àquele momento.

As estrelas haviam perdido a timidez e resolveram recobrir a noite escura, formando um tapete de brilhos no horizonte, refletindo aos olhos do casal.

O espetáculo da noite era um presente dos céus a Angel e Pepeu, que, desde o início, encontraram na natureza um cenário ideal para o amor, fosse no alto do monte, fosse na beira do oceano. Era ali, nos lugares mais puros e belos do mundo, que eles permitiam que seus corações se reencontrassem e matassem as saudades.

– Definitivamente o mar é testemunha de nossa história – falou Ângela, quebrando o silêncio.

Pepeu contemplou-a. Suas faces estavam a milímetros de distância.

Ele a beijou suavemente e tornou a beijá-la, como se aquele fosse o último instante que eles passariam juntos.

– Eu amo você – ele disse –, desde muito antes de te encontrar.

– Reencontrar. – ela falou – Você mesmo disse que nossos corações já se conheciam. Foi apenas um reencontro, meu amor.

O casal ficou mais alguns instantes sobre o banco de areia na praia.

Então, desceram e foram caminhar à beira-mar.

Correram e brincaram com a água gélida do oceano, esquentando-se posteriormente em abraços infinitos.

Não havia ninguém ali, exceto os noivos e o mar. Aquele era um momento só deles. Era como se fossem os donos do mundo – e de fato eram, donos do mundo um do outro. O tempo parecia ter parado para contemplá-los a brincar na praia.

Tempo e espaço eram coisas distantes para Angel e Pepeu. Eles haviam se esquecido de tudo e lembravam-se apenas de que se pertenciam, nada mais parecia ser real.

O Tudo. O Nada. O Amor.

Pepeu pegou Ângela no colo e suavemente deitou-a na areia, olhando fixamente para dentro de seus olhos, enquanto deslizava suavemente a mão sob seu fino vestido.

Somente o mar foi testemunha daquele reencontro de almas.

Reino Unido, 1948

– E depois, o que aconteceu? – indagou Anny.

– Bem, no dia seguinte ao nosso casamento, seguimos a viagem de caminhão, pegamos o avião e viemos para a Inglaterra junto dos meus amigos... E foi aí que minha vida se perdeu. É difícil aceitar que tudo possa ter sido tão perfeito e que tenha se perdido de um instante para o outro.

Pepeu chorava, mergulhado nas lembranças. Então, continuou:

– Assim que desembarcamos na Inglaterra, tudo aconteceu muito rápido. Estávamos na larga avenida ao lado do aeroporto e fomos atravessá-la. Os Anjos da Guerra estavam pouco à nossa frente; eu e Ângela vínhamos logo atrás. Ouvi gritos e uma buzina; então, um carro vermelho veio em nossa direção. Eu pensei apenas em proteger

Ângela e joguei-me na frente dela, de modo que o carro não a atingisse; então, não vi mais nada.

– Um carro vermelho? – perguntou Anny.

– Sim. – disse Pepeu – Só sei que acordei no hospital muitos dias depois e Angel não estava lá. Ninguém me disse para onde ela ou qualquer um dos meus amigos havia ido. Desde então, estou só, a vagar pela Inglaterra, onde só conheço você, minha pequena. Eu os procurei, mas eles não deixaram pistas. Acredito que devam estar levando o riso para as pessoas, em algum lugar...

– Mas eles não deixariam você – disse Anny.

– Eu estive muitos dias fora de consciência, eles tinham pressa em espalhar a alegria. Não os culpo, eles seguiram seu destino – falou Pepeu.

– Mas e a Ângela? Você acredita que ela partiu com eles?

– Não, ela não iria sem mim. Ela também não conhece ninguém neste país, deve estar perdida. Por isso eu fiquei tanto tempo junto ao mar. Ele sempre foi testemunha de nosso amor, então pensei que ela iria diretamente para lá. Só temo que algo tenha acontecido ao meu anjo.

– Tenho certeza de que ela está bem e está esperando por você – disse Anny.

– Obrigado, querida. – falou Pepeu – A ausência dela chega a fazer meu peito doer. Quando caminho junto ao mar, lembro-me de todas as vezes em que estive a contemplá-lo junto da Angel, mesmo que em outro país. A melhor sensação que existe é andar na beira da praia com quem se ama, sentir o cheiro do sal e ouvir o barulho das ondas... Lembro também que nos fins de tarde na Califórnia, quando subíamos os morros e ficávamos a contemplar aquela linda paisagem, sentávamos na grama e ficávamos vendo as ondas se quebrarem na praia. Você não imagina, minha pequena, como é o cheiro da grama, já úmida pela proximidade ao mar, quando se está ao lado do amor da sua vida.

Ele abraçou a menina e ficou a chorar por muito tempo. Anny nem percebeu que a noite começara a se afastar, dando espaço a um novo dia. Pepeu finalmente se acalmou, então, enxugando a face molhada do rapaz, ela disse:

– É uma linda história, Pepeu, tenho muito orgulho de você. Agora entendo a carta que li aquele dia, eram palavras de amor e de tristeza... Não perca as esperanças, o Papai do Céu sabe o que faz. E você tem uma linda missão, de levar alegria. Sei que a levou a muitas pessoas, inclusive a mim.

– Obrigado. Se não fosse você, Anny, eu não sei o que seria de mim. Você é um segundo anjo em minha vida.

– Mas como você me encontrou? – perguntou a menina, lembrando-se de que os pais julgavam que Pepeu fosse um amigo imaginário.

– Foi o meu coração, Anny. Uma vez que se aprende a escutá-lo, ele nos leva ao encontro de outros corações. O meu me trouxe até esses canteiros porque sabia que apenas você, em todo esse mundo, poderia me compreender e ajudar. Por isso você é o meu anjo. De certa forma, algo me diz que minha missão é com você agora, não sei explicar.

Anny abraçou Pepeu e deu-lhe um beijo na face.

– Eu já vou indo, não quero causar-lhe problemas, logo todos estarão acordados.

– Volte logo, Pepeu, o mais rápido que puder – pediu a garota.

– Voltarei, minha pequena.

– Ah! Só mais uma coisa! – disse Anny – Então você se chama Pedro Leopoldo? Que nome diferente e difícil de se pronunciar!

– Meu pai costumava me contar que meus avós eram portugueses, daí a origem do meu nome.

Anny ficou a pensar na história de Pepeu e em seu amor puro pela arte e pela moça de cabelos ondulados. Aliás – ela se perguntou diversas vezes após despedir-se de Pepeu – onde estaria Angel e o que ela estaria fazendo?

Califórnia, Estados Unidos, 1948

Ângela estava, mais uma vez, deitada em sua cama, a contemplar o teto e a chorar abundantemente. Nada mais tinha graça em sua vida, ela já não encontrava forças para viver.

Ela não conseguia conter os gritos, os choros, o nome de Pepeu, que escapavam de dentro de seu peito desesperadamente.

A mãe abriu bruscamente a porta e disse:

– Recomponha-se! Não quero passar a vergonha de ter uma filha que chora por causa de um homem! Vá já cuidar de seus afazeres! E seja grata por eu tê-la aceitado de volta!

Ângela chorou por mais alguns minutos, então, saiu de seu quarto e foi até a frente da casa. Viu o banco em que estava sentada quando o vislumbrou pela primeira vez. Olhou para a estrada, o coração chegava a doer, tamanha era a falta que ele fazia. Ela olhou para a igrejinha no morro e para as ondas do mar, tudo ali era cenário do amor que eles sentiam um pelo outro.

Como havia sido difícil ter que dizer adeus. Como havia sido difícil ter que aceitar o destino e pegar o avião de volta para casa. Os Anjos da Guerra a convidaram a seguir com eles, mas ela não conseguiria. Não sem ele. Lembrou-se do carro que chegou sem avisar, lembrou-se de Pepeu deitado na cama do hospital, ele salvara sua vida ao jogar-se entre ela e o carro vermelho. Mas que vida seria aquela sem ele?

Ao pisar novamente em terras americanas, ela prometera que cumpriria o desejo de Pepeu e que levaria o riso e a alegria a todos. Mas, antes, ela precisava reencontrar o riso e a alegria em seu próprio coração.

Europa, 1948

Os Anjos da Guerra, agora com oito integrantes, seguiram seu destino. Continuavam a espalhar alegria. Não havia uma pessoa que os conhecesse e não estampasse o sorriso na face. Logo, eles se tornaram tão conhecidos na Europa quanto eram na América. E, embora sorrissem o dia todo, pelas noites sentiam falta do nono integrante.

■

Foi a primeira vez que Pepeu se abriu com alguém. Contar tudo para Anny acalmara seu coração. Fizera-o reviver cada momento de sua história: as saudades da terra querida, da mãe que nunca conhecera, do pai que tanto se orgulhara dele; a arte que tanto amava; e, finalmente, a doce história que vivera com seu anjo.

Desde o dia em que o carro vermelho chegou sem avisar, Pepeu perdera a noção de tempo e espaço. Não sabia quando havia sido a última vez em que vira Ângela, sabia apenas que, para seu coração, parecia uma eternidade.

Aquela tarde ele foi direto para o mar.

Ficou a olhar as ondas que vinham com força e arrebentavam na areia e nas pedras, enquanto novas se formavam mais adiante. Era um lindo espetáculo da natureza. Ele pensou que o mar era como nós, alguns dias estava agitado, em outros, mais calmo; era como se o mar tivesse alma, porque é ela que se agita em nosso interior.

A praia estava vazia, e Pepeu pôde caminhar pela areia e sentir a brisa o invadir. Ele pensava nela, em seu anjo, com todo o coração, e as lágrimas escorriam por sua face.

De repente, ele a viu.

Poderia ser real? Finalmente a reencontrara?

Ele tentava, mas algo o impedia de aproximar-se dela. Contudo, ela estava ali, logo à sua frente. Seus cabelos castanhos dançavam com o vento e formavam ondas como o mar. Sua pele morena reluzia ao sol; seus olhos, porém, não encontravam os de Pepeu. Ela parecia perdida.

Alguém se aproximou do rapaz e disse, tocando-lhe o ombro:

– Dói perder o amor da nossa vida. Eu sei bem como é. Eu amava muito a sua mãe quando ela partiu.

– Papai? – disse Pepeu, virando-se e encarando o pai.

O rapaz caiu de joelhos. De um lado estava Ângela, inatingível, e, ao seu lado, o amado pai a sorrir:

– Levante-se, meu filho, tenho muito orgulho de você!

– Papai, eu senti tantas saudades! – disse Pepeu, entre lágrimas.

Pai e filho ficaram ali e, por mais que o rapaz quisesse se aproximar de Angel, era impossível.

– Ela está aqui? – perguntou Pepeu.

– De certa forma está, meu filho. Ela está sonhando com você – disse o pai.

– Então, ela não pode me ver nem me ouvir?

– Não – respondeu o homem, bondosamente –, mas ela pode mais que isso... Pode senti-lo.

Naquele instante, o pai desapareceu:

– Papai, não me deixe! – dizia Pepeu.

Mas ele sabia que o pai tinha que ir. Seu coração pedia que ele tivesse calma.

O rapaz continuou a olhar para Ângela. Tentou, em vão, chamá-la novamente. Contudo, por diversas vezes, ele teve a impressão de partilhar o mesmo sentimento que ela. Ela chorou quando ele chorou, eles emocionaram-se juntos e sorriram ao lembrarem-se dos momentos felizes que passaram, tendo o mar e a natureza como únicas testemunhas.

O pai estava certo, e ele sabia: Angel podia senti-lo.

Se aquilo era real, se era sonho ou fantasia, não importava. Para Pepeu bastava acreditar que os sentimentos seus e de Angel seriam, para sempre, um só... Era isso que aquele encontro – ou sonho, ou, talvez, delírio – o fazia acreditar.

■

Anny ficou o dia todo pensando na história de Pepeu. Não era a primeira vez que alguém se abria com ela; Hermes também abrira seu coração. E, embora muito jovem, ela compreendia a intensidade do amor que lhe fora apresentado nas narrativas dos dois amigos. Eram as diferentes formas de amor que regiam o mundo.

A história de Pepeu, entretanto, tinha algo de misterioso que a envolvia, e ela não sabia o que era. Sentia-se parte daquela história, mesmo que isso não fizesse sentido.

Um dia sua ligação com o rapaz de rosto bondoso se explicaria – pelo menos era esse o desejo de Anny.

Ela pensava em tudo: na arte de Pepeu, na missão dos Anjos da Arte e, posteriormente, Anjos da Guerra, em Ângela, nas ondas do mar e na igrejinha sobre o morro, em uma terra em que ela nunca havia estado, mas que fora cenário da vida de seu grande amigo – e irmão. Pensava no carro vermelho... O que exatamente teria acontecido? Onde estariam os Anjos da Guerra e Angel? Como poderia ajudar Pepeu?

Ela nem imaginava que, naquele instante, Ângela sofria, de uma forma que poucos ousaram sofrer nesta vida, mas ela teimava consigo mesma em continuar a viver.

Anny ficou, por muito tempo, sentada junto ao jardim. Queria que a borboleta azul voltasse. Ela lhe trouxera tanta esperança da última vez. Quem sabe agora lhe traria esperanças de ajudar o amigo que precisava tanto dela. Mas não havia sinal da borboleta azul ou de qualquer outra que fosse.

– Uma pessoa triste não ajuda ninguém – disse Anny para si mesma.

Então, ela tratou de espantar a angústia de seu coração e devolver-lhe o amor.

Ela dançou aquele dia, pensou no xadrez com saudades e em como era prazeroso jogar; pensou nos pais, nas pessoas que amava; cuidou das flores e, logo, seu coração estava em paz novamente.

Naquela noite, Anny foi dormir tranquila e, logo, despertou no Reino Xadrez.

Suas cores pretas e brancas estavam fortes e vivas. As águas do riacho estavam calmas e límpidas, os animais passeavam felizes por todo o reino e as peças dos exércitos coexistiam em paz.

Anny aproximou-se do riacho para beber um pouco daquela água, estava muito refrescante. Sem que ela percebesse, alguém se aproximou também. Ela, então, viu a imagem refletida na água e disse:

– Olá, senhor Bispo! Que bom encontrá-lo por aqui!

– Como tem passado, Vossa Majestade? – perguntou o Bispo, fazendo uma reverência.

– Muito bem.

– E como foi sua recuperação?

– Nem me lembro mais daquele dia. – disse Anny, alegremente – Segui seu conselho e abri meu coração apenas para as coisas alegres, então as dores foram embora rapidamente. Tive muita ajuda também, do senhor Hermes, do Frank e da Nicole.

– Fico feliz, minha rainha. O reino hoje está muito bonito! – disse o Bispo.

– Eu notei mesmo. Por que está assim? – perguntou Anny.

– Mais uma vez é o reflexo de sua pureza de criança e da doçura de sua alma. Seu coração está calmo e leve, por isso o Reino Xadrez assim também está e tudo o que nele existe.

Anny sorriu e disse:

– Eu quero ficar feliz, porque quero ajudar meu amigo e sei que, quando estamos tristes, não somos capazes de ajudar ninguém.

– Tenho duas considerações a fazer acerca do que acabou de dizer. – disse o Bispo – A primeira é que quem deseja a felicidade, a encontra! É simples assim! E a segunda é que, se você quer ajudar seu amigo, seu desejo é uma ordem, minha rainha.

Fazendo uma nova reverência, o Bispo desapareceu como fumaça.

– Senhor Bispo, onde o senhor está? – perguntou Anny.

– Siga o seu coração, assim como o seu amigo a ensinou – disse a voz do Bispo, sem que Anny pudesse vê-lo.

A menina lembrou-se de que Pepeu realmente a ensinara a dialogar com o próprio coração e pensou que essa seria a forma de ajudá-lo. Ela sabia que faltava algo para que o cavaleiro bondoso voltasse a galopar pelos gramados quadriculados. Seu coração a guiaria até as respostas...

Sem saber o motivo, Anny dirigiu-se para o grande castelo, que uma vez estivera em ruínas. A pequena rainha apenas sabia que era para lá que deveria ir.

Atravessou a ponte e cruzou os imensos portões do palácio xadrez. Diversos súditos de cristal a encontravam pelo caminho e faziam reverências por onde ela passava. A rainha sorria para todos.

Então, Anny olhou para o lado e a viu. Era a borboleta azul. O único vestígio de cor no reino branco e preto, destacando-se em meio a tanto xadrez. Como sempre, era absolutamente linda. Reluzia graça, suavidade. Reluzia o azul do infinito, tão vivo dentro de Anny. De certa forma, aquele azul – e, portanto, aquela borboleta – também contava um pouco da história de Pepeu. Era como se todo o mar estivesse contido naquele único pontinho azul. Ela ficou, por um instante, a vislumbrar a borboleta a voar divertidamente no vento e pensou: "Estou no caminho certo".

Anny subiu a escadaria principal, estava encantada com a beleza daquele local. Tudo reluzia em branco e preto; era maravilhoso. Ela já havia ficado encantada a primeira vez em que vira aquele imenso castelo xadrez, mas agora que finalmente entrava em seu interior, estava ainda mais maravilhada.

A escadaria terminou e levou-a até um amplo salão com tronos e almofadas, cortinas e carpetes; tudo era quadriculado em branco e preto.

Parada em meio àquele salão havia uma moça, trajando um longo vestido xadrez. Anny reconheceu-a.

Seus cabelos eram ondulados e sua face, divina. Ela realmente parecia um anjo. Seus olhos carregavam grande tristeza e sua expressão era de saudades.

Anny aproximou-se e disse:

– Angel.

8

BRISAS

Anny aproximou-se. Seu coração estava acelerado e cheio de dúvidas. Ela tocou a bonita flor que nascera em seu jardim e pôde sentir uma quente brisa penetrar seu corpo, como se um anjo a abraçasse. Então, como num passe de mágica, lembrou-se de tudo.

A moça ficou a fitar a menina no enorme e lustroso salão xadrez. Tudo reluzia em branco e preto, tornando-se magnífico aos olhos e encantando ainda mais aquele encontro.

Então aconteceu algo que, a princípio, assustou Anny.

Ângela começou a falar, sem, contudo, movimentar os lábios. Anny ficou a observá-la. As palavras saíam sem que ela abrisse a boca para tal.

Aquela diferente forma de comunicação fez com que Anny compreendesse ainda mais a lição de Pepeu: o verdadeiro significado de se falar com o coração – decerto, ele também ensinara isso a Angel.

– Eu o amo muito. – dizia Ângela. Ela fitava Anny com os lábios cerrados, ao mesmo tempo em que as palavras deslizavam pelo salão xadrez – Sei que você sabe de nossa história e fico feliz que ele tenha encontrado conforto. Porém não é fácil aceitar a realidade.

As lágrimas começaram a escorrer pelo rosto de Angel, entretanto, ela continuou a dizer, sem abrir os lábios:

– Você é a única que pode salvá-lo. Eu confio em você.

Anny estava confusa com tudo aquilo. Não compreendia como Ângela podia estar ali, dentro de seu castelo xadrez; ainda a assustava a ideia de falar sem mover os lábios; e, sobretudo, a pequena rainha não compreendia como era a única que poderia salvar Pepeu, o seu fiel cavaleiro, que continuava desaparecido do Reino Xadrez.

A menina quis perguntar, então achou melhor falar direto com o coração, assim como Ângela estava fazendo.

Tentou a primeira vez, mas não conseguiu.

Concentrou-se o máximo que pôde. Tudo o que intencionava era ajudar o amigo.

Não era fácil falar com o coração.

Então, Anny pensou demoradamente em Pepeu, desde a primeira vez em que o viu. Ele surgira com um anjo em sua vida. Lembrou-se, com carinho, de cada partida de xadrez, de cada abraço apertado, de cada linha que Pepeu narrara de sua história. Se possível Anny amava a cada dia mais o rapaz, que era, para ela, um irmão. Amava sua luta, sua história sempre delineada pela arte e pelo amor verdadeiro; amava sua alma caridosa e seu sorriso bondoso – que tantas vezes a contagiara. Era impossível não encantar-se com o sorriso de Pepeu (sorriso sem pressa ou temores, mas repleto de ternura e inocência).

Aquelas lembranças sinceras fizeram com que as palavras saíssem do fundo de seu ser, ganhando vida própria, sem que ela precisasse usar os lábios para isso. A voz vinha do seu coração e, dessa forma, era ainda mais verdadeira.

As palavras ecoavam em alto som por todo o salão xadrez:

– Como posso salvá-lo? – perguntou Anny, sem mover qualquer fração dos lábios.

– Você deve tranquilizá-lo, dizer que estou bem, porém que não podemos ficar juntos; não agora...

– Por quê? – indagou a menina.

– É tudo muito complexo, mas tentarei ser mais clara – disse Angel.

A linda moça começou a andar de um lado para o outro no grande salão, com o vestido xadrez deslizando a seus pés. Ela continuou a deixar as palavras saírem do coração. Seus lábios não se abriram nem por um segundo sequer:

– Quando nos encontramos, algo mágico aconteceu. – disse Ângela – A primeira vez em que vislumbrei Pepeu, eu sabia que o meu destino havia chegado. Algo mais forte que eu me fazia amá-lo, sem nem conhecê-lo ao certo. Nunca foi um sentimento como aquele que a maioria das pessoas experimenta. Foi o amor verdadeiro, aquele que poucos têm o privilégio de conhecer, um amor de anjo... Juntos, temos uma grande missão a cumprir. É sempre assim (nunca se esqueça disso): com todo grande privilégio – e o amor é um deles – vem também a obrigação. A mim e a Pepeu foi concedido o privilégio do amor verdadeiro, então temos a difícil missão de levá-lo adiante, de ensinar os homens a amar uns aos outros. Eu sei disso e sei que Pepeu também conhece nossa missão, pois seu próprio coração lhe contou.

Ângela deteve-se por um momento, olhando através da janela do palácio. O Reino Xadrez se estendia à sua frente lindo e infinito. Contemplou os gramados extensos e quadriculados, os súditos a caminharem alegremente, o riacho, os animais... Aquelas terras eram angelicais em sua plenitude.

A moça respirou profundamente, ainda a contemplar o reino, então, voltou-se para Anny no salão xadrez e, sem mover os lábios, continuou a dizer:

– Iríamos começar a cumprir nossa missão quando peregrinássemos pela Europa em companhia dos Anjos da Guerra, porém algo nos impediu.

– Foi o carro vermelho? – perguntou Anny.

– Isso mesmo! – respondeu Ângela – Por isso temos que ser mais fortes que nunca e adiar nossa missão. Temos o terrível desafio de nos separar por um tempo. E é isso que Pepeu deve compreender. Os desafios impostos em nossa jornada são também formas de provarmos o nosso amor. Tem sido difícil para mim, mas estou começando a entender que, se isso nos aconteceu, é porque Deus, de alguma forma, tem planos maiores para nós – maiores do que nós mesmos tínhamos. Talvez ainda não estivéssemos preparados para levar o amor aos homens, ou talvez a maioria dos homens ainda não estivesse pronta para recebê-lo.

Anny ficou parada. Aquilo tudo era muito complexo.

– Você é realmente um anjo – foi tudo o que ela conseguiu dizer a Ângela.

A moça sorriu e continuou:

– Você, que sabe amar como poucos, está na vida de Pepeu, e na minha, de certa forma, para nos ajudar também. Socorra o Pepeu. Faça-o compreender que certas coisas não devem ser motivo de revolta ou desespero. Ele deve aceitar que logo estaremos juntos, mas que, agora, deve seguir sem mim. O que são alguns anos para alguém que tem uma eternidade toda pela frente? Você deve ajudá-lo a enxergar tudo isso. Sua missão, Anny, é trazer-lhe compreensão. Contudo, você também deve saber o momento exato de libertá-lo.

– Libertá-lo? – questionou a menina.

– Sim. Quando o momento certo chegar, você deve deixá-lo partir. Seu coração ficará em pedaços, minha querida, mas você deve compreender que, um dia, terá que se despedir de Pepeu.

– Mas quando será?

– Você saberá o momento; não é agora. Ele confia apenas em você e precisa de sua força para seguir em frente. Diga a ele, contudo, para não ir ao meu encontro; ele não está pronto para aceitar o que realmente aconteceu naquele dia com o carro vermelho. Ajude-o a seguir seu próprio destino, aceitando as dificuldades do caminho. Iremos nos reencontrar quando for o momento certo.

Anny balançou a cabeça afirmativamente, aceitando sua missão.

Antes de despedir-se, Ângela caminhou suavemente até a menina. Ela andava de forma tão maravilhosa que parecia deslizar sobre o chão.

Chegou até a garota e ajoelhou-se para ficar de sua altura, assim como o próprio Pepeu costumava fazer. Depois, deu um abraço na pequena rainha, que o retribuiu sinceramente. O corpo de Anny sentiu-se aquecido por uma suave brisa ao receber o abraço daquele anjo. Angel, então, disse:

– Obrigada.

Anny sorriu.

Ângela afastou-se alguns centímetros e passou uma mão sobre a outra, fazendo um tipo de mágica, diferente daquelas que Pepeu fazia. Não era um truque, era mágica de verdade.

Ao deslizar uma palma da mão sobre a outra no ar, Angel fez surgir entre elas uma delicada e bonita flor, diferente de todas que Anny já vira. Ela pensou ser uma flor que talvez existisse apenas na terra dos anjos.

Em meio àquele salão, onde tudo era xadrez, a flor não era.

Anny maravilhou-se ao perceber que se tratava de sua cor preferida. Aquela cor que poucos tinham sensibilidade suficiente para ver, a oitava cor do arco-íris.

Angel esticou a mão e entregou a flor para a menina, dizendo:

– Aceite, como agradecimento. Eu soube que você adora flores e que cuida dos jardins onde mora.

Anny pegou a delicada flor e examinou-a entre os dedos. Era o primeiro presente que recebia de um anjo. Além da cor, a forma e a textura daquela planta eram diferentes. Maravilhada, a menina disse, ainda sem mover os lábios:

– Obrigada, mas não precisa me agradecer. Eu amo o Pepeu como irmão e também já amo você. Quero ajudá-los.

Angel sorriu.

Anny resolveu perguntar:

– Você sabe o nome desta cor?

– Adoraria saber – disse Ângela.

– Então você também a vê? – indagou Anny confusa.

– Vejo. Confesso que a vi desde sempre. Ela é maravilhosa e diferente de todas as outras cores existentes. Não sei se ela tem ao certo um nome, mas lembre-se sempre ao vê-la de que há um anjo vivendo dentro de você.

Ângela abriu um largo sorriso e completou:

– Nunca se esqueça que aqueles que amamos não nos deixam verdadeiramente.

Dizendo isso, Angel desapareceu, com um sorriso na face.

Anny abriu os olhos. Estava no pequeno quarto na casa de Jane e Hermes. Tiara estava ao seu lado. Olhou pela janela e viu que já era manhã e que o sol projetava seus primeiros raios sobre a Casa Grande.

Ficou alguns instantes na cama, pensando que tivera lindos sonhos, mas, por mais que se esforçasse, não conseguia se lembrar deles.

Resolveu levantar-se e deixar-se guiar até o jardim. Ela não sabia por que, mas sabia que precisava ir até lá.

Seu coração a direcionou e ela chegou aos canteiros. Então, em um deles, encontrou o que buscava sem saber.

No meio da noite havia nascido ali uma flor, diferente de todas as outras que existiam, não só ali, mas talvez no mundo todo. Sua forma e textura não podiam ser comparadas a nada. Sua cor era também a oitava cor do arco-íris e, para muitos, ela era branca, mas não para Anny.

Era a segunda flor da cor dos anjos que a menina vislumbrava em seu jardim. A primeira surgira como símbolo de seu amor – o grande segredo que ela usara para trazer vida aos canteiros. Mas Anny estava confusa: não fizera aquela segunda planta especial crescer. Entretanto, durante a noite, ela surgira misteriosamente.

Anny aproximou-se. Seu coração estava acelerado e cheio de dúvidas. Ela tocou a bonita flor que nascera em seu jardim, e pôde sentir uma quente brisa penetrar seu corpo, como se um anjo a abraçasse. Então, como num passe de mágica, lembrou-se de tudo. Aquela flor havia sido presente de um anjo e viera junto de uma missão...

■

Pepeu não aparecia há alguns dias. Anny já havia pensado muito no encontro que tivera com Ângela e na missão que lhe havia sido confiada.

Ela tinha medo de ter que, um dia, despedir-se de Pepeu – o amava tanto! O momento certo de encorajá-lo a partir poderia demorar meses ou anos, mas ainda assim seria doloroso dizer adeus ao rapaz –, a simples ideia castigava seu doce coração. Porém, ela aceitara a missão, sabia que deveria ajudar seu grande amigo (ela não apenas significava o mundo para ele – ela era o seu mundo agora). Antes de libertá-lo, porém, Anny deveria continuar sua missão diária de ajudá-lo a aceitar o destino e aumentar sua compreensão, tirando mágoa e rancor de seus sentimentos.

Dentre os muitos sonhos maravilhosos que Anny tivera nos últimos dias, um foi muito especial.

Após o encontro com Ângela no palácio xadrez, ela conseguiu reencontrar, finalmente, o cavaleiro mais fiel de seu reino. Ele estava de volta à sua vida, em todos os sentidos...

A rainha andava pelo gramado quadriculado contemplando o imponente castelo (sentindo, assim, o poder de sua força) e o pontinho azul que o circundava (redescobrindo a leveza de sua própria alma). Era reverenciada pelos súditos e pelos animaizinhos que ali viviam.

Então, do alto de uma colina, ela ouviu um galope saudoso. Seu coração sentiu-se feliz e a rainha desejou mais que nunca poder ver quem se aproximava.

Os galopes, então, tornaram-se mais intensos e, da mais bela e alta colina xadrez, surgiu um magnífico cavalo branco. Em seu dorso estava o fiel e bondoso cavaleiro, de volta ao Reino Xadrez.

Quando se aproximou da rainha, o cavaleiro de sorriso largo e sincero estendeu uma das mãos e ajudou-a a subir no cavalo.

Sem pressa eles cavalgaram pelos campos quadriculados e infinitos, matando as saudades...

O reino estava mais lindo e vivo que nunca, estava completo! Assim como a pequena rainha...

■

Certa tarde, Anny estava sentada no sofá, assistindo à televisão na companhia do senhor Hermes. Lembrou-se de Frank. Ele tinha a alma sábia e bondosa, sua ternura poderia ajudar a menina a acalmar o coração, que estava tão preocupado com Pepeu:

– Estou com saudades de Frank – ela disse.

– Ah, sim, aquele velho médico é mesmo uma figura! – falou Hermes. – Por que não vamos vê-lo?

– A senhora Jane não quer que eu saia de casa – disse Anny tristemente.

– Ora, mas podemos ir amanhã, quando ela for trabalhar. E faço isso apenas para evitar encrencas, porque, na realidade, ela não tem autoridade sobre você.

– Está falando sério, senhor Hermes? – perguntou Anny, animada.

– Claro que estou! – ele disse – Assim também cumpro a promessa de levá-la para andar de carro.

Anny correu até ele e pulou em seu colo, abraçando-o. Ele segurou a menina, lembrando-se do dia em que ela o chamara de pai.

Havia sido o momento mais doce de sua vida.

No dia seguinte, assim que Jane saiu, Anny já estava pronta, esperando Hermes chamá-la.

Ele bateu à porta do quarto e viu a menina sair elegantemente, usando o vestido que ele lhe dera no último aniversário:

– Olhe só, já está uma moça! – exclamou o homem, deixando Anny toda orgulhosa.

Eles foram até a frente da casa e entraram no carro.

Assim que se sentou no banco, Anny deu três pulinhos, experimentando a poltrona. Depois, achou divertido abaixar o vidro da janela. Nunca havia entrado em um carro.

O Topolino preto do senhor Hermes era muito confortável e ela estava ansiosa para que ele começasse a andar.

Hermes deu a partida e eles saíram pela rua.

Anny experimentou o vento bater-lhe na face até fazer os olhos lacrimejarem de forma graciosa. A brisa. Conseguia sentir a brisa da manhã.

Colocou a cabeça para fora da janela e viu o céu, maior que nunca. "Roxie tem uma bonita e grande casa", pensou, ao ver os pássaros voarem livres no azul.

Anny viu as casas passarem rapidamente por ela, conforme o carro se movia pelas avenidas. Viu as mães passeando com os filhos e lembrou-se de Cindy. Viu os pais apressados, indo trabalhar, e lembrou-se de Jefferson. Viu escolas e lembrou-se de Nicole. Viu um artista fazendo malabarismos em um cruzamento e lembrou-se de Pepeu. Sentiu uma nova brisa suave e lembrou-se de Ângela.

Sem que Anny percebesse, já haviam andado bastante, quando Hermes estacionou o Topolino em frente a uma pequena casa, com uma janela e uma porta de madeira que davam para uma simpática ruela.

– Chegamos – disse Hermes.

Ele abriu a porta do carro para Anny e ela desceu, satisfeita, em frente à casa de Frank.

Hermes bateu à porta e eles ouviram uma conhecida voz dizer:

– Um momento, por favor!

Alguns instantes depois, Frank abriu a porta e colocou a cabeça branca e miúda para fora, exclamando:

– São vocês! Entrem sem cerimônia, meus amigos! Bem que Bety disse que hoje teríamos visitas!

Hermes olhou assustado à sua volta, mas não havia sinal de Bety Lou, a falecida esposa de Frank. Ele respirou, aliviado, e entrou junto de Anny.

– Sentem-se – disse Frank.

Hermes e Anny sentaram-se no sofá, então o médico disse:

– Você gosta de chá, senhorita?

Anny respondeu:

– Sim, obrigada.

– E o senhor?

– Não precisa se incomodar, obrigado – disse Hermes.

– Incômodo algum! Já que não quer chá, trarei um café bem forte – disse Frank, sumindo para o interior da pequena casa.

Anny olhou ao seu redor. A casa era simples, mas muito aconchegante.

Havia três poltronas cor-de-rosa, um carpete verde-escuro e muitas prateleiras com louças decorativas.

Anny demorou o olhar nos pratos que pareciam pintados à mão. Depois, examinou os pires e as xícaras. A mobília era antiga, mas estava conservada, a não ser pelo discreto cheiro de mofo.

Do outro lado da sala havia uma penteadeira e uma escrivaninha com alguns livros velhos.

Mas o que mais chamou a atenção de Anny foi um grande retrato, que parecia pintado à mão, com duas simpáticas figuras. Uma das pessoas no retrato parecia ser um Frank mais jovem. Ele havia sido um bonito rapaz, com o mesmo ar excêntrico e iluminado. A segunda pessoa era uma simpática mulher que Anny não conhecia, mas poderia apostar que se tratava de Bety Lou.

Houve um barulho de louça na cozinha e logo Frank entrou na sala, trazendo uma bandeja com chá e café. Ele serviu os visitantes e a si próprio. Então, disse:

– Que honra recebê-los aqui! Fico feliz em vê-la tão bem disposta, minha jovem!

– Obrigada, senhor Frank, foi graças a seus cuidados que...

– Eu já disse para não me chamar de senhor.

Anny riu e falou:

– Como sou descuidada!

– Você lembra que eu prescrevi o riso como sendo seu remédio? Fico feliz que esteja fazendo uso dele – disse o médico.

Anny sorriu novamente. Frank, então, virou-se para Hermes:

– E você, meu amigo, como tem passado?

– Bem, não posso reclamar. – falou Hermes – Mas confesso que estranhei não encontrá-lo junto à janela quando chegamos.

– É que eu e Bety ficamos ali apenas à noite, quando dá para ver melhor as estrelas.

Hermes balançou a cabeça concordando e fingindo achar uma ótima ideia, mas sentia-se irritado todas as vezes em que Frank mencionava Bety Lou.

– Aquela é a Bety? – perguntou Anny, apontando para o retrato na parede.

– Sim, somos eu e Bety, no dia que recebemos nosso diploma na Escola de Medicina. Acho que está explicado por que minha amada gosta das estrelas: ela tem o brilho delas no olhar – disse Frank, suspirando –, não concordam?

– Indiscutivelmente – respondeu Hermes, contrariado.

– Tem mesmo. – falou Anny – Ela era muito bonita.

– E está ainda mais – falou Frank.

Hermes pigarreou e logo mudou de assunto.

Eles conversaram sobre diversos temas e a hora passou ligeira e gostosa, como toda hora agradável e em boa companhia.

– Antes de vocês irem, há algo que eu quero lhe mostrar – disse Frank à Anny.

Os dois amigos dirigiram-se para os fundos da casa e a menina ficou maravilhada ao ver que ali existia um bonito pomar.

Ela foi até as árvores cheias de frutos e Frank colocou-a sobre um dos galhos.

– Eu sempre quis um vovô – disse Anny.

– E eu sempre quis uma netinha – falou Frank, sorrindo.

Eles se fitaram e o médico revelou o motivo de tê-la levado até o pomar:

– Aqui é o meu cantinho preferido no mundo. – disse Frank – Queria que você o conhecesse.

Anny sorriu e falou:

– Ele é encantador! O meu cantinho preferido no mundo sempre foi o meu balanço na Casa Grande, assim como meu quarto de brinquedos. Mas, felizmente, tenho agora um novo cantinho especial, que amo do fundo do coração: meu jardim, no fundo da casa do senhor Hermes. Mas não é apenas pela beleza do local, é pelo que ele representa, pelos momentos que passo lá, principalmente quando estou com os amigos – disse Anny, lembrando-se, sobretudo, de Pepeu e Nicole.

– Você está certa, mocinha – falou Frank –, aqui também é meu cantinho preferido porque foi construído por mim e por Bety. Plantamos e cultivamos cada uma destas árvores. Costumávamos descansar aqui quando chegávamos do trabalho. Eram horas fantásticas. Você também aprecia a natureza, eu suponho.

– E como! – Disse Anny – Assim como você e a Bety, também adoro ver as estrelas. Fico imaginando o que existe em cada uma delas. Quando olho para o céu, penso no Papai do Céu e sinto que posso falar com o Universo... Sabe, Frank, eu tenho um amigo que é artista e que me ensinou as diferentes formas de arte. E eu acredito que o

Universo e tudo o que nele existe (as pessoas, os animaizinhos, as flores, as estrelas...) é arte do Papai do Céu.

– Você está certa mais uma vez, minha querida, está absolutamente certa. Na vida o que importa é a felicidade... E são as coisas mais simples que a trazem até nós. Como um pomar, um jardim ou uma criança... Por isso eu e Bety Lou tivemos uma vida feliz, sempre demos valor ao que realmente importa no mundo.

Anny lembrou-se dos anjos. Eles também deveriam ser uma forma de arte do Papai do Céu, e resolveu perguntar:

– Senhor Frank, posso fazer uma pergunta?

– Claro, minha amiga.

– O senhor conversa com os anjos, não conversa? Porque creio que Bety seja agora um deles...

– Claro, converso e muito! – disse Frank.

– Eu conversei com um anjo outro dia, mas foi em um sonho – disse Anny.

– Ah, sim, eles têm muitas maneiras de se apresentar a nós.

– E, desde então – continuou Anny –, às vezes sinto que não estou sozinha, mesmo que eu esteja. Sinto como se uma quente e confortável brisa me envolvesse.

– Minha querida, isso significa que você está sendo abraçada por um anjo.

– O quê? – perguntou a menina.

– Quando sentimos uma brisa suave, que parece nos proteger e aquecer, é porque um anjo nos abraçou. É um abraço capaz de espantar todo o medo e todo o frio, mesmo que seja o pior dos invernos. Eu costumava dizer isso às pessoas, mas todas achavam que eu estava maluco.

– Eu não acho que esteja maluco.

– Obrigado – disse Frank. – Mas é apenas bondade sua. A maluquice me atingiu há tempo.

■

Na volta para casa, Anny pensou mais que nunca em Pepeu e Ângela e em como estava envolvida na história deles. Sentia-se privilegiada por conhecer duas pessoas tão especiais.

Olhou para o imenso céu que cobria a cidade inglesa e sorriu ao ver Hermes ao seu lado no carro. Adorava sua companhia.

■

– Para mim chega! – ele dizia, em baixo tom, para que apenas a esposa pudesse ouvi-lo – Vou voltar para casa, pegar a Anny e fugir. Venha conosco, Cindy, pelo amor de Deus, não posso mais suportar as ameaças!

– Não fale em Deus numa hora dessas – respondeu a mulher.

– Estamos perdidos, é o fim – disse o marido em tom de desespero.

– Confesso que as coisas estão mais fora de controle do que eu imaginava – disse Cindy.

– Fora de controle? Estamos perdidos. Esse tal Reynold, marido da refém, é um dos homens mais perigosos com quem já nos envolvemos! Eu sabia que não devíamos ter aceitado esse caso. E, para piorar, nosso chefe está insatisfeito com o trabalho.

– Agora é tarde, temos que nos concentrar em fugir – disse Cindy.

– Se você está concordando em fugir, é porque a situação está realmente feia.

– Não seja sarcástico, Jefferson, e comece a pensar no que fazer. Temo que aquele doido nos persiga até o inferno! Vá pensando em como podemos...

– Antes vamos pegar a menina – disse o marido.

– Não sei se teremos tempo. – falou Cindy – Além do mais, pode ser muito arriscado voltar para casa. Eles já devem saber onde moramos e já devem até estar vigiando a menina. É mais seguro partirmos e, depois, pensarmos em uma maneira de...

– Eu não vou sem a Anny!

■

Os dias se passaram e o verão já apresentava seus traços aquele ano.

Anny estava sentada junto de Tiara, no jardim, quando ouviu passos se aproximarem.

Ela girou o pescoço e viu quem estava lá:

– Pepeu!

A menina correu para abraçar o amigo.

– Você demorou a voltar! – ela disse.

– Eu sei, pequena, perdoe-me, mas cada vez mais sinto necessidade de ficar junto ao mar. Como você sabe, ele me traz recordações de Angel. – falou Pepeu – O que a faz lembrar-se de seus pais?

– Muitas coisas – respondeu a menina.

– Sim. Mas há sempre algo que é como se levasse nosso coração até quem amamos. No meu caso é o mar, e no seu?

– A música – disse Anny –, a música que minha mãe cantava para mim desde que eu era bem pequena, assim como suas melodias ao piano e o ranger do meu balanço. Às vezes, quando estou pensando neles e a saudade chega a sufocar, imagino ouvir a voz de mamãe e a corrente do balanço a ranger. É como se o vento trouxesse as melodias até mim. Talvez seja por isso que eu sonho em ser uma dançarina.

– Eu sei como se sente. – disse Pepeu – As ondas do mar, ao se quebrarem na praia, uma após a outra, trazem o perfume, a suavidade, o brilho do olhar de Angel, além do balanço de seus cabelos... Às vezes, parece impossível voltar a viver ao lado dela, mas depois me lembro de tudo que conquistei na vida e lembro-me de que as coisas só se tornam difíceis quando dizemos e pensamos que elas são assim. Nada é impossível, nada é difícil o bastante, nós que dificultamos tudo com nossas palavras amargas e nossos corações fechados. É importante nunca perder a esperança e jamais, jamais deixar de acreditar. Quando tudo está contra nós e as chances parecem não surgir, aí é hora de lutar. E é nesses momentos que as grandes conquistas são alcançadas. Meu coração me diz que nos reencontraremos, um dia...

– Você está absolutamente certo, Pepeu. Eu também penso assim quando penso em papai e mamãe.

– Sabe, pequena – continuou o rapaz –, eu resolvi arriscar tudo no dia em que fui atrás dela, abandonando os Anjos da Arte; mas não me arrependo. Não me arrependo de nenhuma decisão que tomei, muito menos de alguma lágrima que derramei... Arrepender-se é julgar-se. Não posso julgar aquilo que meu coração mais queria. Quando a gente arrisca, perde a razão por uma fração de segundos, mas, quando a gente não arrisca, perde a razão de existir.

– Ir atrás de tudo que se quer é ir atrás do Papai do Céu. Lá vive Ele, junto de nossos sonhos. Se não arriscamos, Ele permanecerá sempre distante – completou a menina, que muito entendia sobre os sonhos.

Os amigos ficaram em silêncio, até que Pepeu falou:

– Eu amo tanto a Ângela. Sei que é um amor daqueles que, mesmo após cem anos, todas as vezes que você encontra a pessoa, seu coração ainda dispara e as borboletas ainda voam em sua barriga... Não me conformo em tê-la perdido. Às vezes penso que perdi a luz. Aquela luz que todos têm e carregam durante a vida. Mas em você, pequena, eu consigo ver o brilho de novo. É a sua luz... Você me ensina e ajuda tanto que nunca terei como agradecê-la. Amo-a como irmã. Você é, sem dúvida, também um anjo em minha vida. Preciso seguir seu exemplo. Preciso reencontrar minha própria luz e voltar a brilhar para o mundo. Mas, agora, posso fazer-lhe um pedido?

– Qualquer coisa – disse Anny, feliz por saber que estava conseguindo cumprir sua missão e ajudando Pepeu a abrir novamente o coração.

– Cante para mim. Cante a canção de sua mãe – ele pediu.

Não foi preciso repetir o pedido. Anny ficou em pé, a olhar para os fundos da Casa Grande, sentindo a brisa suave cobrir-lhe o corpo. Ela contemplava o balanço e a janela do quarto de brinquedos, enquanto cantava:

O céu se alegra e
Se enche de estrelas
Quando você sorri
Não se esqueça, meu bem,
Que eu amo você.
E assim como o céu,
Só quero vê-la feliz...
E quando a neve cair,
Vou estar com você.
Mas quando a neve se for, vou lembrar de você...
Sou a estrela a guiar seus passos

Num mundo de medos e perdas
Mas sempre olhe para as flores no chão
E olhe para o céu a sorrir
Toda vez que lembrar
Que a levo em meu coração.

■

Após despedir-se de Pepeu, Anny entrou e encontrou a casa estranhamente silenciosa.

Ela atravessara a porta dos fundos, que separava os jardins da cozinha, e ficou parada contemplando o cômodo. Hermes decerto estava no trabalho.

A menina deu poucos passos, até que uma mão a puxou pelas costas e a envolveu. Outra mão tapou-lhe a boca, silenciando-a.

– Não tenha medo! – disse a conhecida voz de Jane – Eu estive a observá-la todo esse tempo e agora creio que chegou a hora de termos uma conversinha em particular.

Anny começou a tremer e foi guiada por Jane até a sala.

A mulher jogou a menina no chão, como se ela fosse um sapato velho e sujo, e começou a dizer:

– Eu tenho aturado você por dois anos em minha casa, e tudo o que fez foi me trazer aborrecimentos. Eu lhe dei de minha comida, lhe dei cama, um quarto só para você, e tudo o que ganhei foi a presença de uma louca inútil sob meu teto. Nem os castigos foram o suficiente.

Anny respirou aliviada ao ouvir aquela última frase. As feridas resultantes do último castigo que levara ainda não haviam cicatrizado por completo. Ela quase perdera a vida aquele dia e sabia que, se Jane resolvesse pegar a cinta novamente, ela não aguentaria. Porém, por milagre, Jane parecia não ter a intenção de castigá-la agora.

A mulher olhava para Anny com tanta fúria que a garota se perguntava o que teria feito de tão errado. Então, Jane continuou a dizer:

– Você tentou enganar-me diversas vezes, conquistando a Nicole e até o tolo do Hermes para defendê-la. Apenas eu enxergo quem você realmente é: uma atrevida, um estorvo, uma criança maluca e doente. Eu a observei nos fundos da casa hoje, desde que meu marido foi trabalhar, e a vi conversando, rindo, falando coisas sem sentido, e até cantando – tudo sozinha! Era como se tivesse alguém ali com você. Para mim foi a gota d'água. Não quero uma demente sob meu teto. Chegou a hora de você ter o que de fato merece. Tentei eu mesma ensiná-la através da cinta, mas você se recusou a aprender. Pelo contrário, está a cada dia mais louca e irritante. Agora, me acompanhe, há um táxi nos esperando na rua.

– Eu não vou a lugar algum! – berrou Anny.

– Isso não é decisão sua! – berrou Jane, ainda mais alto. – Você vem por bem ou por mal.

Anny começou a chorar, ajoelhada no chão, dizendo:

– Senhora Jane, me perdoe, por favor, me perdoe... Eu prometo que vou mudar, que vou fazer apenas o que a senhora quiser... Mas não me leve para longe da Casa Grande, não me leve para onde papai e mamãe não possam me encontrar... Não me leve para longe do senhor Hermes, da Nicole, dos jardins...

Jane soltou uma alta risada e disse:

– Tarde demais, sua pequena demente. Já fiz meus contatos e está tudo pronto. Venha imediatamente ou terei que levá-la a força.

– Tenha piedade! – implorava Anny, aos prantos.

Jane aproximou-se dela. A menina recuou para o canto da parede, tremendo de medo, e perguntou:

– Para onde a senhora irá me levar?

– Para um lugar onde há pessoas como você.

– A Nicole e o senhor Hermes irão me visitar?

– Eles nunca saberão onde você está. Esqueça, garota, você não continuará a contaminar minha família. A nossa vida será exatamente como era antes de você chegar – riu Jane.

– Mas eles vão sentir minha falta – falou Anny, chorando cada vez mais.

– Eu direi que algum parente veio buscá-la às pressas e tudo estará resolvido. E quando seus pais voltarem, também arrumarei uma boa desculpa. Eles vêm uma vez por ano apenas e tenho certeza de que logo deixarão de vir e se sentirão aliviados ao saber que você desapareceu.

– Isso não é verdade! Eles me amam! – berrou Anny, descontrolada.

– Como alguém poderia amá-la?

Aquelas palavras magoaram Anny mais que quaisquer outras que já tivesse escutado. Então, ela tentou pensar que Jane estava enganada, que os pais a amavam. Mas nem o amor deles poderia salvá-la naquele momento. Jane agarrou um dos finos braços da menina e puxou-a do chão.

– Espere! Preciso pegar a Tiara.

– Você não vai levar nada com você – disse Jane, saindo pela porta da frente e trazendo a menina consigo.

Um carro estava parado na rua em frente à casa. Jane jogou Anny no banco de trás e sentou-se ao seu lado.

– Podemos ir – ela disse ao motorista.

■

O segundo passeio de carro que Anny experimentava na vida em nada se parecia com o primeiro. Ela não estava empolgada e feliz, não sentia a suave brisa bater-lhe na face; sentia apenas medo em cada movimento de Jane ao seu lado. Não sabia o que a aguardava, nem o que seria de sua vida a partir daquele momento.

O carro andou por muito tempo. Anny percebeu que já haviam saído da cidade há uma boa distância. Ela olhava as pastagens e as estradas. Tudo era um cenário novo. A Inglaterra era realmente linda. Mas nem isso a animava. Tudo estava tingido pelo peso de sua tristeza. Até o céu parecia de um azul menos vivo que da última vez em que ela o contemplara de dentro de um carro, em uma situação totalmente diferente.

Ninguém trocou uma palavra dentro daquele automóvel, mas a menina sabia que a senhora Jane estava contente. Às vezes Anny a via abrir um pequeno sorriso de contentamento.

No meio da estrada, o motorista entrou por um pequeno caminho margeado por pedras, que logo revelou um grande portão de grades.

Anny olhou assustada para aquele lugar.

Quando se aproximaram, um homem, que parecia um guarda, indagou:

– O que fazem aqui?

Jane respondeu prontamente:

– Viemos fazer uma internação. A senhora Rosemary nos espera.

O guarda prontamente abriu os pesados portões, deixando o carro entrar.

Anny desceu do carro e olhou ao seu redor.

Havia um extenso gramado, com poucas árvores e bancos, em volta de um grande prédio cinza.

Era um lugar tão repugnante que Anny sentiu um arrepio na espinha ao fitá-lo. Muitas janelas pequenas cobriam toda a construção. Havia apenas uma porta, com o letreiro "Manicômio" acima. A menina não sabia o que era um manicômio, mas sentiu que estava prestes a descobrir.

A parede era toda cinza, contribuindo ainda mais para o aspecto triste e feio daquele lugar. Anny pensou que a temperatura tivesse baixado, pois ela sentia um estranho frio ao caminhar naquele gramado. Mas em breve descobriria que não se tratava de uma mudança na estação, mas apenas da frieza que era inerente àquele local.

O motorista esperou no carro. Jane puxava Anny pelos braços enquanto caminhavam pelo gramado, até cruzarem a porta do prédio.

A menina podia jurar que havia visto rostos nas pequenas janelas daquele lugar, e dezenas de pares de olhos a contemplá-la. Ela perguntou-se quem viveria ali.

Assim que entraram, puderam ouvir gritos que vinham do interior do prédio, e Anny arrepiou-se mais uma vez, deixando o medo invadi-la por completo.

– Jane, querida, quanto tempo! – disse uma mulher, assim que elas entraram na pequena recepção do local.

– Rosemary! Que bom reencontrá-la! Precisamos marcar para tomar um chá – respondeu Jane.

– Sim – concordou a mulher chamada Rosemary –, se os internos idiotas me derem uma folga. – ela riu, então continuou a dizer, olhando para a menina: – esta deve ser a Anny. Bem, como você sabe, Jane, eu dirijo este local já há alguns anos. Posso assegurar-lhe que a garota será muito bem tratada e, se um dia sair daqui, estará curada de tudo o que você relatou quando me procurou.

– Assim espero – disse Jane.

– Os pais da menina realmente têm as condições financeiras que você ressaltou? – indagou Rosemary.

– Sim – Jane respondeu com firmeza.

A diretora do local abriu um leve sorriso de contentamento e voltou a falar:

– Como eu já disse, temos aqui desde crianças até idosos e uma equipe altamente treinada para todos os casos que cruzam nossos portões.

– Então sei que deixo a menina em boas mãos. Não pretendo me demorar, depois marcaremos um chá para colocar as novidades em dia. Mais uma vez, muitíssimo obrigada – disse Jane, apertando entusiasticamente a mão da antiga amiga Rosemary.

Ela saiu, sem olhar para Anny. A diretora, então, virou-se para a menina:

– Vá andando. A enfermeira vai lhe mostrar o seu quarto.

Anny começou a dar pequenos passos. Seus olhos estavam arregalados e o coração acelerado. O corpo todo tremia, e seus ouvidos chegavam a doer cada vez que ela escutava novos gritos.

■

Uma mulher robusta e de baixa estatura, trajando roupas brancas, escoltou Anny até o segundo andar. Passaram por corredores estreitos, cheios de pequenas portas. Algumas estavam abertas; outras pareciam lacradas. Anny percebeu que olhos a fitavam através de pequenos vidros retangulares e estreitos em cada uma das portas, mesmo das lacradas. Eram olhares de todos os tipos, mas, em comum, todos tinham a falta de brilho e o excesso de *cinza*.

A menina andava a pequenos passos, sentindo, a cada movimento, ainda mais medo daquele local estranho. Diversas vezes, sentiu cheiros desagradáveis, que lhe embrulharam o estômago, e ouviu gemidos que pareciam de dor.

– Tem novata! Tem novata! – ouviu alguém gritar, conforme ela passava pelos corredores.

– Calado! – ordenou a mulher que a escoltava. Mas Anny parecia definitivamente uma atração naquele local, fato que a intimidava a cada nova porta que passava.

Viraram em mais um corredor e a mulher disse:

– Aqui é a ala infantil. É onde ficam crianças... Bem, crianças como você. E este é o seu quarto.

A enfermeira abriu uma porta no meio do corredor e mandou Anny entrar.

Havia duas camas naquele local e uma delas parecia estar ocupada. Porém, Anny não conseguia dizer se aquela criança estava viva, pois não parecia movimentar-se e estava completamente envolta por cobertores.

– Aquela é a sua cama. – disse a mulher apontando para o móvel vazio – As regras aqui são simples: fará tudo o que as pessoas de branco mandarem. Se ousar desobedecer, a punição será drástica. São servidas duas refeições por dia no refeitório, que fica no primeiro andar. Ao ouvir a sirene você deverá descer em fila junto aos demais internos que têm permissão para sair de seus quartos. Há banhos de sol uma vez por dia no gramado e as visitas ocorrem duas vezes na semana. Tome cuidado com alguns homens, eles costumam gostar das menininhas novatas. Você ficará aqui por tempo indeterminado e qualquer tentativa de fuga também será drasticamente punida. Passará por tratamentos e consultas médicas. Alguma pergunta?

– Sim. – disse Anny, falando pela primeira vez desde que cruzara os portões daquele local – Por que preciso me tratar, se não estou doente? E por que preciso de um médico se o doutor Frank, que é meu amigo, pode cuidar de mim?

– Todos aqui pensam que não estão doentes, garota. Agora vista isso – disse a enfermeira, atirando roupas sobre a cama, pouco antes de sair e bater a porta.

Anny caminhou lentamente até a cama, sentou-se, escondeu a face nos joelhos e chorou.

■

Dia um

Anny abriu os olhos e viu que ainda estava escuro do lado de fora. Era uma longa e fria madrugada. Ela demorou alguns minutos para se lembrar do que acontecera. Olhou ao seu redor e viu o pequeno e frio quarto em que estava. A pessoa na cama ao lado não havia se movido e, com um novo arrepio percorrendo-lhe a espinha, Anny pensou que aquela pessoa poderia estar morta.

Ela havia pegado no sono sem que percebesse. Quando a enfermeira saiu do quarto, Anny havia passado muitas horas chorando e pensando em diversas questões que não a deixavam sossegar.

Pensava nos pais, em Nicole e Pepeu, no senhor Hermes... Não seria possível que nenhum deles sentisse a sua falta. Pensava no seu jardim que ficaria sem cuidados e em Roxie, que não a encontraria, caso decidisse fazer uma visita.

Aquele local era estranho e tinha um aspecto sombrio. Anny se perguntou diversas vezes à noite quanto tempo ficaria ali; o que pretendia a senhora Jane ao deixá-la naquele local; e se ela nunca mais veria a Casa Grande, se nunca mais jogaria xadrez, nunca mais comeria panquecas com os pais, dançaria ao som de Cindy ao piano e brincaria em seu balanço; se nunca mais veria o seu cantinho preferido no mundo – o jardim – e, principalmente, Pepeu.

Depois de tanto chorar e pensar no que lhe aconteceria, Anny havia adormecido.

Agora, ao despertar na madrugada, prestou atenção ao que acontecia à sua volta e percebeu o motivo de ter acordado antes do amanhecer: alguém gritava.

Ela se lembrou do momento em que chegara ao manicômio. Gritos já ecoavam pelo local, mas por quê? E, afinal, o que era um manicômio?

Anny desesperou-se ao ouvir aqueles gritos. Pareciam vir do andar de baixo, mas chegavam aos seus ouvidos como facas cortantes, atravessando o silêncio gélido daquela madrugada.

A menina foi até a porta e girou a maçaneta. Ao abrir uma pequena fresta da porta, os gritos ficaram ainda mais altos, e Anny ficou tão apavorada que tornou a fechá-la rapidamente.

Ela foi até a janela e viu o gramado à frente do prédio. Viu o portão que cruzara junto de Jane há algumas horas. Lembrou-se da visão que teve quando contemplou o prédio pela primeira vez. As inúmeras janelinhas haviam lhe chamado a atenção. Agora ela estava ali, em uma delas, fazendo parte daquele cenário sombrio.

Ela era, agora, um dos pares de olhos que a fitaram no primeiro momento.

Voltou a sentar-se na cama e viu a roupa que a enfermeira a mandara vestir. Em meio a tanto desespero, havia se esquecido completamente. Pensando que pudesse ser pior se desobedecesse qualquer regra, resolveu colocar a roupa.

"Se ousar desobedecer, a punição será drástica." Essas haviam sido as palavras da enfermeira. Anny pensou o que poderia ser uma punição drástica. Mas preferiu não pagar para ver.

Ela olhou para a cama ao lado. Definitivamente havia alguém ali, mas estava totalmente coberto. Então, Anny despiu-se. Ela sentiu o frio da madrugada invadir-lhe o corpo e colocou rapidamente a roupa que havia sido jogada sobre sua cama.

Quando terminou de vestir-se, Anny contemplou a si própria e pensou no quanto sentiria falta de seus vestidos.

Aquela roupa não era nada elegante.

Era uma calça e uma blusa de mangas compridas. Tudo cinza, sem desenho algum. Nenhuma florzinha, nem ao menos um lacinho. Porém, a roupa estava longe de ser a pior parte daquele local.

Ela sentou-se na cama e ficou olhando para os próprios pés. Algumas vezes teve novamente vontade de chorar, mas lembrou-se do pai e de como ele não gostava que ela chorasse nas horas difíceis. Ela havia lhe prometido que seria forte, custasse o que custasse.

Os primeiros raios de sol invadiram a pequena janela do quarto, encontrando a menina mergulhada nos próprios pensamentos. As horas demoravam a passar da forma mais dolorosa e desumana possível. Anny não sabia quanto tempo ficara em sua cama contemplando os próprios pés, quando escutou uma sirene tocar, ecoando por todo o prédio. Era um apito alto e longo que, como tudo ali, causava arrepios.

Ela saiu pela porta e deparou-se com uma cena estranha.

Ao mesmo tempo, muitas pessoas haviam deixado também os seus quartos e agora caminhavam pelo corredor do manicômio, de forma sincronizada.

Eram fileiras de pessoas vestidas de cinza. Aqueles uniformes fundiam-se ao cinza das paredes, fazendo com que os internos parecessem parte do lugar, como se fossem o prédio em si. Era como se, ao entrarem naquele local, deixassem de existir para o mundo, perdessem suas identidades e acabassem por se fundir às paredes frias e *cinza*... Sem vida.

Anny seguiu-os, entrando na marcha sincronizada dos internos, também se fundindo ao cinza das paredes e, após descer as escadas e virar por mais um corredor, estava no refeitório.

Era um amplo salão, com mesas compridas e cadeiras. Tudo cinza, com exceção das pessoas que trajavam branco – os enfermeiros e demais funcionários do local. Eles não tinham expressões amistosas, o que causou pavor em Anny.

Ela seguiu uma fila de pessoas, pegou sua bandeja e, depois, comida. Então, como os demais, sentou-se em uma das cadeiras.

Anny olhou para aquela comida e, embora sentisse fome, não teve vontade de comer.

Então, ela olhou para as pessoas ao seu redor.

O que mais a assustava ali era que em nenhum dos rostos ela conseguia ver brilho, luz, alegria.

Todos tinham expressões vazias e desanimadas, de quem se entregou e desistiu de lutar pela vida. Ela lembrou-se de Hermes. Ele era assim quando ela o conhecera, mas havia mudado. Portanto, ainda havia esperança para aquelas pessoas, mesmo que elas não acreditassem nisso. Lembrou-se também de Frank e pensou que todos ali deveriam conhecê-lo. Ele tinha o remédio mais eficaz de todos: o riso.

– Não vai comer? – perguntou um homem de branco que patrulhava os corredores entre as mesas, ao ver que Anny não havia tocado em sua comida.

– Não, obrigada – ela disse gentilmente.

– A comida não é boa para você? – ele perguntou em alto tom, de modo que muitos pararam de comer e olharam para a menina.

– Não é isso, senhor, eu apenas...

– Apenas o quê? – gritou o homem – É nova aqui, não é? Pois é bom se acostumar. Isso é tudo o que você tem para comer de agora em diante. Pessoas como você não merecem nem um prato de comida.

– Sim, senhor – disse Anny.

Ela nem percebeu o quanto tremia quando enfiou a primeira colher de comida na boca.

"Pessoas como você", o que será que aquele homem quis dizer?

O gosto era tão ruim que ela chegou a sentir saudades dos dias em que passou fome e só tinha os biscoitos de Jane para comer.

Porém, esforçou-se, não queria desagradar às pessoas de branco, como aquele moço que gritara com ela há pouco. Terminou toda a comida e começou a seguir os internos que se dirigiam para o gramado. Estava na hora do banho de sol.

Muitas pessoas já se encontravam ali e Anny resolveu sentar-se em um banco e observar o local. Mas não havia bancos vazios.

Ela encontrou um, em que apenas uma moça estava sentada, e foi até lá.

Sentou-se ao seu lado. Ela também não possuía luz nos olhos. Anny teve medo de que aquele local a fizesse perder a luz também e desejou voltar para a casa de Jane, de onde podia ver a Casa Grande, cuidar dos jardins e brincar com Pepeu.

Para surpresa da menina, a moça ao seu lado lhe dirigiu a palavra:

– Você é a novata, não é?

– Sou, sim.

– Eu sinto muito – disse a moça.

– Por quê? – indagou Anny.

– Fico sempre triste quando trazem uma criança para cá. Aqui não é lugar de crianças.

– Mas estou na ala infantil.

A moça riu e disse:

– Não acredite nessas besteiras! Não existe ala infantil aqui. Eles misturam as pessoas da forma que bem entendem.

– Como você se chama?

– Kath – disse a moça.

– Anny. Posso lhe fazer uma pergunta?

– Claro – respondeu Kath.

– O que é um manicômio?

– É o lugar para o qual mandam as pessoas que desagradaram a alguém. Chamam-nos de loucos, mas os verdadeiros dementes estão para fora desses portões.

– Então, foi por isso que a senhora Jane me trouxe aqui. Eu lhe desagradei – disse Anny, pensativa.

– A maioria das crianças aqui é órfã, bastarda, indesejada ou mesmo vítima. As vítimas são as piores, porque são crianças que sofreram algum trauma, agressão ou perda, e passaram a apresentar distúrbios no comportamento, ao ponto de serem trazidas para cá. A situação agravou-se ainda mais após a Guerra. Nunca houve tantas crianças em manicômios pela Europa como agora.

– E por que você está aqui? – indagou Anny, confusa.

– Meu marido morreu na Segunda Guerra, então eu me descontrolei. Meus próprios pais me enviaram para cá, alegando que eu estava maluca. Mas eu só precisava de um pouco de carinho e consolo para enfrentar minha perda, não era necessário ser internada em um manicômio. Quem não está doente, quando entra aqui, acaba ficando. Este local é de dar medo. Eu não tive a sorte de ter pais carinhosos – disse Kath, tristemente.

Anny calou-se ao ouvir aquela última frase. Entretanto, gritos vindos de dentro do prédio interromperam seus pensamentos. Logo, os gritos atingiram o gramado.

Uma mulher vinha gritando e correndo de forma descontrolada. Estava completamente nua. Anny assustou-se e Kath segurou sua mão dizendo:

– Não se assuste. Aliás, é bom se acostumar.

Logo várias pessoas de branco estavam ao redor da mulher. Ela foi contida e amarrada, e deram-lhe injeções, ao mesmo tempo em que a carregavam de volta para o interior do prédio.

– Por que ela fez aquilo? – perguntou Anny, ainda assustada, após a mulher ter sido levada para dentro do prédio, e os internos terem voltado aos seus afazeres, como se nada tivesse acontecido ali.

– Não sei. Somos muitos aqui, particularmente não conheço aquela mulher. Mas posso dizer que foi uma tentativa de chamar atenção ou de extravasar sua raiva. Como eu disse, os loucos não somos nós.

Anny ficou olhando tudo ao seu redor. Havia pessoas de todos os tipos naquele lugar: velhos, crianças, homens e mulheres. Alguns caminhavam e conversavam; muitos se sentavam em cantos isolados, não queriam conversar com ninguém; outros discutiam.

Logo, as pessoas de branco chegaram e mandaram os internos voltarem para seus quartos.

Anny já sabia o caminho do seu; despediu-se de Kath e começou a andar.

Quando chegou em seu corredor, a menina resolveu olhar os quartos ao lado, para saber quem eram os seus vizinhos naquele lugar.

Ela andou cuidadosamente pelo corredor, tentando olhar através dos vãos das portas.

De repente, uma mão agarrou seu braço e disse:

– Olá!

Anny virou-se e viu um homem muito grande e forte, também vestido com o uniforme cinza, que, mesmo sem alguns dentes, abria um largo sorriso malicioso em sua direção. Ela teve medo de responder.

– O que foi? O gato comeu sua língua? – indagou o grandalhão. – Não tenha medo. Você é uma menina tão bonita. Gosta de brinquedos? Aposto que sim. Venha comigo até meu quarto, que lhe mostrarei os meus.

Ele não tinha idade, nem aspecto de quem gostava das mesmas brincadeiras que Anny, e ela sentiu ainda mais medo. Ameaçou gritar, mas o homem tornou-se instantaneamente agressivo e disse:

– Se você chamar atenção, será pior, acredite.

Ele agarrou Anny e a empurrou pelo corredor do manicômio com tanta força que os frágeis braços da pequena chegaram a doer. Nada em sua vida havia sido mais assustador que aquele momento. Ela não sabia o que fazer. Não tinha como fugir, nem esquivar-se.

– Deixa-a em paz, Will! – uma voz gritou pelo corredor, chamando a atenção de Anny.

– Ah, você de novo! O dedo-duro! – exclamou o grandalhão, aparentemente chamado Will, que levava Anny pelo braço.

Ele soltou a menina e continuou a dizer em seus ouvidos:

– Isso não termina aqui. – seu sussurro e seu hálito frio fizeram Anny tremer de pavor.

Então Will desapareceu no corredor, deixando a pobre garota apavorada.

Anny quase caiu no chão, devido ao medo que passara.

Então, ela pôde ver quem a socorrera. Era um menino, mais ou menos da sua idade. Ele correu para apoiá-la e levou-a até o quarto.

Anny sentou-se na cama e pôde, então, olhar para o garoto com tranquilidade. Ele tinha a cabeça raspada e também vestia roupas cinza iguais às de Anny.

– Está mais calma? – ele indagou.

– Estou, obrigada, você me salvou.

– Não foi nada. Esse Will vive atormentando as meninas daqui. Na verdade, não passa de um covarde. Sempre que posso, tento ajudar. Se isso tornar a acontecer e eu não estiver por perto, você deve gritar muito alto, que as enfermeiras vêm correndo, então levam o Will para o andar de baixo e só Deus sabe o que fazem com ele. Dizem que ele está aqui por ter abusado de muitas mulheres.

– O que isso significa? – perguntou Anny.

– Não sei também – disse o menino.

Anny reparou que o garoto sentou-se na cama ao lado da sua. Estranhamente, ela estava vazia. Já não havia alguém debaixo das cobertas. O que teria acontecido àquela pessoa?

Anny perguntou, confusa, lembrando-se da figura imóvel que passara a noite ao seu lado:

– Você sabe quem dorme aqui?

– Sei, sim. Sou eu! – disse o menino – Meu nome é Raphael.

– Sou a Anny. Mas você estava tão estranho na noite passada, eu pensei que estivesse...

– Morto? – indagou o menino – Eu estava apenas fora de consciência.

– Por quê? – perguntou Anny, assustada.

– Eu tentei fugir e isso é contra as regras. Mas não foi a primeira vez, não se assuste. Faz um ano que estou aqui. Quando quebramos as regras, eles nos dão punições severas, espero que não aconteça com você.

– E como são essas punições?

– Banhos frios, choques, remédios que a fazem dormir por muito tempo. Ou também podem trancá-la num quarto escuro, sem água e comida por alguns dias. No meu caso, desta vez, foi a cadeira girante. Eles colocam você lá até que perca a consciência.

Anny estava, sem perceber, com a boca aberta, assustada com tudo o que ouvia.

– Mas não tenha medo, e, se precisar de mim, é só chamar. Agora vou sair daqui e ver o que tem de bom para fazer.

Dizendo isso, Raphael saiu do quarto, deixando Anny sozinha.

Ela ficou sentada na cama, olhando pela pequena janela do manicômio. Mais que nunca pensou nos pais. Em como precisava da proteção deles naquele instante. Pensou em tudo o que vivera até ali e sentiu-se infinitamente triste.

Anny se lembrou da história de Pepeu e do que ele dissera sobre ouvir o coração. Ela resolveu tentar.

Fechou os olhos e cruzou as mãozinhas, desligando-se do mundo ao seu redor, do mundo fora daquele pequeno quarto cinza.

Sentiu o Infinito envolvê-la, assim como Pepeu ensinara.

Ela fez uma prece sincera, pedindo forças ao Papai do Céu e, novamente, que os anjos a ajudassem. Quando terminou, continuou em silêncio, tentando ouvir o que seu coração lhe dizia:

– Seja forte, não perca as esperanças! – era tudo o que ela podia ouvir.

Então, uma onda de fé invadiu cada celulazinha do seu corpo, fazendo-a acreditar que voltaria a ver todos que amava e voltaria à Casa Grande, porque é para lá que seu coração a guiava. Com esses pensamentos, uma suave *brisa* envolveu todo seu corpo, afastando a frieza e a solidão daquele lugar: "Foi um anjo", ela pensou.

9

OS OLHOS MÁGICOS DE DESIRÉ

EMBORA A MÚSICA SOASSE NOSTÁLGICA PARA O RAPAZ, ELE ENCONTRAVA-SE FELIZ POR ESTAR ENTRE AQUELAS DUAS CRIANÇAS ESPECIAIS. ELAS DANÇAVAM PARECENDO ANJOS, ENQUANTO DESLIZAVAM EM MEIO ÀS FLORES. DESIRÉ TINHA GRAÇA E LEVEZA EM CADA UM DOS SEUS MOVIMENTOS, E ANNY DEFINITIVAMENTE TINHA NASCIDO PARA A ARTE. FOI ENTÃO QUE ANNY TEVE OUTRA IDEIA: "DESIRÉ, EU QUERO VER O MUNDO COMO VOCÊ O VÊ. QUERO ENXERGAR TUDO DA MESMA FORMA QUE VOCÊ... A FORMA VERDADEIRA!"

A sirene tocou de forma diferente aquela tarde. Anny saiu para verificar o que era e deparou-se novamente com o cenário cinza: todos os internos saíam de seus quartos e caminhavam em direção às escadas.

– O que está acontecendo? – Ela perguntou a uma senhora de uniforme também cinza.

– Hora do banho – respondeu a mulher.

Anny pensou que um bom banho seria uma ótima opção naquele momento e caminhou, animada, seguindo seus companheiros.

Eles desceram para o térreo, mas tomaram a direção contrária à do refeitório e entraram em um amplo corredor que Anny ainda não conhecia.

As pessoas de uniformes brancos encaminhavam as mulheres para uma porta e os homens para outra.

– Por aqui – disse uma moça de branco à Anny.

Ela atravessou a porta do banheiro das mulheres. O local estava cheio de senhoras, senhoritas, meninas até mais novas que Anny e uma infinidade de mulheres, todas sem brilho nos olhos; todas sem roupa alguma.

Anny despiu-se e pendurou o uniforme cinza em um canto do amplo banheiro, imitando as demais.

Ela sentiu frio e seu corpo estremeceu, mesmo dentre tantos outros corpos. Por ser pequena, conseguiu espremer-se entre as companheiras e ali permaneceu.

Logo ela percebeu que no banheiro não havia espaço suficiente para todas.

Mais mulheres entravam pela porta e se despiam. Até que um rapaz de branco disse:

– O banheiro feminino está lotado. As próximas devem se dirigir ao masculino.

Gritos de protesto foram ouvidos pelos corredores. Anny imaginou que eram as mulheres que não haviam conseguido entrar no banheiro feminino e teriam que tomar banho com os homens. Ela assustou-se só de pensar na ideia e ficou feliz por estar no banheiro certo.

– Não há banheiro suficiente para todas as mulheres? – ela perguntou à moça que estava ao seu lado.

– Não – a moça respondeu –, os dois banheiros são exatamente do mesmo tamanho. Porém, há um número muito maior de mulheres que de homens, então, as que chegam por último sempre têm que ir para o masculino.

Anny estava confusa com aquela informação. Queria fazer mais perguntas, mas foi interrompida.

Jatos de água começaram a cair através de canos pendurados pelo teto de todo o banheiro. A água era tão congelante que Anny mal podia suportar.

Umas gritavam, outras amaldiçoavam, por causa daquela água fria; mas a maioria apenas olhava para o chão, como se já estivesse acostumada àquela realidade. Elas baixavam as cabeças, contemplando os próprios pés e deixando que a frieza da água as invadisse.

Anny tremia dos pés à cabeça. A água estava tão gelada que era como se alguém a estivesse ferindo gravemente a cada jato que caía sobre seu corpo.

Lembrou-se da água fria que tantas vezes lhe congelara as mãozinhas ao ter que lavar louças no inverno na casa de Jane.

Ela quis gritar, quis chorar, quis sair correndo dali. Porém pensou nos castigos que Raphael lhe contara. Teve dúvidas se eles seriam piores do que aquele banho, mas acabou optando por não quebrar as regras. Ficou parada entre as companheiras, com o corpo encolhido e os olhos fechados. Lágrimas escorriam, fundindo-se aos jatos de água fria que banhavam todo o seu pequeno corpo.

Tentou imaginar-se em outro local. Em um balanço, a quilômetros dali, onde a mãe a empurrava, enquanto cantava uma canção: "Quando a neve cair, vou estar com você... E quando a neve se for, vou lembrar de você... Faça chuva ou sol, vou sorrir ao pensar... Que a levo em meu coração...".

Ela quase era capaz de ouvir o som da corrente do balanço a ranger de encontro ao vento...

Assim, a água fria continuou apenas caindo... E congelando-a...

De repente, os jatos pararam de descer do teto do banheiro e as mulheres compassadamente dirigiram-se para armários que ficavam nas laterais.

Não havia toalhas suficientes para todas, todavia, conforme as primeiras se enxugavam, elas disponibilizavam as toalhas para as próximas.

Anny conseguiu enxugar-se em uma que já estava quase tão molhada quanto o seu corpo; depois, foi buscar o uniforme cinza e correu para o quarto.

Ela não olhou para os lados, não fraquejou em um só passo. Tudo de que precisava era esconder-se debaixo das cobertas.

Raphael voltou ao quarto no fim da tarde e encontrou Anny deitada embaixo dos cobertores, distraída com os próprios pensamentos:

– Você vai ficar aí o dia todo? – indagou o garoto.

– Estou com medo de sair daqui – falou Anny.

– Ah, não tenha medo. Venha, vou lhe mostrar algumas coisas interessantes.

Anny hesitou por um momento.

– Venha. Comigo você estará segura. – falou Raphael – Eu conheço tudo deste lugar.

A menina, então, pulou da cama, pegou na mão do novo amigo e ambos saíram do pequeno quarto.

Caminharam por diversos corredores do prédio. Raphael foi relatando o que sabia sobre as pessoas que encontravam pelo caminho. Aparentemente, ele era muito popular por ali:

– Aquele é o Otto, dizem que ele fala sozinho o dia todo.

– Aquele outro ali é o Percy, ele fica sempre se escondendo, porque diz que tem gente à sua procura. Não desce nem na hora das refeições.

– Ah, aquela é a Margot, dizem que enlouqueceu depois que o filho morreu na Guerra.

– Ali é a farmácia... Ali, os ambulatórios... Sala de visitas... Sala de torturas... Sala de terapia... Sala da diretora...

Anny observava tudo, sem nada dizer. Estava atordoada com tantas informações e tantos corredores que havia naquele local. Às vezes, eles passavam por algumas portas e ouviam murmúrios, frases sem sentido, ou até mesmo gritos cortantes. Depararam-se poucas vezes com pessoas de uniformes brancos, mas estas estavam sempre correndo de um lado para outro e pareciam nem notar as duas crianças. Porém, as pessoas com os uniformes cinza, iguais aos de Anny e Raphael, estavam por toda parte: dentro dos quartos com portas entreabertas ou mesmo nas janelinhas atrás das portas cerradas, andando ou vagando pelos corredores, sentados nas escadas, dentro dos ambulatórios.

Anny não conseguia compreender o que seu coração dizia vendo aquelas cenas. Certamente, ele clamava por ajuda.

Quando terminaram de explorar o local, os novos amigos foram para o gramado e sentaram-se à sombra de uma árvore.

Raphael tirou do bolso algumas torradas e estendeu-as à Anny:

– São para você. Eu as peguei na cozinha hoje cedo. Eles guardam as torradas para os visitantes, nós nunca podemos comê-las.

– Mas então como você conseguiu pegá-las? – perguntou a menina.

– Eu já tenho todas as manhas deste lugar – disse Raphael, gabando-se.

Anny não podia recusar. A comida do manicômio era horrível. Ela lembrou-se de quando pegava os biscoitos de Jane. Sentiu falta da casa onde vivia, da qual podia ver todos os dias a Casa Grande, cultivar o jardim – seu cantinho preferido no mundo – e receber visitas dos amigos.

– Por que você está aqui? – Anny perguntou a Raphael, enquanto comia as torradas.

– Eu andei fazendo umas coisas não muito legais... – disse o garoto.

– Que tipo de coisas?

– Roubando – falou ele –, mas acredite, era apenas para comer, quando eu estava com muita fome.

– Mas seus pais não lhe davam comida? – indagou Anny, servindo-se de outra torrada.

– Eu não tenho mais família. Desde que a Guerra acabou, sou das ruas. Havia um policial que sempre estava atrás de mim. Ele andou me dando umas surras, até que, um dia, quando me pegou roubando outra vez, perdeu a paciência e me trouxe para cá.

– Mas você não fazia por mal – disse Anny –, digo, você só roubava porque tinha fome. Nenhuma criança deveria passar fome.

– Eu também acho – falou Raphael. – E nenhuma criança deveria vir para um lugar como este.

– Reparei que há muitas crianças aqui.

– Sim, principalmente após a Segunda Guerra.

Ao ouvir a última frase, Anny lembrou que Kath dissera a mesma coisa mais cedo. Ela quis saber o motivo de tantas crianças terem sido enviadas para locais como aquele após o grande conflito. Raphael, que era muito esperto, contou o que sabia:

– Dizem que não é só aqui, mas em toda a Europa. Após a Guerra, muitas famílias foram separadas, ou mesmo destruídas, então milhares de crianças se tornaram órfãs e desabrigadas. Assim como eu, muitas não tiveram escolhas. Ouvi falar que, como medida de solução, essas crianças foram enviadas para abrigos, manicômios e até para lares de camponeses que vivem em regiões distantes do país. Mas não tenho certeza de que isso seja verdade. São os boatos do pós-guerra.

Anny estava, mais uma vez, assustada com as informações. Ela era muito pequena quando a Guerra ocorreu e não se lembrava de muitos detalhes. Sabia apenas que houve tristeza e medo naquela época. Mas os pais sempre se recusaram a dar detalhes do conflito a ela. Porém, não importava qual fosse o motivo, Anny continuava a pensar que ali não era local para crianças...

Raphael concordava:

– Por isso, quando eu conseguir fugir, vou levar as outras crianças comigo. Você também vem, não é mesmo? – perguntou o garoto.

– Obrigada pelo convite. Mas vou esperar até que venham me buscar.

– Acredita mesmo que irão tirá-la daqui? Uma vez que a jogam aqui dentro, esquecem que você existe. É assim com todos.

– Eles virão me buscar. Eu sei que virão – disse Anny, com os olhos marejados.

Dia dois

Anny estava novamente sentada no gramado.

Era apenas seu segundo dia naquele local, embora sentisse como se estivesse ali há décadas.

Ela pensou que ali todos os dias eram iguais. As pessoas permaneciam em uma rotina cinza e sem vida. A única distração que tinham era contar os dias, que iam se arrastando lentamente...

Anny, no gramado, percebeu como nunca apreciara tanto o calor do sol quanto agora. O banho extremamente frio do dia anterior ainda atormentava sua mente. Não sabia quanto tempo mais teria que ficar no manicômio, mas teria que arrumar um jeito de não participar mais daqueles banhos.

Ela lembrou-se do que Raphael lhe dissera: "Eu já tenho todas as manhas deste lugar". Resolveu pedir ajuda ao novo amigo.

Raphael estava a um canto, conversando com outras crianças, quando Anny aproximou-se e o chamou:

– Preciso de sua ajuda.

– Pode falar – ele atendeu, prontamente, indo a um canto isolado com a menina.

– Não vou suportar outro banho daqueles. A água gelada é capaz de me matar – disse Anny.

– Eu sei como é. Com o tempo você acaba se acostumando. Mas vou dar um jeito de livrá-la do banho de hoje.

– Eu não posso simplesmente ficar no quarto? – perguntou a menina.

– Não. O pessoal de branco passa verificando se todo mundo foi para o banheiro. Não tomar banho é quebrar as regras. Eles fazem de propósito, como se quisessem nos castigar; sabem que aquela água é uma forma de tortura diária.

– Então, o que faremos? – indagou Anny.

– Eu vou buscá-la, assim que a sirene tocar.

Ao mesmo tempo que Anny estava aliviada por não ter que enfrentar aquela água torturante novamente, ela sentia-se apreensiva por estar quebrando as regras.

"O Raphael conhece tudo por aqui, ele certamente sabe o que está fazendo", pensou.

Entretanto, ela lembrou-se do dia anterior, quando chegou ao manicômio e encontrou o menino fora de consciência por ter sido castigado. Era inevitável pensar que até mesmo Raphael, que parecia tão confiante e ousado, pudesse ser pego quebrando as regras.

Anny afastou tais pensamentos: "Tudo dará certo", disse para si mesma.

Estava quase na hora de a sirene tocar, chamando os internos para o banho, quando Raphael apareceu no quarto:

– Você está pronta? – ele perguntou para Anny.

Ela apenas assentiu com a cabeça. Então, Raphael disse:

– Está quase na hora: três, dois, um... – E a sirene tocou.

Anny acompanhou o amigo para fora do quarto e, logo, eles se misturaram à multidão que marchava em direção ao banho. O mesmo espetáculo cinza (fundindo as vidas às paredes do próprio prédio) se formava diante dos garotos. Eles foram se esgueirando entre os internos e cruzaram vários corredores, até que entraram em uma ampla sala branca, aparentemente mais confortável que as demais. Ela tinha algumas camas, uma mesa com uma televisão velha e alguns livros. Não havia ninguém no local. O barulho da agitação nos banheiros estava longe.

– Estamos na sala de descanso das pessoas vestidas de branco – disse Raphael.

Anny arregalou os olhos:

– Mas é muito perigoso.

– Aqui é o único lugar que eles não fiscalizam na hora do banho. E todos estão ocupados, então a sala fica vazia. Eu venho para cá sempre que não estou a fim de enfrentar a água. Quer assistir a um pouco de televisão? – perguntou Raphael.

– Você é maluco. Claro que não.

Antes que ele pudesse argumentar, passos apressados avançaram pelo corredor.

– Rápido, se esconda – disse Raphael.

Ele entrou embaixo de uma das camas, e Anny, de outra. Ela sentia-se tão nervosa que teve medo de ser denunciada por sua respiração ofegante, que estava fora de controle.

Alguém de branco entrou na sala. Pegou algo em uma estante e tornou a sair.

Raphael esperou até que o som dos passos se distanciasse pelo corredor e saiu de seu esconderijo.

– Eu não vou sair daqui – disse Anny, embaixo da cama.

– Está bem – falou o menino –, mas você não devia ter tanto medo. A vida não tem graça se não corrermos alguns riscos.

– Eu não tenho medo de que algo me aconteça, tenho apenas medo de não poder voltar a ver o papai e a mamãe.

Apesar do susto, tudo saiu conforme Raphael previra.

Quando a gritaria nos banheiros foi se dispersando, eles saíram da sala onde haviam se escondido e cruzaram rapidamente os corredores, misturando-se aos internos que voltavam para seus quartos.

Anny nem podia acreditar que tudo dera certo. Raphael havia sumido na multidão. Então, respirando aliviada, ela continuou a caminhar em direção ao seu quarto.

Mas foi quando subiu o último degrau da escada, que uma mão a alcançou:

- Oi, belezinha, por que tanta pressa?

- Deixe-me em paz! - ela disse para Will.

- Não antes de você dar uma voltinha comigo. Não seja grosseira, todas as novatas vão conhecer o meu quarto.

Anny tentou desvencilhar-se, mas o homem a puxava e, com a outra mão, tampava-lhe a boca.

A menina não saberia dizer de onde surgira aquela ideia, mas, com toda força que tinha, mordeu a mão de Will. Ele soltou-a devido ao impulso causado pela dor, e Anny começou a gritar o mais alto que pôde, lembrando-se do conselho de Raphael no dia anterior.

Imediatamente, dois homens vestidos de branco apareceram no local:

- Aprontando de novo, Will? Teremos que informar o doutor que a cadeira giratória é pouco para você, precisaremos de uma punição mais severa.

Dizendo isso, um dos funcionários aplicou uma injeção em Will e o escoltou para o andar de baixo, antes que ele reagisse.

O outro homem de branco ficou a contemplar Anny por alguns segundos. Então, disse:

- Por que você não está molhada?

- O quê? - perguntou a menina, tremendo de medo.

- Você achou que poderia nos enganar, não é mesmo? Seu corpo e seu cabelo estão completamente secos! - ele começou a berrar - Você andou quebrando as regras!

O homem de branco puxou Anny pelo braço, mais forte do que Will havia feito, fazendo-a sentir uma dor aguda enquanto era levada pelos corredores até o andar de baixo.

Ela lembrou-se do caminho que havia feito no dia anterior com Raphael, quando ele mostrou-lhe o prédio todo. Assim, no momento em que o homem empurrou-a para dentro de uma sala, seu maior medo se concretizou: ela estava na sala de torturas.

Era um amplo salão, muito escuro, com outras portas que levavam a salas menores, para procedimentos individuais.

Anny teve tempo de ver alguém ser levado para dentro de uma das pequenas salas. Era Will. Ele estava deitado em uma maca, seu corpo coberto por um lençol e sua boca vendada.

Quando a porta se fechou, ela conseguiu ouvir a conversa de dois funcionários, que haviam entrado com Will na sala ao lado:

– O que faremos com a menina?

– Ela quis fugir do banho, então, acho que deveríamos castigá-la com água gelada.

– Não. É muito pouco. Afinal, ela é novata e tem que aprender a não desobedecer às regras.

– Então, o que você sugere?

Anny estremeceu ao ouvir aquelas palavras:

– Cadeira giratória.

Lembrou-se de Raphael. Ele ficara muitas horas desacordado após passar pela cadeira giratória.

– E se vierem me buscar e eu estiver sem consciência? Isso não pode acontecer! – O maior medo da menina, apesar do horror que estava prestes a lhe ocorrer, continuava a ser ficar longe dos pais e das pessoas que amava.

Ela continuou a pensar, trancada na sala de torturas:

– Nunca imaginei passar por uma situação dessas. Ajude-me, Papai do Céu, por favor, não me abandone. Envie anjos para me socorrer – ela pediu chorando, sozinha, esperando a hora de ser castigada.

■

Rosemary abriu a porta e encontrou Anny sentada no chão da sala de torturas, com o rosto escondido entre as mãos, soluçando.

Os funcionários que estavam na pequena sala ao lado, aparentemente ainda terminando de castigar Will, foram ver o que a diretora do manicômio queria:

– A menina vem comigo – ela disse.

– Mas ainda não lhe aplicamos o castigo – respondeu um moço de branco.

– Eu sei, mas, infelizmente, não será necessário.

Os homens de branco pareciam desapontados com a notícia:

– Ora, não fiquem tristes. Podem andar pelos corredores e pegar um idiota qualquer para trazer a esta sala. – falou Rosemary – E você, venha comigo.

Ela dirigira as últimas palavras a Anny, que a seguiu imediatamente.

– Vá até seu quarto, coloque a roupa que trouxe, depois me encontre na entrada do prédio.

Anny fez o que a diretora mandou e, alguns minutos depois, estava no local indicado.

Assim que ela chegou à portaria, por onde havia entrado no manicômio dois dias antes, seu coração pulou de felicidade:

– Nicole! Frank! – ela correu e abraçou os amigos, chorando copiosamente – Eu sabia que vocês viriam, eu sabia!

– Não podíamos deixar você aqui, minha querida – disse Nicole, pegando-a no colo e também chorando ao abraçar a menina.

– Você acha que este velho iria aguentar ficar longe de você? – perguntou Frank, sorrindo.

Eles lançaram um último olhar a Rosemary, que parecia furiosa. Anny pensou que ela não iria gostar de ver Jane tão cedo.

Sem dizer mais uma palavra, Frank, Nicole e a menina saíram do local.

Quando atravessou o gramado, Anny lançou um último olhar ao enorme prédio cheio de janelinhas. Novamente, muitos pares de olhos a encaravam, conforme ela se distanciava junto de Frank e Nicole.

Ela conseguiu diferenciar Raphael na janela do quarto onde passara as últimas duas noites.

O amigo acenou para ela, e ela acenou de volta. Porém, à medida que os passos se apressavam, Anny não conseguiu mais distinguir

Raphael com clareza. Ele era apenas parte do cenário distante. Parte do *cinza*.

Os três cruzaram os portões do manicômio e entraram no Topolino preto que pertencia a Hermes.

■

Algumas horas mais cedo

Pepeu estava parado em meio ao jardim. Ele não se conformava em ter chegado tarde demais. Ouvira o plano de Jane, de levar Anny para algum lugar, porém não conseguira chegar a tempo de impedir que isso de fato ocorresse.

Ele olhou para o jardim de que Anny cuidava com tanto carinho e seu coração se fez em pedaços ao saber que, em algum lugar, ela poderia estar precisando de sua ajuda. Sua pequena, sua rainha, sua irmã do coração...

De repente, Pepeu ouviu a voz de Hermes na sala e aproximou-se da janela dos fundos para ouvir a conversa:

– Pela última vez, onde ela está? – Hermes berrava.

– Eu já disse! – gritou Jane – Os pais vieram buscá-la ontem, enquanto você trabalhava!

– Eu não acredito em você! – berrava Hermes, cada vez mais furioso.

"Jane está mentindo", pensava Pepeu, "E isso prova que a Anny realmente corre perigo."

O rapaz foi até a janela do quarto da garota. Olhou com ternura para a manta vermelha, que era pequena e fina demais para esquentar Anny no inverno. Então, olhou para Tiara e para os livrinhos sobre a cama, tudo estava do jeito que ela costumava deixar. De repente, teve uma ideia:

– Tiara! – Ele exclamou para si mesmo. – É isso!

Pepeu conseguiu alcançar a ovelhinha de pelúcia. Silenciosamente, entrou na casa e foi até o pequeno corredor que ficava entre a sala e a cozinha. Depois retornou aos jardins e rezou para que seu plano desse certo.

Houve uma batida à porta.

– Nicole, querida, o que você faz aqui? – perguntou Jane, ao abrir a porta para a sobrinha.

– Vim visitar a Anny – disse a moça.

– Que pena, ela foi embora – disse Jane.

– Como assim, foi embora?

– Ela diz que os pais da garota vieram buscá-la – bradou Hermes, entrando na conversa –, mas está mentindo. Ela fez alguma coisa à Anny.

– Titia, diga onde ela está imediatamente! – ordenou Nicole.

– Como vou saber para onde os pais a levaram? – perguntou a mulher, sorrindo.

Hermes avançou até ela e agarrou-lhe o pescoço:

– Se algo acontecer à Anny, eu juro que arrebento você!

– Não acha que está tarde para desenvolver seus dons paternais? – Jane riu.

Hermes ameaçou dar-lhe uma surra, mas não o fez. Lembrou-se de quando Anny pedira para que não houvesse mais violência naquela casa. A pobre menina lhe ensinara tanto. Por ela, Hermes se conteve e não esmurrou Jane naquele instante.

Nicole, então, gritou por Anny e avançou até seu pequeno quarto. Enquanto caminhava pelo estreito corredor, ela pisou em algo:

– Tiara!

A moça abaixou-se e pegou a ovelhinha no chão, que havia sido deixada ali propositalmente por Pepeu:

– A Anny jamais iria embora sem a Tiara.

Ela voltou correndo à sala e disse:

– Tio Hermes, a Anny não foi embora com os pais, temos que descobrir imediatamente onde ela está.

Do jardim, Pepeu orgulhou-se: seu plano havia funcionado.

Hermes avançou até Jane, que aparentemente se divertia com a cena, puxou-a pelos cabelos e, com a face muito próxima à dela, gritou, desta vez parecendo fora de si:

– O QUE VOCÊ FEZ COM ELA?!

– Eu? Não fiz nada, que besteira... – Jane começou a dizer.

Então, sem paciência e sem nem ao menos raciocinar, ele jogou Jane no chão. Correu até seu quarto e voltou furioso com a cinta nas mãos. Ergueu-a no ar e, antes de atingir a mulher, gritou uma última vez:

– ONDE ESTÁ A MENINA?!

Jane ria, jogada ao chão. Nicole desesperava-se, sem saber o que fazer.

Então, Hermes deu a primeira cintada, com força, com ódio. Em seguida foi interrompido por uma nova batida à porta.

Nicole correu para ver quem era.

Assim que ela atendeu, um velho e miúdo homem entrou na casa sem cerimônia. Hermes, assustado, indagou:

– Frank, o que faz aqui?

– Anny! Ela corre perigo! – Disse o velho médico, não reparando em Jane jogada ao chão, nem na cinta na mão de Hermes. Ele tremia ao dar a notícia; só conseguia pensar na menina.

– Como sabe? – questionou Hermes.

– Bety Lou me disse. Eu vim o mais rápido que pude.

Hermes sentiu-se incomodado ao ouvir o nome de Bety Lou, então Nicole perguntou:

– E você sabe onde ela está?

– Em algum lugar ao norte. Onde há muitas janelas e onde tudo é cinza, muito cinza.

– Espere um momento, eu vi uma reportagem sobre isso uma vez. Existe um manicômio assim... – disse Hermes. Então, pensativo, ele continuou: – e, se não me engano, uma velha amiga da Jane é a diretora do local.

– E ele fica ao norte? – perguntou Frank.

– Sim, na estrada, rumo ao norte do país. – respondeu Hermes – Não podemos perder tempo. Vocês dois peguem meu carro e vão. Eu ficarei aqui e acertarei as contas com Jane.

Nicole e Frank pegaram o carro e saíram rapidamente rumo ao norte.

Hermes, por sua vez, ficou a contemplar a esposa. Ela mantinha expressões vazias e fitava o chão da sala sem nada dizer.

O homem teve um impulso de castigá-la com a cinta até feri-la, como ela havia feito com Anny. Ainda mais agora que sabia para onde ela havia levado a menina. Porém, lembrou-se dos olhos encantadores da pequena.

Eram olhos tão expressivos, cheios de vida. Olhos que sabiam sorrir.

A doçura de Anny fizera com que ele não agredisse a esposa na vez em que ela a castigara ferozmente com a cinta.

Ele continuou a contemplar Jane. E ela, a contemplar o vazio.

Hermes teve pena da esposa. Podia até ouvir as palavras que Anny diria se estivesse ali: era Jane quem precisava de ajuda. Então, ele respirou profundamente e foi para o quarto guardar a cinta.

Jane permaneceu imóvel no chão da sala por muito tempo.

No carro, Nicole e Frank se preocupavam com a situação da menina:

– O que diremos para que libertem a Anny? – questionou a moça.

– Esse tipo de gente só pensa em dinheiro. Podemos dizer que ninguém pagará pela estadia da garota. Eles irão libertá-la prontamente – respondeu Frank, sorrindo – Claro que a tal diretora, amiga de Jane, não ficará feliz, mas isso já não será problema nosso.

Anny fora salva pela união do amor que todos mantinham por ela. Primeiramente, Pepeu, então, Bety Lou. Eles haviam direcionado Frank, Nicole e Hermes a encontrá-la. O amor que ela despertara em cada um deles era, agora, fonte de sua vida, renovada após a saída do manicômio.

■

Alguns dias haviam se passado desde que Anny voltara do manicômio. Havia sido a pior experiência de sua vida, mas ela não podia deixar de ficar triste pelos que continuavam lá.

Ela ganhara sua liberdade de volta, mas tantas pessoas continuavam naquele lugar, sem esperanças de sair, tendo que comer aquela comida horrível, tomar banhos torturantes, aguentar castigos mesmo se não fizessem nada de errado e dormir com uma sinfonia enlouquecedora de gritos no meio da madrugada.

– Obrigada, Papai do Céu, por eu estar de volta – ela dizia todos os dias, enquanto cuidava das plantas e olhava para a Casa Grande. Os dois dias que passara naquele local pareciam ter sido uma eternidade, mas tudo estava exatamente como ela havia deixado. Tudo o que era importante havia esperado por ela.

Até mesmo as duas flores especiais, da oitava cor do arco-íris, estiveram esperando seu retorno. Inclusive a nova planta, que havia sido presenteada por um anjo. Agora que Anny voltara, a flor estava mais viva e linda do que nunca. No primeiro instante, havia sido ainda mais encantador contemplá-la, afinal, nos dois dias anteriores, tudo o que a menina visualizara era cinza. Ver a oitava cor do arco-íris novamente era um bálsamo e também uma prova da existência de anjos... Ela sabia que fora salva por eles.

Além de cuidar dos jardins, Anny havia retomado sua vida aos poucos. Dia após dia, tentando espantar as terríveis lembranças. Ela ouvia rádio com o senhor Hermes no sofá quando ele chegava do trabalho, cuidava da casa alguns dias na semana, tinha lições com Nicole, brincava com Tiara, lia e fazia tricô.

Hermes e Jane não trocavam uma palavra sequer, nem ao menos um olhar. O homem continuava a dormir na sala e a fingir que a esposa não existia. Tudo com o que ele se importava era Anny. Eles eram ótimos amigos e, quando Hermes não estava trabalhando, passavam agradáveis momentos juntos, embora ele ainda gostasse de ficar sozinho todas as noites assistindo ao noticiário. A menina se perguntava se ele estaria de fato prestando atenção nas notícias ou se pensava em Josephine e na vida que desejava ter tido...

Certa tarde, Anny estava sentada em meio aos canteiros, junto de Tiara, quando foi surpreendida por alguém que a observava.

Havia um menino sentado no muro que separava a casa de Jane da casa ao lado.

Ele tinha os cabelos loiros e a pele bem branca. Sorria para Anny:

– Olá – ele disse.

– Olá. Quem é você?

– Sou o George. E você?

– Anny.

– Você mora nesta casa? – perguntou o menino.

– Moro.

– Então, seremos vizinhos! Meus pais acabam de comprar a casa ao lado!

Anny animou-se com a ideia de ter um vizinho da sua idade.

– Você quer conhecer a minha irmã? – George perguntou.

– Adoraria – disse Anny, alegremente.

– Então, espere um pouco, ela precisa de ajuda para subir no muro. Depois você vai entender o porquê.

Anny ficou esperando ansiosamente e, pouco tempo depois, George tornou a surgir no muro, ajudando sua irmã a se equilibrar.

Ela era uma menina de pele branca, cabelos dourados e lisos, presos em um rabo de cavalo. Usava um bonito conjunto lilás e tinha um sorriso nos lábios. Porém, o que chamava atenção eram seus olhos, eles estavam o tempo todo fechados.

– Ela não enxerga – explicou George à Anny –, nasceu assim. Papai e mamãe dizem que é especial e por isso precisamos cuidar dela com muito carinho.

Anny sorriu:

– Qual é o seu nome?

– Desiré – respondeu a menina.

– Que nome lindo! O meu é Anny.

– Muito prazer, Anny. Você pode subir até aqui para que eu possa vê-la? – perguntou Desiré.

Anny ficou confusa:

– Mas o George disse que você é especial e não consegue enxergar...

– Não consigo enxergar com os olhos, como vocês, mas vejo tudo com as mãos. Venha até aqui.

Anny lembrou-se de quando pulara o muro para ir até a Casa Grande. Então, buscou uma cadeira e conseguiu aproximar-se de Desiré, que levou lentamente as duas mãozinhas até a sua face. Tocou-lhe suavemente as bochechas, o nariz, os lábios... Era uma sensação diferente, mas tudo o que Anny podia sentir era ternura.

– Você é linda – disse Desiré, quando terminou de conhecer Anny.

– Você que é. É a menina mais bonita que eu já vi.

George foi brincar, deixando-as a sós.

– Como é? – perguntou Anny – Como é ver o mundo com a palma das mãos?

– É sentir tudo de perto – explicou Desiré –, é conhecer os detalhes em tudo que está ao seu redor. As pessoas, as flores, os animais, os móveis da minha casa; eu conheço tudo só com o toque das mãos.

– Puxa! – Exclamou Anny – Deve ser legal. Mas você não sente falta de enxergar com os olhos?

– Como se pode sentir falta de algo que nunca se teve? Eu nunca enxerguei com os olhos, desde que nasci aprendi a ver o mundo com as mãos. E também os perfumes, os sons, tudo isso é como uma janela para mim, através da qual posso enxergar tudo ao meu redor.

– Você é realmente muito especial – disse Anny –, eu gosto de você.

Desiré sorriu:

– Eu digo o mesmo. Você é uma pessoa boa, muito boa, eu pude sentir quando se aproximou.

Anny também sorriu, porém quis continuar a fazer perguntas à nova amiga:

– Como foi que você aprendeu a transportar os olhos até a palma das mãos?

– Bem, não é um processo fácil. Precisa de muito treino. Eu passei os últimos doze anos aprendendo – explicou Desiré.

– E quantos anos você tem? – questionou Anny.

– Doze.

Anny riu e Desiré continuou a falar:

– Eu passei por momentos difíceis. Nunca pude ir a uma escola como as outras crianças. Às vezes, quando eu saio na rua, escuto as pessoas debochando de mim, e o papai sempre reclama que as construções não são adequadas para as pessoas que têm necessidades especiais. Porém, eu aprendi a conviver com tudo isso. Aprendi também a saber em quais pessoas posso confiar. Não pense que sou maluca, apenas pude desenvolver meus outros sentidos. Mas nada disso é fácil, sempre tive muita ajuda. Quando eu era bem pequena, meus pais contrataram uma orientadora para mim, a Marisol. Ela é um tipo de professora especial, até dormia em nossa casa, não me abandonava um minuto sequer. Ela me ensinou a reconhecer as coisas pelos odores: as pessoas, as flores, as comidas; também me ensinou a ler e escrever em uma linguagem especial usando a palma das mãos; ensinou-me a andar por entre os móveis sem esbarrar em nada; ensinou-me até a dançar. Ah, e o mais importante, ela me deu a Nina.

– Quem é Nina?

– A Nina é minha cachorrinha. Sabe, ela tem uma história triste. – disse Desiré – A Marisol me contou que na época da Guerra muitos animais eram abandonados e maltratados pelas ruas. Um dia, ela estava caminhando quando encontrou a Nina quase morrendo em uma esquina. Ela estava com muita fome e também doente. Marisol a recolheu e cuidou dela, que logo ficou boa e mostrou-se muito esperta e carinhosa. Minha orientadora sempre havia trabalhado com pessoas especiais, que não enxergam com os olhos, e havia estudado sobre treinamento de cães para ajudar essas pessoas, embora isso seja ainda muito raro e, segundo ela me contou, tenha se iniciado na época da Primeira Guerra. Então, por um ano ela treinou a Nina e depois me presenteou. Foi o melhor presente que já ganhei em minha vida! Hoje, não preciso mais do acompanhamento de Marisol, mas ela vem nos visitar sempre que pode. E, além de ver tudo através das mãos e dos odores, também vejo o mundo através dos olhos da Nina, ela é minha fiel companheira.

Anny estava adorando a história de Desiré:

– Eu gostaria de ter um cãozinho também – falou.

– Eles são ótimos companheiros. E são muito engraçados. Um cachorro é como uma criança, precisa dos mesmos cuidados, a mamãe diz, eles são crianças que não crescem nunca! Você pode brincar com a Nina quando quiser. – disse Desiré – Sente-se no muro, você conseguirá vê-la.

Anny subiu completamente no muro, no local onde antes George estivera, e conseguiu visualizar o quintal da casa de Desiré. Bem abaixo das duas meninas, havia uma linda cachorrinha branca e marrom, com expressivos olhos cor de amêndoa. Ela era pequena, tinha pelos longos, inclusive na face, e seu rabo era bem comprido. Anny riu ao vê-la:

– Ela é uma beleza!

– É mesmo – concordou Desiré –, ela é o meu tesouro!

– Você diz isso porque a viu com a palma das mãos? – indagou Anny.

– Sim – disse Desiré –, mas também porque a vi com os olhos mesmo.

– Como?

– Eu já sonhei com a Nina. Sonhei que nós duas corríamos em um lindo campo de flores. O céu estava bem azul e o sol reinava forte acima de nós.

Anny pensou por um momento, então disse:

– Quer dizer que, em sonho, você vê tudo com os olhos?

– Sim! Os sonhos são um reflexo da realidade para mim, um grito de liberdade!

Nesse momento, as meninas foram interrompidas por George, que viera buscar a irmã a pedido dos pais:

– Até amanhã, Anny – disse a garota –, adorei ter você como vizinha.

– Também adorei – ela respondeu, despedindo-se dos novos amigos.

George pegou nas mãos de Desiré e eles foram para dentro de casa, com Nina seguindo-os.

Nos próximos dias, as duas meninas tornaram-se cada vez mais amigas. Anny contara sua história, ficando feliz em compartilhar as saudades que tinha dos pais. Juntas, elas riram, conversaram, trocaram experiências. Desiré havia feito muitas viagens com a família e, mesmo não enxergando, conhecia o mundo mais que Anny. Esta adorava ouvir sobre os diferentes lugares em que a amiga estivera. Ela descrevia os sons do mar, dos ventos; os cheiros de cada lugar que conhecera, das comidas; as músicas diferentes que eram ouvidas em cada cantinho do mundo.

Desiré amava o mar. Ela descrevia suas ondas, seu cheiro, seus sons para Anny, fazendo com que a menina sentisse ainda mais vontade de conhecer a imensidão azul.

– Uma das coisas que eu mais gosto de fazer na vida – dizia Desiré – é sentar em frente ao mar e ouvir meu pai contar histórias.

Todos os dias, enquanto Anny regava as flores e cuidava do jardim, Desiré, com a ajuda de George, subia no muro e ficava falando com a amiga. Às vezes, o garoto também ia conversar com elas, mas ele gostava mais de brincadeiras de menino.

Certa vez, George juntou-se a elas e disse que estava brincando de caçar tesouros:

– Quais tesouros? – Anny questionou.

– Ouro e joias – respondeu George.

– Pare com essas bobagens – falou Desiré.

– Não são bobagens – retrucou o garoto –, quando eu crescer, quero ser muito rico.

– Mas vocês vivem com seus pais e, pelo que Desiré me contou, eles são maravilhosos. Eu trocaria tudo para ter minha família reunida. Não queria ouro algum, apenas papai e mamãe comigo.

Mas sempre que Anny dizia essas coisas, George afastava-se, dizendo que meninas eram muito chatas.

– Não ligue para ele – recomendava Desiré.

Outro dia, as meninas estavam conversando distraidamente, quando Desiré parou e disse:

– Quem está aí?

Sem que Anny notasse, elas realmente tinham companhia:

– Pepeu! – gritou Anny, indo abraçar o rapaz – Que bom que está aqui. Eu gostaria que você conhecesse minha nova amiga. É a Desiré. Ela é muito especial. Venha, aproxime-se do muro, para que ela possa conhecê-lo.

O rapaz aproximou-se de Desiré e ela esticou as mãos para tocar-lhe a face. A menina ficou alguns minutos analisando cada traço de Pepeu, então sorriu:

– Você é lindo!

Pepeu deu um beijo na face da menina, que continuou a dizer:

– E você é uma boa pessoa, tem um bom coração. Mas ele está cheio de mágoas...

Pepeu olhou para Desiré com ternura e disse:

– Você está certa.

– Seus olhos são mágicos, Desiré... – falou Anny, feliz entre os amigos.

Eles conversavam animadamente. O rapaz contava histórias divertidas, quando Anny teve uma ideia:

– Pepeu, a Desiré me contou que adora dançar, assim como eu. Você poderia cantar para que nós duas dançássemos?

– Claro – concordou Pepeu.

Ele ajudou Desiré a descer do muro e ir até o quintal onde estavam, em meio aos canteiros de Anny.

Jane e Hermes haviam ido trabalhar, então não havia problemas.

Pepeu cantou uma canção que veio do fundo do seu coração. Uma das muitas canções que fizera junto aos Anjos da Arte, quando percorriam a América. Embora a música soasse nostálgica para o rapaz, ele encontrava-se feliz por estar entre aquelas duas crianças especiais. Elas dançavam parecendo anjos, enquanto deslizavam em meio às flores. Desiré tinha graça e leveza em cada um dos seus movimentos, e Anny definitivamente havia nascido para a arte.

Foi então que ela teve outra ideia:

– Desiré, eu quero ver o mundo como você o vê. Quero enxergar tudo da mesma forma que você... A forma verdadeira! Espere um minuto, eu já volto.

Anny entrou na casa e, alguns minutos depois, voltou para o jardim com um pano nas mãos.

– Amarre em meus olhos, Pepeu, para que eu não possa enxergar.

O rapaz pegou o pano e vendou os olhos de Anny. Ela demorou alguns instantes para adaptar-se à ausência da visão. Então, Desiré pegou em sua mão e elas caminharam juntas. Anny quis conhecer Pepeu e Desiré com o toque das mãos:

– Parece que vocês são ainda mais bonitos – ela disse ao tocar na face dos amigos e sentir as energias que emanavam deles.

Depois, aproximou-se cuidadosamente de suas flores. Reconheceu cada uma delas pelo perfume e pela delicadeza das pétalas. Quando se aproximou da flor que ganhara de Angel, que era da oitava cor do arco-íris, disse:

– Aposto que você também vê essa cor, Desiré, quando está sonhando.

A amiga se aproximou, guiada pela voz doce de Anny, e tocou as delicadas pétalas:

– Ela é uma flor diferente. Nunca vi nenhuma parecida!

– Ela é como você: diferente das outras... Especial – completou Anny.

Então, Pepeu cantou. As duas dançaram e, mesmo sem enxergar com os olhos, Anny sentia que aquele era um dos momentos mais fantásticos que estava vivendo. Ela se sentia bem na presença dos amigos, sentia que, mesmo com os olhos vendados, assim como Desiré, podia reconhecer o mundo ao seu redor e saber que tudo estava sorrindo para ela. Queria que os pais estivessem ali, para vê-la naquele momento de redescobrimento. Embora tudo estivesse escuro, devido à venda nos olhos, Anny sabia que estava rodeada por cores; coisa que muita gente, mesmo sem venda alguma, e com a visão perfeita, não consegue enxergar.

Naquela noite, Anny adormeceu feliz. Era a primeira noite completamente tranquila que tinha desde que voltara do manicômio. A chegada de Desiré havia trazido muita alegria e paz à sua vida.

Ela rapidamente pegou no sono e viu-se no Reino Xadrez.

A rainha Anny caminhou alegremente por entre seus súditos de cristal e passeou pelos amplos gramados quadriculados. Porém, algo estava diferente no reino aquele dia. Apesar de estar feliz, algo ameaçava roubar-lhe a paz, mas ela não sabia o que era.

A pequena rainha lembrou-se do que o sábio Bispo lhe dissera uma vez: "Você deixou-se levar pela notícia que recebeu e pensou em coisas ruins, então seus pensamentos se tornaram aquilo que você sentiu e foram transformados em realidade, fazendo com que o seu mundo, o seu reino, se tornasse um caos".

Ela não queria transformar seu lindo reino em um mundo desordenado, como da outra vez. Sua vida ia bem, ela não sabia o que a atormentava, mas, mesmo sem saber, resolveu expulsar tais sentimentos e trazer o brilho de volta ao reino.

A rainha também lembrou que o Bispo lhe dissera que todos os seus desejos poderiam se tornar realidade naquele local. Afinal, tudo ali era ela. Então, pensou em como Desiré se libertava nos sonhos e teve vontade de fazer o mesmo.

Anny começou a correr por entre o gramado preto e branco e a sentir o vento bagunçar seus cabelos. Ela fechou os olhos e continuou a correr. Uma forte onda de segurança a invadiu, como se ela fosse capaz de tudo. Então, sentiu seus pés deixarem o chão e seu corpo flutuar alguns centímetros. Era a maravilhosa e desafiadora sensação da liberdade que a dominava. Ela estava voando!

A menina abriu os olhos e viu que voava cada vez mais alto. Os súditos aplaudiam-na por todo o reino e saudavam-na com alegria. Ao longe, um pontinho azul-celeste se movimentava com graça – era a borboleta azul, que também voava livremente.

Entretanto, ela voltou a sentir medo e culpa por estar tão feliz, quando um sentimento, no fundo de seu coração, lhe dizia que algo de ruim estava acontecendo.

Toda sensação de liberdade a abandonou e ela despencou no gramado. Uma conhecida figura se aproximou e perguntou:

– Vossa Majestade se machucou? – era o Bispo.

– Não – respondeu Anny –, apenas estou com uma sensação estranha.

– Lembre-se, minha rainha: se quiser ajudar aqueles que ama, você tem que estar segura de si. Não perca a coragem jamais. Não volte a despencar em seus próprios sonhos, como agora.

Ao ouvir o Bispo, ela lembrou-se imediatamente das ruínas de outro sonho. Então, olhou para o enorme castelo, que simbolizava toda a sua força, e prometeu que, independente do que acontecesse, ela nunca mais deixaria que ele desmoronasse.

Contudo, apesar dos esforços da rainha, ela percebeu que acima da torre mais alta do castelo xadrez, nuvens escuras se formavam, anunciando uma tempestade. As peças de cristal e os animais corriam desesperadamente para todos os lados.

– O que está acontecendo? – Anny berrava, porém até o sábio Bispo havia sumido em meio à agitação do reino.

Ninguém parecia ouvi-la.

Ela viu um cavalo branco passar apressado ao seu redor. Era ele: o cavaleiro bondoso que ela tanto amava. Mas logo ele também sumiu em meio à correria dos demais súditos.

Raios, trovões, nuvens escuras e um céu a desabar em prantos sobre o reino.

– Eu serei forte e não deixarei que tudo se torne ruínas outra vez, mas preciso saber o que está acontecendo! – a rainha continuava a gritar.

Nesse exato momento, Anny ouviu uma voz conhecida.

Era uma voz desesperada, que corria grave perigo e lhe clamava por ajuda...

A voz do rei Jefferson.

■

Desde que tivera aquele sonho tumultuado, envolvendo seu pai, Anny não conseguia deixar de pensar que ele pudesse estar em perigo. Desiré percebeu que algo estava acontecendo, mas Anny não sabia explicar:

– Apenas posso dizer que sinto um aperto forte no coração, como se ele precisasse de mim.

– E você sabe como ajudá-lo? – perguntava Desiré.

– Não faço a menor ideia. Não sei nem onde ele e a mamãe estão. A neve precisa vir logo, para trazê-los até mim. Aquele sonho foi tão real... Temo muito pelos meus pais. Eu preciso saber se eles estão bem.

– Tenho certeza de que estão – dizia Desiré.

Todavia, Anny sabia que ela estava apenas sendo gentil. Seu coração lhe falava que algo estava prestes a acontecer. E os sonhos tumultuados, envolvendo o seu pai, e até mesmo a mãe, tornaram-se cada vez mais frequentes e estranhos.

Definitivamente, os sonhos anunciavam uma tempestade em sua vida...

■

– Cindy, aconteceu! – disse Jefferson, tremendo, ao abrir a porta do cômodo onde estava a mulher.

– Aconteceu o quê? Você quer me matar de susto? – respondeu Cindy.

– Aconteceu o que mais temíamos! O senhor Reynold descobriu o local do cativeiro onde mantínhamos sua esposa, Barbara, como refém. Homens contratados por ele invadiram o local, resgataram a mulher e mataram dois de nossos ajudantes.

– Então temos que fugir imediatamente! Aquele homem sabe que estamos envolvidos no sequestro! – disse Cindy, perdendo o controle.

– E isso não é tudo. – falou Jefferson – Nosso chefe está furioso, ele disse que vai cumprir a promessa que nos fizera uma vez, caso falhássemos. E acho que falhamos desta vez.

– Que absurdo! – disse Cindy, indignada – Nós não falhamos! Desde que começamos a trabalhar para ele, realizamos todos os serviços como profissionais. Nunca erramos em um detalhe sequer. O erro foi dele ao aceitar se envolver com gente perigosa como esse tal Reynold.

– Eu sei, meu bem – disse Jefferson –, mas ele não irá discutir se estamos ou não com a razão, ele virá atrás de nós e de nossa filha!

– Não me diga que você está querendo voltar para buscar a Anny? – perguntou Cindy, furiosa.

Jefferson começou a chorar desesperadamente:

– Já discutimos a respeito disso! Eu não fugirei sem a Anny. Precisamos voltar, precisamos voltar!

– Jefferson, não temos tempo! Além do mais, eles devem estar vigiando a casa, não podemos aparecer por lá!

– Eu não vou deixar que acabem com nossa filha, Cindy, ela é tudo que temos! – berrou o homem.

– Você sabe muito bem que nunca planejamos ou desejamos que a garota nascesse. Ela está bem onde está. Tudo o que temos é um ao outro, devemos seguir em frente! – gritou Cindy.

Jefferson chorava cada vez mais forte, enquanto Cindy rapidamente fazia as malas.

– Para onde você vai? – ele perguntou.

– Você sabe onde me esconderei. Irei esperá-lo por uma semana. Nem um dia a mais, nem a menos. Caso você não apareça até o sétimo dia, sumirei no mundo e você nunca mais irá me ver – respondeu Cindy.

Ela terminou rapidamente de arrumar as coisas e, antes de sair, disse:

– Pense bem. Não traga a menina com você. Ela seria apenas um peso para nós.

Dizendo isso, Cindy partiu, deixando Jefferson sozinho.

Ele demorou alguns minutos para se recompor, então tirou um pequeno papel dobrado que levava no bolso da calça.

Era um desenho, do rei Jefferson e da rainha Anny.

Ele olhou para aquelas figuras desenhadas pela filha e pensou:

– Não importa que dois homens terríveis, o esposo de Barbara e meu patrão, estejam atrás de mim para me matar, eu não posso mais abandoná-la, Anny. Eu tenho que protegê-la.

Ele resolveu não levar nada consigo, nem uma camisa sequer, e foi rapidamente pegar o caminho de casa. Caminho que já não pegava há muito tempo.

Embora estivesse no próprio Reino Unido desta vez, Jefferson teve problemas para chegar até sua casa. Demorou muito tempo a mais do que havia previsto. Diversas vezes pensava estar sendo seguido e, em algumas delas, chegava a ter certeza. Precisou desviar de rumo e disfarçar-se em várias ocasiões. A ida para casa estava se tornando um pesadelo, e ele sabia que, quando chegasse lá, seria ainda pior. Havia uma grande chance de estarem esperando por ele no local, conforme Cindy dissera. Mas ele não podia deixar a filha mais uma vez. Preferia morrer a sumir no mundo abandonando aquela que tanto o amava e o considerava um herói quando, na verdade, ele não passava de um vilão perseguido.

O prazo que Cindy lhe dera estava cada vez menor. Três dias haviam se passado até que ele, finalmente, conseguiu chegar à rua de sua casa.

Jefferson andou a passos largos e apressados e entrou pelo portão. Era estranho estar sem o Cadillac – mas era apenas uma das muitas coisas que Jefferson tivera que abandonar pelo caminho. Ele deu uma volta ao redor da casa, com a arma pronta, caso alguém o surpreendesse. Porém, tudo parecia normal.

Entrou pela porta da frente, como de costume, e encontrou a casa com tudo em ordem.

Respirou aliviado e pensou que talvez fosse seguro ir buscar Anny na casa de Jane, contar-lhe que ela iria viajar com ele e que Cindy os esperava – ele já podia ver a felicidade no rosto da filha, ela sempre quisera acompanhá-los! Então, eles pegariam poucos pertences, iriam rapidamente encontrar Cindy e fugiriam para um lugar distante e discreto para viver. Anny poderia ir para a escola pela primeira vez. Os três viveriam juntos, como uma família, e ele poderia acompanhar a juventude da filha.

O plano parecia perfeito.

Jefferson resolveu apenas certificar-se de que a casa estava realmente vazia. Vasculhou todos os cômodos, embaixo de cada cama, dentro de cada armário. Não havia ninguém ali.

Foi quando desceu a escada, pronto para ir à casa dos fundos buscar a filha, que se lembrou de que não havia checado a cozinha.

E foi ali que ele a encontrou. Rosto pálido, corpo estirado ao chão, sangue escorrendo pelo piso frio, expressões inexistentes.

Naquele momento, a imagem dele, Cindy e Anny vivendo no interior de um país distante, como uma família feliz – o sonho que ele acabara de formular e que lhe parecia perfeito – tornou-se apenas uma ilusão vaga e praticamente impossível.

Melanie estava morta. A moça havia sido brutalmente assassinada e ele sabia que era por sua culpa. E, mais que isso, sabia que sua tragédia pessoal estava apenas começando e que havia sido ele quem escolhera aquele caminho.

10

UM SÁBIO BISPO E UM FIEL CAVALEIRO

Ao aproximarem-se do gigante tabuleiro no meio do Reino Xadrez, cada uma das peças ocupou seu devido lugar no jogo, inclusive o sábio Bispo, que compunha o exército preto. Quando tudo estava organizado, Anny perguntou: "Com quem irei jogar?". E foi nessa hora que se ouviu o galopar de um cavalo ao longe, e ele surgiu entre as colinas quadriculadas: o cavaleiro bondoso que Anny conhecera na primeira vez em que estivera no reino.

Culpa, arrependimento, tristeza... Havia resquícios de tais sentimentos em Jefferson, porém nenhum deles se comparava ao medo. Medo de que ele e Cindy tivessem o mesmo destino que Melanie. Medo de que Anny pagasse por crimes que não cometera. Logo ela, que era uma criança tão doce e em cujo coração só havia espaço para o amor. A menina corria o risco de ser brutalmente assassinada por homens sem escrúpulos com os quais Jefferson escolhera se envolver.

– Por quê? – ele pensava, olhando para o corpo de Melanie imóvel no chão.

Dinheiro. Esta era a resposta prática que Jefferson costumava dar a si mesmo todas as vezes em que se questionava a respeito de ter-se envolvido com o mundo do crime. Ele era de uma família boa, com princípios, com afeto. Porém, sempre fora o mais rebelde dos filhos e também o mais ambicioso. Quando a oportunidade de ganhar muito dinheiro com um trabalho aparentemente fácil lhe bateu à porta, ele não pensou duas vezes. E foi ali, no mundo do crime, que conhecera Cindy. Pessoas que faziam o mesmo serviço que eles estavam se tornando cada vez mais frequentes no período entreguerras, época em que conheceu a esposa. Eles se apaixonaram perdidamente e, logo, estavam casados. Então, em poucos anos, viria a gravidez não planejada e nem ao menos desejada. Cindy, diferentemente de Jefferson, fora criada em uma família que a direcionou para o crime. Seu pai havia sido um grande criminoso e fora morto na prisão. Logo, ela tirou de Jefferson a culpa por envolver-se com o trabalho sujo, fazendo-o esquecer-se dos princípios que os pais haviam lhe ensinado durante a infância e levando-o, inclusive, a romper com a família – fato que fizera com que os pais e irmãos de Jefferson se mudassem para o exterior. A vergonha e o medo que passaram a sentir do filho não permitiram que a família continuasse na Inglaterra; claro que tudo se somou a novas oportunidades de vida que surgiram em outro país. Cindy e Jefferson, a partir de então, acabaram por negar completamente a Anny o direito de ter uma família tradicional, com a qual ela sempre sonhara: com avós, tios, primos e até, quem sabe, irmãos.

Jefferson deixara-se envolver cada vez mais a fundo na criminalidade de elite, principalmente por estar cegamente apaixonado pela belíssima e sedutora Cindy. O casal chegou a tal ponto em que já não podia voltar atrás. A decisão estava tomada e, naquele meio, não havia segundas chances.

Todavia, o mais difícil estava por vir. Com o fim da Segunda Guerra Mundial, seus serviços passaram a ser altamente requisitados; as inimizades se intensificaram, assim como os crimes. Então, eles passaram a trabalhar apenas para um patrão – no episódio em que deixaram Anny na casa da senhora Jane –, trabalhando cada vez mais e envolvendo-se com clientes ainda mais perigosos que procuravam os serviços do novo chefe. Embora mais arriscado, o trabalho se tornou ainda mais lucrativo. Antigamente, as viagens do casal eram curtas e, geralmente, realizadas por navio ou trem. Porém, após 1947 (ano que começaram a trabalhar para o novo patrão), o Heathrow, aeroporto de Londres, abriu suas portas para voos de civis, o que facilitou o trabalho de Cindy e Jefferson: eles se tornaram capazes de perseguir qualquer pessoa, mesmo que ela tivesse se escondido em um país distante. Tudo isso se devia ao rápido desenvolvimento e notável crescimento da aviação, sobretudo no período entreguerras.

Eles acabaram se especializando em casos de mulheres tidas como "traidoras" em algum momento da Grande Guerra. Na verdade, não ficavam sabendo os motivos exatos. O chefe disponibilizava os dados sobre a pessoa e a punição requisitada, então o casal pesquisava e espionava o máximo possível para que não houvesse falhas na execução e partia para realizar o serviço.

Ali, na cozinha da Casa Grande, junto ao corpo de Melanie, toda sua vida passava como um filme em sua mente, à medida que o sangue da empregada avermelhava cada vez mais o piso branco da cozinha.

– Anny é tão boa... – Jefferson murmurava, pensando na filha – Ela merecia pais melhores. Mas eu juro que, se sairmos dessa, eu lhe darei uma vida mais digna. Primeiramente, a levarei para o exterior, para criar laços com os avós. Eles hão de me perdoar. Depois, darei a ela tudo o que sempre sonhou. Ah, Anny... Tão bondosa, aposto que herdou a bondade de minha mãe, Dayse. E o coração manso, porém sábio, de meu pai. Se bem que sua paixão pela vida, mesmo quando tudo sai errado, a faz parecer com minha irmã Rebecca. É, ela definitivamente pertence à nossa família. Se alguém não é merecedor de fazer parte de uma família tão boa, esse alguém sou eu.

Dizendo isso, Jefferson chorou.

Ele aproximou-se de Melanie no chão e fechou-lhe os olhos, dizendo, enquanto as lágrimas escorriam por sua face:

– Perdoe-me, Melanie, você sempre foi uma boa empregada e amiga.

A moça continuara a vir uma vez por semana limpar a Casa Grande. Jefferson sempre pediu que ela tomasse cuidado, pois poderia estar sendo vigiada. Ele também recomendara que ela não trouxesse Anny para a casa, nem para brincar no quarto de brinquedos. Temia que seus inimigos descobrissem sobre a filha.

Vendo agora o corpo da mulher ao chão, ele chorava. Principalmente pelas escolhas que fizera.

Entretanto, Jefferson sabia que não adiantava chorar pelos mortos. Ele estivera frente a frente com a morte por quase todos os dias da sua vida nos últimos anos. Nesse instante, um pensamento inédito lhe ocorreu: talvez não fosse exclusivamente pelo dinheiro ou pela aparente facilidade que a profissão do crime o atraíra, nem apenas pela cega paixão por uma mulher envolvida com o meio. Talvez a ideia de controlar vidas e dar um fim a elas fosse o maior atrativo. Sem contar sair impune, percorrer caminhos obscuros e nunca ser preso por isso. Afinal, após as guerras, tantas pessoas estavam envolvidas com o mundo do crime que nunca chegariam a prender Jefferson, Cindy ou o patrão.

Ele teve vergonha de tais pensamentos. Teve vergonha de ser quem era e de amar a mulher que amava – que ainda amava muito. Teve vergonha de não merecer uma filha tão boa, que mais lhe ensinara do que aprendera com ele. Ela não podia saber sobre Melanie; não podia saber quem o pai realmente era.

Despertando para a realidade e para a necessidade de agir rápido, porém com cautela, Jefferson teve a ideia de simplesmente deixar Melanie ali. Eles nunca mais voltariam àquela casa e Anny jamais saberia o que acontecera. Ele precisava apenas correr até a casa dos fundos, pegar a filha e ir ao encontro de Cindy.

Quando saiu da cozinha, deixando para trás o corpo da empregada, que jazeria para sempre na casa onde ela fora uma fiel servente por diversos anos, Jefferson parou no corredor e vislumbrou a sala com a lareira, onde ele, Cindy e Anny sentaram-se tantas vezes para ver televisão enquanto aqueciam-se do frio. Viu o piano que Cindy tocava tão magistralmente e deteve-se por um momento.

– Sim, poderia ter sido diferente. – ele disse – Cindy poderia ter sido uma pianista, ela sempre teve dons suficientes para isso. E eu poderia ter sido um empresário ou advogado. Quanto orgulho teria dado à minha família. Anny poderia ter ido a uma escola, crescido junto aos avós, tido irmãos. Poderíamos ter tido, inclusive, um cachorrinho, que correria pela casa e se afundaria na neve junto de nós, quando o inverno chegasse à Inglaterra...

Mas, assim como Melanie, aquilo tudo era um passado morto. E não era prudente chorar pelos mortos. Tais pensamentos não trariam de volta aquilo que nunca existiu.

Ele saiu da Casa Grande sem olhar para trás, dirigindo-se para a casa de Jane.

Saltou o muro, não havia tempo de contornar a rua – muito menos segurança para tal. Pulou o mesmo muro que Anny pulara com Pepeu, tamanha era a saudade que ela sentia da Casa Grande.

Ele entrou pela porta dos fundos, que estava aberta, e viu que havia alguém na cozinha da casa de Jane. Pensou que seria imprudente entrar pelos fundos sem avisar, mas, mais uma vez, lembrou-se de que não podia dar-se ao luxo de perder alguns minutos. Quem quer que estivesse ali na cozinha assustar-se-ia com sua chegada súbita, porém ele tinha dinheiro e pagava uma boa quantia para que aquelas pessoas cuidassem de sua filha; então, podia pregar-lhes um pequeno susto.

Era Jane quem estava no local. Conforme Jefferson previra, sua chegada havia assustado a mulher, fazendo, inclusive, com que ela derrubasse uma tigela no chão quando o viu:

– Pelo amor de Deus, homem! Que susto!

– Desculpe-me, Jane, vim buscar a minha filha, onde ela está?

– E você simplesmente entra pelos fundos de minha casa sem avisar e vai dando ordens... – Jane ia dizendo, quando foi interrompida.

Anny, que estava na sala vendo televisão com Hermes, havia ouvido o barulho da tigela que Jane derrubara, seguido pela voz do pai, e foi correndo até a cozinha:

– Papai! Papai! – ela gritava de felicidade, enquanto o abraçava – Papai, tenho sentido tanto a sua falta e a de mamãe. Onde ela está?

– Está esperando por você, querida, vamos nos juntar a ela. – falou Jefferson, abraçando a filha – O mais importante é saber como você está.

– Eu estou bem. Estou muito feliz, agora que você chegou, assim de surpresa.

– Então, por que está chorando?

– De saudades, papai, de saudades. – falava Anny, enquanto o pai a apertava entre os braços – Sua chegada foi a surpresa mais linda da minha vida.

– Bem, nós teremos muito tempo para matar as saudades – disse Jefferson –, mas agora precisamos ser muito rápidos. Vamos até o quarto buscar suas coisas e eu lhe explico o que está acontecendo.

Pai e filha foram para o pequeno quarto onde Anny dormia desde que se mudara para a casa de Jane.

Era a primeira vez que Jefferson entrava na realidade da menina. A primeira vez que via a pequena cama em que ela dormia, quando outra enorme e aconchegante a esperava na Casa Grande. A manta vermelha estava sobre a cama e Jefferson percebeu que ela não era suficiente para cobrir a filha, que havia crescido desde a última vez em que ele a vira, e que não seria suficiente quando o inverno – que estava a caminho – finalmente chegasse ao Reino Unido.

A culpa lhe pesou sobre os ombros. Ele vivera os últimos anos dando-se a desculpa de passar pouco tempo com a filha, mas pelo menos garantir-lhe comodidade e boa educação, devido à fortuna que estava construindo. Contudo, agora via com os próprios olhos que a realidade de Anny era bem diferente da que ele projetava em sua mente.

Mais uma vez, ele prometeu-se silenciosamente que garantiria, a partir de agora, que a filha teria tudo o que desejasse, inclusive a companhia dele e de Cindy diariamente.

– Papai, você está sério – Anny disse, despertando-o.

– Estou apenas preocupado, querida. Precisamos conversar.

Eles sentaram-se na pequena cama e Jefferson falou:

– Existem homens maus, Anny, que querem prejudicar o papai. Por isso a mamãe não veio até aqui. Ela está em um lugar seguro, esperando por nós. Iremos imediatamente encontrá-la, então viajaremos para outro país.

– Mas por que esses homens maus querem prejudicá-lo, papai?

– Por questões do meu trabalho, filha. Prometo que lhe explicarei tudo quando você crescer.

– Por isso havia um homem na Casa Grande? – ela indagou, lembrando-se do dia em que viu um desconhecido no local, que provavelmente fora responsável por deixar a porta aberta, de modo que Anny e Pepeu pudessem entrar.

– Um homem?! – Jefferson indagou assustado. Então, continuou a dizer, mas, desta vez, para si mesmo: – Será um dos familiares de nossas vítimas que terá nos descoberto? Será o patrão espionando nossa vida ou atrás de Anny?

Jefferson parecia assustado e a filha não compreendia o que ele queria dizer, então resolveu voltar ao assunto que havia lhe agradado:

– Para onde nós vamos, papai?

Ele parecia ter sido acordado de seu pesadelo (real) pela doce voz da filha. Pigarreou e continuou a dizer:

– Vamos para uma cidadezinha linda, onde você poderá estudar, ter amigos e ser uma criança como qualquer outra.

– Vamos morar todos juntos ou você e a mamãe vão viajar? – indagou Anny.

– Querida, escute. De agora em diante, qualquer viagem que eu faça, será com você. Eu e sua mãe nunca mais iremos abandoná-la. Seremos uma família de verdade.

Anny segurou nas mãos do pai e olhou-o nos olhos. Uma lágrima escorreu de seus olhos.

– Por que está chorando, querida?

– De emoção. Isso é tudo o que eu sempre sonhei.

O pai beijou a testa da filha.

– Porém... – disse Anny – Ficarei triste em deixar meus amigos. Sabe, papai, aqui tem pessoas que eu realmente amo, como o Pepeu, a Nicole, o Frank, o senhor Hermes, a Desiré e o George, sem contar minhas flores e meu querido amigo pássaro, o Roxie, que vive por aqui.

– Eu fico feliz que você tenha feito amigos e prometo que, assim que pudermos, visitaremos cada um deles, mas agora precisamos ir.

Anny dividia-se entre a ansiedade de viver em um país distante ao lado dos pais e também a falta que seus queridos amigos lhe fariam. Ela ia argumentar, dizer que queria partir com Cindy e Jefferson, mas não para muito longe, para que pudesse visitar as pessoas que amava. Porém, não houve tempo para isso.

Através da janela do pequeno quarto de Anny, fez-se um enorme clarão, que atraiu imediatamente os olhares do pai e da filha. Era a Casa Grande, em chamas.

Por instantes, eles ficaram em silêncio, assimilando o que seus olhos viam – estes pareciam estar mentindo.

Anny debruçou-se na janela de seu pequeno quarto, de onde, tantas vezes, vira a Casa Grande, linda e imponente, que, agora, desfazia-se por entre a fumaça.

Ela sempre parecera indestrutível; assim como Jefferson sempre parecera um herói.

Anny viu o fogo alastrar-se e ganhar mais vida, atingindo um cômodo de cada vez. O último seria o seu quarto de brinquedos, devido à localização. O peito de Anny ardia, tanto quanto as brasas na Casa Grande. A casa onde ela vivera com os pais, onde crescera, onde brincara tantas vezes. A casa que guardava consigo tudo de mais lindo que Anny tinha na vida: as lembranças de uma família. Tudo se desfazia perante seus olhos e ela nada podia fazer para evitar. O fogo era impiedoso: instante após instante, levava tudo consigo.

Pouco havia se passado desde que o incêndio começara, porém muitos pensamentos ecoavam na mente de Anny ao mesmo tempo. De repente, uma voz a trouxe de volta. Ela ouviu um grito, muito próximo. Era Jefferson, que se jogara ao chão, tampando os ouvidos e cobrindo a cabeça, como se não quisesse ver ou ouvir a destruição de sua mansão.

Ele chorava. Chorava como Anny nunca havia visto. Sua expressão de herói, homem corajoso que a filha sempre admirara, havia sumido.

Ele voltara a ser um menino. Jefferson soluçava no chão do pequeno quarto e debatia-se contra o piso, para punir-se pelo que acontecia.

Anny teve pena do pai e abaixou-se para abraçá-lo com tanto carinho que ele sentiu-se reconfortado.

Por muito tempo eles ficaram no chão do quarto, enquanto a Casa Grande desfazia-se, destruindo todos os pertences da família.

Jefferson continuou com a cabeça abaixada, entre os braços da filha, e, às vezes, soltava soluços profundos. Anny, porém, não chorou. Ela permaneceu sentada, envolvendo o pai e olhando através da janela o fogo que a cada instante destruía os móveis, os brinquedos, os cômodos que ela tanto amava. Cada lembrança vivida na Casa Grande tornou-se viva dentro de seu peito. Ela mergulhou nos pensamentos, nas recordações interiores àquelas paredes, que agora se desfaziam com o fogo, e ali ficou. Recordar-se era um tipo de protesto às chamas, que destruíam o cenário de seu passado querido.

A menina soube segurar o choro, porque sabia que o pai precisava dela e, mais que nunca, ela devia ser forte. Era hora de cumprir sua promessa e proteger o seu rei, como em uma partida de xadrez.

Conforme Pepeu lhe ensinara, ela dialogou com o coração. Este dizia, ou melhor, gritava, que tudo aquilo não era importante. A mansão, os cômodos, os brinquedos. Tudo poderia ser reconstruído um dia, se eles quisessem. E aquilo que não poderia ser reconstruído, ela levaria consigo, e nada no mundo seria capaz de destruir. Tratava-se das coisas que realmente têm valor: o amor, os aprendizados, os afetos, a fé... Tudo que fora construído por entre as paredes da Casa Grande era sólido dentro de Anny e continuaria a ser. Por mais que doesse ver a casa que amava ser consumida pelo fogo, ela podia ouvir seu coração a gritar: o verdadeiro lar é onde as pessoas que você ama estão. Seu verdadeiro lar era estar junto de seus pais e de seus amigos, não importava onde – era lá que seu coração também estaria (e sempre esteve).

Foi difícil manter o equilíbrio quando o fogo atingiu o quarto de brinquedos e, mais ainda, quando chegou à área dos fundos, destruindo seu balanço.

Ela não tivera a chance de balançar uma última vez.

Nunca mais acordaria em uma manhã de sábado, desceria as escadas com os pais e cruzaria a neve ao redor da Casa Grande, deixando profundas pegadas, até que eles chegassem ao balanço, onde Cindy a embalaria e cantaria a canção que o coração de Anny mais sorria ao ouvir: "Quando a neve cair, vou estar com você... E quando a neve se for, vou lembrar de você... Faça chuva ou sol, vou sorrir ao pensar... Que a levo em meu coração..."

Mas não importava, ou pelo menos, não deveria importar. As lembranças estariam sempre com ela e Cindy poderia cantar outras vezes, em outros balanços, quem sabe... Sim, eles comprariam outro balanço – ela pensou – onde Anny seria embalada pelos pais e poderia ouvir a mãe cantar sua doce canção.

A menina sabia que os homens maus haviam feito aquilo; os homens que não gostavam de Jefferson. Ela não entendia como alguém poderia não gostar do pai. Anny o amava muito. Além do mais, ele parecia inofensivo, principalmente agora que chorava feito um garoto ao chão.

Anny pensou nos homens maus e seu coração se apertou, mas ela não teve ódio. Eles eram dignos de pena, nada mais.

Foi então que Jefferson se levantou. Ele não parecia o mesmo que há alguns instantes caíra no chão aos prantos e fora socorrido pelo abraço carinhoso da filha. Sua feição estava diferente daquela que levara Anny a pensar que ele parecia um menino inofensivo.

Não havia mais lágrimas em seu rosto, nem, tampouco, tristeza. Havia raiva; uma raiva desesperadamente furiosa, que parecia brotar de cada célula de seu corpo, enquanto ele olhava pela janela e assistia ao fogo se alastrar violentamente a cada segundo.

Jefferson desvencilhou-se de Anny e olhou fixamente para as chamas. Então, sem desviar o olhar do fogo, disse para a filha, tremendo de raiva:

– Aconteça o que acontecer, não saia daqui, Anny.

– Aonde você vai, papai? – ela perguntou desesperada.

– Eu preciso ir. Prefiro morrer a aguentar essa humilhação. Mas prometa que não vai sair desta casa. Nunca deixe os homens maus saberem que você está aqui.

– Papai, não vá, eles podem matá-lo! – Anny chorava, abraçando o pai.

– Filha, eu tenho que ir.

– Prometa, prometa que nada vai lhe acontecer e que você vai voltar para me buscar, papai.

– Eu não posso prometer isso, Anny, você sabe. Agora, com a nossa casa em chamas, tudo mudou dentro de mim...

Jefferson voltou a chorar enquanto dava um forte abraço na filha:

– Tenho muito orgulho de você – ele disse.

Ela tentou segurá-lo, tentou impedir que ele fosse, mas era em vão. Jefferson estava decidido e Anny sabia que tentar segurá-lo ali seria uma batalha perdida. Instantes depois, ela o viu sair do quarto, pular o muro e correr pelo quintal da Casa Grande, em volta do fogo, que ficava cada vez mais assustador.

Ela não podia fazer nada, exceto pedir aos anjos que cuidassem do pai por ela:

– Papai do Céu, por favor, não deixe que nada de ruim aconteça ao papai. Por favor, eu o amo demais, não posso perdê-lo. Envie os anjos que puder para protegerem-no, por favor...

Anny fez uma oração sentida, olhando para o céu, e depois ficou vendo as chamas, os telhados que despencavam e as paredes que se desfaziam.

■

Jefferson contornou a casa, andando ao redor das chamas. A raiva era tão grande que ele sentia-se fora de si, capaz de fazer qualquer loucura. Ele ganhou a rua da frente. Foi bem a tempo de avistar dois homens, que ele nunca havia visto, correrem e dobrarem a esquina:

– Covardes! Mandam capangas botarem fogo na minha casa! Aposto que foram eles que mataram a Melanie e que estavam nos vigiando. Esses covardes não têm nem coragem de fazer o serviço com as próprias mãos!

Jefferson sentiu o ódio penetrar-lhe cada fibra do corpo, como nunca havia sentido. Então, correu na mesma direção que os dois homens haviam acabado de tomar.

Não pensou em nada, apenas em vingar-se.

Ele, que cometera tantos crimes ao longo da vida, sentia que estava prestes a cometer o que mais desejara em toda sua existência.

Correu e dobrou a esquina, arfando devido à raiva e ao nervosismo. Porém, deparou-se com uma emboscada. Os dois homens o aguardavam ao virar da esquina. Assim que Jefferson os alcançou, não teve tempo de reagir. As pauladas e os pontapés o atingiram em cheio.

Jefferson apanhou muito. A dor de cada golpe não era mais intensa do que ver a Casa Grande ardendo em meio às chamas, não era mais intensa do que o medo de perder Cindy e Anny, nem mais intensa do que o dia em que vira os pais e irmãos mudarem-se para o exterior, com vergonha e medo de quem ele havia se tornado. Jefferson sentia que merecia cada um daqueles golpes. Sentia que merecia ser castigado por tudo o que fizera na vida: por cada uma de suas escolhas. Ele tivera a chance de optar por dois caminhos e sempre optou pelo mais fácil. A dor parecia uma companheira adequada àquele momento de sua vida. Ele não sabia se aquilo era uma emboscada feita por Reynold, por algum outro familiar de uma de suas tantas vítimas, ou pelo patrão, que o ameaçara diversas vezes. Não importava. De qualquer forma, ele era merecedor das punições. Porém, não queria dar o desgosto a Anny de ficar órfã para sempre, ele sabia que Cindy não viria buscá-la. Cindy! Tão linda e jovem, não merecia ficar viúva. Pensou que morreria ali, na esquina de sua casa, que estava sendo destruída pelo fogo, apanhando de dois capangas que provavelmente nem sabiam quem ele era, apenas haviam recebido dinheiro para fazer aquilo. Mas não havia sido exatamente isso que ele fizera durante toda a vida? Perseguir pessoas que ele não sabia quem eram?

Esses foram seus últimos pensamentos, antes que ele conseguisse, finalmente, resistir e puxar o revólver do bolso.

Atirou.

Aparentemente não conseguiu atingir ninguém, mas havia espantado os capangas, que pararam imediatamente de agredi-lo e começaram a se distanciar.

Com um esforço sobre-humano, Jefferson conseguiu levantar parte do corpo e ver os homens correrem.

Atirou novamente e atingiu um deles antes que desaparecessem, mas não sabia se havia sido um tiro fatal.

■

Jefferson abriu os olhos lentamente, sentindo dores insuportáveis por todo o corpo.

Um rapaz o deitava ao chão, cuidadosamente, e, devido às cores, ele conseguiu reconhecer o lugar.

Estavam entre os canteiros dos jardins de Anny, ao fundo da casa da senhora Jane.

Era um rapaz que ele nunca havia visto, mas que, aparentemente o salvara e o carregara até ali. Um moço moreno, de lábios grossos, bochechas rosadas e sorriso bondoso. Ele usava uma bonita boina e suspensórios e, com voz suave, porém autoritária, disse:

– Não fiz isso por você, mas sim por sua filha, que não merece o sofrimento de perder o pai e que, com muito amor, pediu ajuda aos anjos...

Jefferson voltou a desmaiar.

■

Ele tornou a abrir os olhos, lentamente. Demorou alguns instantes para reconhecer onde estava.

Era o pequeno quarto de Anny. A fina manta vermelha o cobria e a luz da lua iluminava-o através da janela.

Havia um senhor no quarto, que se manifestou assim que o viu acordado:

– Meu querido, Jefferson! Como se sente?

– Quem é o senhor? – ele perguntou confuso, com a voz falhando ao sair.

– Claro, desculpe minha falta de educação. Sou Frank, um grande amigo de Anny. Ah, sim, sou médico e tenho cuidado de você há dois dias.

– Eu estou dormindo há dois dias?

– Exatamente! – respondeu Frank – Seus ferimentos foram tão graves que temi não conseguir ajudá-lo. Estou aliviado que você tenha melhorado. Vou chamar a Anny. Ela não tem saído do lado de seu leito dia e noite. Apenas agora, foi até a sala receber a visita de uma grande amiga, a Nicole.

Frank saiu do quarto e, segundos depois, Anny entrou correndo. Com muito carinho, ela abraçou o pai e beijou-lhe a face machucada.

– Eu tive tanto medo, papai, tanto medo – ela dizia.

Pai e filha ficaram ali, se consolando mutuamente, até que Frank os interrompeu:

– Desculpem, mas eu vim me despedir. Preciso ir para minha casa. Há dois dias estou aqui e o Hermes se incomoda com a presença de Bety Lou, então vou para casa, ver as estrelas junto dela.

– Obrigada por tudo, Frank – disse Anny –, mais uma vez.

– Não precisa agradecer, querida. Os amigos estão sempre prontos para ajudar, lembra-se?

– Claro que me lembro – disse Anny, abraçando o amigo.

– Agora você sabe como fazer para cuidar de seu pai. Se precisar, me chame.

– Eu sei, você é o melhor médico que existe, Frank. Vou fazer tudo o que você me ensinou para cuidar do papai.

– Então, vou embora tranquilo. Ele estará em ótimas mãos – dizendo isso, Frank despediu-se de Jefferson e foi ao encontro de sua querida Bety Lou, que o aguardava para verem as estrelas, já brilhantes no céu inglês.

– Você fez muitos amigos durante os anos em que esteve aqui – disse Jefferson à filha –, apesar de não sair de casa...

– São pessoas especiais – falou Anny – que Papai do Céu trouxe até mim. O Frank é o maior barato, ele é como um vovô muito querido. E você vai conhecer a Nicole também. Ela se preocupa muito comigo, veio me visitar para saber se estou bem. Sabe, papai, desde que encontramos você desmaiado entre os canteiros, todo ensanguentado, eu tenho permanecido muito nervosa e apreensiva, por isso a Nicole vem me ver.

– Eles, os seus amigos, têm sorte de conviver com você. – falou Jefferson – Eu que fui um bobo de ficar tanto tempo longe...

Anny sorriu e foi chamar Nicole para conhecer o pai.

Nos dias seguintes, a doce garota fez conforme dissera a Frank: cuidou de Jefferson carinhosamente durante os dias e as noites.

Apesar de o pai estar ferido e de a Casa Grande ter sido destruída, Anny estava feliz. Era a primeira vez em anos que ela passava mais que dois dias ao lado de Jefferson.

Conforme ele melhorava, pai e filha tiveram momentos agradáveis, conversando, contando histórias e fazendo planos para o futuro.

Hermes tratava Jefferson bem, visto que Anny o amava demais. De certa forma, ele invejava o homem por ter uma filha tão especial. Jane, por sua vez, apenas observava a situação, sem nada dizer. O alto poder aquisitivo de Jefferson a fazia silenciar-se.

Certa tarde, Anny, feliz, atendeu ao pedido do pai e dançou lindamente para ele.

– Estou contente, papai. Este ano, você voltou antes mesmo que a neve.

Jefferson respirou profundamente e disse:

– Perdoe-me, minha filha, pelo tempo em que eu e sua mãe estivemos ausentes.

– Não precisa se desculpar. Eu amo vocês e sei que tiveram suas razões. Você é um homem muito bom, papai.

O peito de Jefferson contorceu-se de remorso ao ouvir aquelas palavras. Ele não era, nem nunca fora a pessoa boa que a filha imaginava. Mas estava disposto a tornar-se.

– Anny, por que você não pega seu tabuleiro de xadrez, para jogarmos uma partida? – Jefferson questionou, querendo agradar à filha.

– Hoje não, papai, você ainda está fraco – disse a menina. Ela não queria dizer que Jane havia destruído o presente maravilhoso que ela ganhara do pai em um dia tão especial. Não queria que ele soubesse tudo o que ela passara nas mãos da mulher. Porque, no fim das contas, as pessoas maravilhosas que ela conhecera nesse tempo haviam valido a pena. Mesmo em meio a tantos momentos difíceis, como os castigos de cinta, a privação de comida, conforto, carinho e até mesmo a ida ao manicômio. Anny passaria tudo de novo, por Nicole, Pepeu, Frank, Hermes e Desiré. Além do mais, a filha não queria que Jefferson se sentisse culpado pelos castigos que ela enfrentou; ele e Cindy tiveram suas razões para partir, assim, como agora, para retornar – ela pensava.

Foi na manhã do sétimo dia em que vencia o prazo que Cindy lhe dera, que Jefferson levantou-se da cama, disposto pela primeira vez.

– Você não precisa se levantar, papai, eu vou trazer o seu café da manhã na cama.

– Eu sei, querida, você é um doce. Mas o papai precisa ir até um lugar.

– Mas você disse que, a partir de agora, iríamos todos juntos... – Anny começou a questionar, mas o pai interrompeu-a:

– Querida, eu sei, mas preciso que você seja compreensiva apenas mais uma vez. Eu prometo. Estou fazendo isso por você, por sua segurança. Estive pensando, nem consegui pegar no sono essa noite. Cheguei à conclusão do quanto é perigoso levar você conosco agora. Então, irei encontrar sua mãe, arrumar uma nova casa, segura e bonita. Até construir um novo balanço. Vamos esperar um tempo, até termos certeza de que os homens maus não estão atrás de nós, então virei buscá-la.

Anny olhava para o chão, sem nada dizer.

– Eu prometo que será por pouco tempo.

A menina continuava calada.

– Filha, faço isso porque a amo.

– Mas você prometeu...

– Assim como estou prometendo que esta é a última vez em que nos separamos. Por favor, só mais um pouco. Você pode aproveitar para passar mais tempo com seus amigos, até que eu volte para buscá-la e realizar todos os planos que construímos juntos.

– Está bem, papai. Eu amo você. E amo a mamãe também, diga isso a ela.

– Também a amamos muito, minha filha... Não duvide disso... Eu espero estar fazendo a escolha certa, pela primeira vez...

■

No dia seguinte à partida de Jefferson, Anny estava cuidando das flores, como de costume, mas não conseguia concentrar-se.

Algo a incomodava.

Ela, então, parou e sentou-se em meio aos canteiros, tentando pensar no que a atormentava tanto.

Era seu coração, gritando mais uma vez. Ele gritava muito alto, clamava que ela fizesse algo, pois aqueles a quem mais amava corriam muito perigo:

– Não posso ficar aqui parada – disse para si mesma.

Nesse instante, Desiré apareceu no muro:

A menina loira, que via o mundo através das mãos e que ensinara Anny a fazer o mesmo, havia acabado de chegar.

Anny adorava a amiga e compartilhava com ela bons momentos desde que se tornaram vizinhas. Ela nem precisava mais usar vendas nos olhos para ver o mundo como Desiré via, aprendera tudo com a amiga. Mesmo com os olhos abertos, Anny conseguia enxergar os verdadeiros sentimentos.

– Como você está? – perguntou Desiré – E como está o seu pai?

Anny ficou feliz em ver a amiga e contou-lhe tudo sobre a ida repentina do pai, sem levá-la:

– Eu preciso ir, preciso ajudá-lo, Desiré...

– Mas ele não cumpriu a promessa de levá-la. – falou a amiga – Você não está magoada?

– Não existe ninguém que amamos e que não nos magoe ao menos uma vez... Eu preciso ir – disse Anny.

– Mas para onde você vai?

– Não sei, vou para onde ele e mamãe estiverem. Meu coração me levará até eles.

– Anny, você não imagina como o mundo é grande...

– Desiré, eu não posso ficar aqui presa, enquanto eles podem ser mortos pelos homens maus!

Anny estava tremendo. Desiré nunca a vira – ou sentira – daquela forma e percebeu que a única coisa a fazer seria realmente ajudá-la, não havia argumentos que a fizessem ficar ali parada:

– Então vá, mas mande notícias...

– Eu não tenho como sair daqui. – disse Anny – Meu pai deu ordens à senhora Jane para não deixar que eu coloque nem o rosto na janela. Ele teme que os homens maus descubram que eu estou aqui. Desde ontem, a senhora Jane mal me deixa chegar à sala.

Desiré refletiu. Devia haver algo que pudesse fazer pela amiga. Mas o quê?

Ela pensou, enquanto Anny se desesperava a cada minuto perdido, então disse:

– Venha pela minha casa.

– O quê? – indagou Anny.

– Pule o muro e saia pelo portão da minha casa, Jane não saberá...

– Mas e seus pais?

– Eles não estão aqui. Apenas o George, mas ele está lá dentro distraído, não irá vê-la. Se apresse!

Alguns instantes depois, Anny voltou carregando sua ovelhinha Tiara, pronta para ir ajudar os pais. Ela não havia bolado plano algum. Aliás, o único plano era ouvir seu coração, assim como Pepeu lhe ensinara.

Anny estava muito grata à Desiré. Naquele momento de desespero, ela estendera-lhe a mão.

Rapidamente a menina subiu no muro, coisa que já estava acostumando-se a fazer, e pulou do outro lado, chegando ao quintal da casa de Desiré e George.

Olhou à sua volta. O quintal era bem maior que o de Jane e havia um lindo jardim.

Era, sem dúvida alguma, o maior e mais lindo jardim que Anny já vira. Flores diferentes e maravilhosas erguiam-se em meio a folhagens e pequenos arbustos. Pássaros pousavam no local a todo instante, colorindo ainda mais a sua visão.

Olhar para aquele jardim lhe deu tanta paz que ela esqueceu-se por um segundo de que seu coração ardia em chamas mais altas do que as que incendiaram a Casa Grande, por medo de que algo acontecesse a Cindy e Jefferson.

Foi então que ela percebeu que, em meio a tantas outras cores, ela também estava ali: a oitava cor do arco-íris, a cor que só os anjos podem ver...

Desiré aproximou-se da amiga e disse:

– É lindo, não é? O nosso jardim...

– É maravilhoso – disse Anny.

– Eu gosto de vir aqui todos os dias e sentir as flores... Seus perfumes, sua delicadeza, sua calma... Ouvir os pássaros, sentir as borboletas... É tudo tão lindo e cheio de vida! Mamãe diz que comprou esta casa por causa do jardim.

– Fico feliz que tenham comprado esta casa – respondeu Anny –, senão, eu não iria conhecer você.

Desiré abraçou a amiga e Anny teve certeza de estar recebendo o abraço de um anjo... Era como o abraço que ganhava de Pepeu, Nicole, Frank, Hermes e, até mesmo, de Angel, aquele dia no Reino Xadrez. Todos eles eram anjos em sua vida e seus abraços pareciam brisas quentes e mansas, em meio aos gélidos invernos. Anny tinha certeza de que, em sonho, Desiré também via a oitava cor do arco-íris.

– Você tem certeza de que vai fazer isso? – a amiga perguntou-lhe, referindo-se à fuga de Anny para ir atrás dos pais.

– Eu preciso – ela respondeu.

Então, Desiré pegou em suas mãos e depois lhe tocou a face suavemente, deslizando os finos dedos sobre o seu rosto delicado:

– Eu ficarei preocupada – disse.

Anny sorriu, deu outro forte abraço na amiga e respondeu:

– Obrigada. Eu sentirei saudades.

– Prometa que não vai demorar a dar notícias – pediu Desiré.

– Eu prometo.

Anny lançou um último olhar ao maravilhoso jardim e afastou-se.

Desiré ia junto dela, porém Anny disse:

– Pode ficar aqui, eu mesma encontro o caminho até o portão. Fique no jardim mais um momento, ele lhe trará paz.

Dizendo isso, ela afastou-se de Desiré e começou a caminhar pelo quintal. A amiga atendeu ao seu pedido e ficou entre as flores.

Anny cruzava o quintal, quando foi desviada por algo maravilhoso que chamou sua atenção.

Era uma piscina. Ela nunca havia visto uma, então caminhou até a borda lentamente, aproximando-se da água cristalina, e pôde ver a própria imagem refletida, como num espelho:

– Talvez seja como um mar sem ondas... – ela disse para si mesma.

A menina sempre sonhara em conhecer o mar e sentia-se alegre em ver uma piscina pela primeira vez.

A água parecia tão calma e, assim como o jardim, lhe transmitia paz. Ela teve vontade de tocar o mar sem ondas.

Lentamente, Anny abaixou-se na borda da piscina e conseguiu sentir a água com as mãos, enquanto contemplava sua imagem refletida.

Foi um momento de grande paz, porém fez aumentar em Anny ainda mais o desejo de ver o mar. Aquelas águas infinitas, que formavam uma linha com o horizonte, de onde se podia assistir ao pôr do sol todas as tardes. As inúmeras e inusitadas formas de vida que havia naquela imensidão azul... Os peixes, as baleias, as tartarugas e, quem sabe, as sereias. O mar era também meio de locomoção de corajosos exploradores que duelavam com piratas, em busca de tesouros, em imensos navios; capitães tão valentes quanto Jefferson - pensou Anny. O mar, conforme haviam lhe contado, possuía, além de sua maravilhosa cor azul, ondas, que batiam nos rochedos e se quebravam na praia, além de seu cheiro... Ah, o cheiro do mar, como Anny queria senti-lo! Ela fechou os olhos e continuou a deslizar as mãozinhas entre a água da piscina de Desiré e quase pôde sentir o cheiro de sal, que só o mar tem... Quase pôde sentir as ondas e ouvir ao longe as gaivotas que sobrevoavam o oceano. Tudo era vivo em sua mente, tamanha era a vontade de sair e conhecer o mar, viajar pelo mundo, ver tudo de mais lindo que há... Tudo de mais puro que o Papai do Céu desenhou...

Anny começou a balançar nos próprios calcanhares, acompanhando o balanço das ondas do mar. Porém, ela não deveria ter se esquecido de que, apesar de lindo e misterioso, o mar é também muito traiçoeiro. Enquanto ela movia-se para acompanhar as ondas de sua imaginação, o mar arrastou-a de uma forma surpreendente e apavorante.

Em uma fração de segundos, ela se desequilibrou e caiu da beira da piscina, sendo tragada pelo mar sem ondas.

Anny nunca havia nadado.

Quanto mais tentava desvencilhar-se da água, mais esta lhe vencia a batalha. Parecia até que uma sereia, daquelas das histórias que Nicole contava, havia puxado Anny pelos calcanhares, levando-a para o fundo do mar. Ela sentia-se tragada pelos próprios sonhos.

A menina contorcia-se freneticamente na piscina de Desiré e não conseguia manter-se na superfície. Era a sensação mais desesperadora que já provara. Quanto mais se agitava, mais o desespero a sufocava e a fazia engolir água. Parecia que todo o ar da Terra havia acabado e que a vida a deixava a cada ausência de respiração.

– Não pode ser – ela pensou – não posso morrer afogada em meus próprios sonhos. Não pode tudo acabar aqui, no mar sem ondas da Desiré...

Ela conseguiu subir à superfície da piscina e, com dificuldade, gritou:

– Desiré! Socorro!

A amiga estava entre as flores do jardim e imaginava que Anny já havia conseguido fugir. Porém, reconheceu sua voz a gritar, ainda no quintal:

– Anny? – ela indagou, sentindo o perigo na voz da amiga – Anny, continue gritando, senão não conseguirei chegar até você!

Desiré saiu do jardim e ficou parada em meio ao quintal, tentando guiar-se pela voz da amiga, que, claramente, precisava de ajuda.

Porém, Anny não respondia.

Desiré começou a desesperar-se e gritar pela amiga, mas não havia resposta.

– Anny! O que aconteceu? Onde você está?

Novamente, sem respostas, Desiré esticou as mãos e andou sem rumo pelo quintal, tentando euforicamente encontrar Anny. Ela sentira medo na voz da amiga e sentia o perigo vibrando naquele quintal, mas não sabia o que fazer.

Foi então que um novo barulho começou. Era um som conhecido, que trazia esperança. Era o latido de Nina, a fiel cachorrinha de Desiré, que era, além de sua amiga, seus olhos.

O latido vinha do local em que a menina sabia que se localiza a piscina.

– Nina! – gritou Desiré – Preciso encontrar a Anny, leve-me até ela! Continue latindo!

Conforme Nina latia na beira da piscina, onde Anny afundava, Desiré caminhava a passos rápidos, aproximando-se do local.

Ela chegou até a piscina e entrou na água sem pensar, estava acostumada a nadar. Procurou com as mãos, através da água, mas não havia sinal de Anny. Nina ainda latia entusiasticamente. Então, Desiré mergulhou. E, instantes depois, subiu à superfície. Tornou a mergulhar e a emergir. E foi no terceiro mergulho, a um canto da piscina, que Desiré sentiu Anny e a puxou para a superfície.

George havia sido atraído do interior da casa, devido aos latidos de Nina e, chegando ao quintal, deparou-se com uma cena memorável.

Desiré, sua irmã, que não enxergava com os olhos, nadava e, ao mesmo tempo, carregava Anny, fazendo um esforço admirável para salvar a amiga. Enquanto Nina, outra grande heroína, latia sem parar.

George abaixou-se e alcançou Anny, que já estava próxima à borda da piscina, puxando-a para fora, e, logo em seguida, ajudou Desiré. Ele também resgatou Tiara, que estava toda molhada, mas não sofrera graves danos.

Se dentre as pessoas, algumas são como anjos em nossas vidas, assim também são os animais. Desiré e Nina eram a dupla perfeita para expressar tal pensamento.

Anny fora salva e não sabia como agradecer aos amigos por isso:

– Amigo não se agradece – respondia Desiré.

Depois do incidente, Anny desistira de ir ajudar os pais. Tivera uma pequena demonstração dos perigos que a aguardavam pelo mundo. Assim, ela havia se conformado em atender ao pedido de Jefferson e esperar que ele voltasse. Afinal, essa havia sido a promessa que ela lhe fizera. Cumpriria sua palavra ao rei.

E o mais importante era que, apesar do susto, Anny não desistiria de conhecer o mar... Um dia.

Tudo aquilo que é misterioso, é também encantador.

■

Com a suave melodia cantada pelo tempo, Anny viu a neve sumir e reaparecer muitas vezes, da janela do pequeno quarto na casa de Jane, e do jardim, de onde não mais podia ver a Casa Grande, que se tornara apenas ruínas desgastadas pelo fogo. Ano após ano, a neve ia e voltava... Ela não trazia Cindy e Jefferson, nem, ao menos, notícias, mas trazia a Anny o amadurecimento e a paz necessários para continuar a acreditar.

A menina doce e sensível amadureceu, espalhando seu encanto ao longo dos anos e tornando-se uma linda e adorável jovem.

A década de 1950 iniciara-se com a promessa de ser uma época de ouro, trazendo consigo eventos que a caracterizariam como a década da cultura, dos avanços tecnológicos e também das mudanças comportamentais.

Os tempos, assim como a mente das pessoas, eram outros. Novas promessas, novas esperanças e um novo futuro a ser compartilhado pela humanidade.

Iniciava-se o período de transição derradeira para os homens, afinal, a década de cinquenta, que Anny acabava de ver nascer, marcava a exata metade do século, dividindo seu primeiro período, marcado por duas Grandes Guerras - que Anny não conhecia e não queria compreender - e o segundo, que seria de grandes avanços e conquistas tecnológicas para o planeta.

Anny fazia parte disso tudo sem sair de casa, sem conhecer o mundo ao qual pertencia, o mundo além daqueles jardins, que guardava tantas maravilhas e conquistas.

Ela assistia aos anos em meio aos canteiros e aos amados amigos, que a visitavam com frequência.

O tempo tinha pressa, arrastava-se com força, levando consigo a infância da pequena rainha.

Foi em 1953 que Anny completou quinze anos de idade, em uma bonita comemoração ao lado dos amigos que tanto amava: Nicole, Hermes, Frank, Desiré e George. Mais tarde ela recebeu também a visita de Pepeu e emocionou-se ao conversar com ele no jardim, sobre as mudanças mágicas que o tempo traz:

- Eu olho para trás, Pepeu, e lembro-me de cada momento maravilhoso da minha infância! Do dia em que meu pai me contou a primeira história e mamãe tocou piano. Dos sábados junto a eles, dos momentos em que retornavam para casa. Papai sempre trazia presentes. Lembro-me do dia em que ele me deu o tabuleiro de xadrez e me ensinou a jogar. É uma das melhores lembranças que tenho na vida! Lembro-me vagamente dos meus avós e tios, sinto saudades, sem nem ao menos conseguir recordar-me realmente de suas faces. Lembro que, quando eles chegavam à Casa Grande, era sempre motivo de festa. Ah, a Casa Grande... Quantas lembranças! Mas não posso esquecer-me dos sete anos que passei aqui, na casa da senhora Jane e do senhor Hermes. Do dia em que cheguei, dos tempos difíceis e momentos de dor que aqui passei, não dor pelos castigos de cinta que Jane me dava, mas dor pelas saudades de papai e mamãe. Foi aqui, em meio a esses canteiros, que eu contei os dias tantas vezes para que a neve chegasse e os trouxesse até mim. Foi aqui que conheci você, Pepeu, meu amigo, meu irmão... Foi aqui que você se abriu comigo e eu pude entender o seu coração e conhecer o seu amor por Angel. Foi aqui, nesta pequena casa, que também o senhor Hermes revelou seu passado para mim e me socorreu, quando eu mais precisei. Foi aqui que conheci Nicole, George, Desiré, além de Nina e Roxie. Não posso acreditar em quantas coisas enormes aconteceram em meu mundo, que é tão pequeno! Não posso acreditar que já tenho quinze anos!

– Minha pequena – disse Pepeu –, ainda posso chamá-la assim, não posso? Você se tornou uma linda jovem... Bem, você sabe, mais do que ninguém, que nosso mundo é do tamanho do nosso coração. Por isso seu mundo nunca se limitou a esta casa ou a estes jardins, ele é imenso!

– Pepeu... Você sempre tem algo gentil para me dizer! – disse Anny, abraçando o amigo. – Sinto saudades de suas mágicas, há tanto tempo não faz um espetáculo para mim!

Naquele instante, Pepeu assumiu uma voz grave e brincalhona, ao dizer:

– Então, se prepare, caríssima Anny, para ver o maior espetáculo de mágica já realizado neste jardim!

Anny riu com o jeito do amigo e divertiu-se muito com sua apresentação improvisada.

A amizade deles só havia aumentado com o tempo e se tornado cada vez mais sólida e verdadeira. Pepeu era realmente o irmão que Anny nunca tivera, mas que sempre quisera ter. Sua verdadeira mágica era sempre trazer o riso e a emoção ao coração da jovem.

– Sabe, pequena, o tempo passou e trouxe muitas coisas boas a você. – ele disse, após o espetáculo, quando voltaram a conversar sobre o tempo – Mas sinto que logo terei que seguir o meu destino.

– Do que você está falando, Pepeu?

– Nem eu sei ao certo – respondeu o rapaz –, mas algo muito forte me chama. Eu sinto que devo partir e retornar à arte, que é minha missão de vida, ou devo ir para os Estados Unidos e tentar reencontrar Angel.

Anny calou-se. Nunca havia mencionado o sonho que tivera com Ângela há alguns anos e a missão que ela lhe dera. O coração de Anny dizia que logo teria que contar tudo ao amigo e também libertá-lo.

– Pepeu, eu te amo tanto – ela disse abraçando o rapaz.

– Eu também, pequena... E isso significa...

Eles completaram juntos a frase, como se fossem um:

– ... O mundo.

O dia em que completou quinze anos havia sido muito especial, ao lado das pessoas que amava. Anny foi feliz para o quarto aquela noite.

Ela olhou para a janela e viu sua imagem refletida. Tinha as mesmas expressões de quando pequena. Era uma linda mistura dos pais. Seus cabelos continuavam na altura dos ombros, com uma franja que lhe cobria a testa, apenas estavam mais densos. Seus olhos claros e a pele branca faziam dela uma encantadora jovem, dona de uma beleza simples e delicada.

Ela agradeceu o Papai do Céu pelo aniversário que tivera e, como em todas as noites, pediu que Ele protegesse Cindy e Jefferson. Não tivera mais notícias deles e a última vez em que viu o pai fora naquela manhã, quando ele disse que nunca mais iriam se separar. Quatro anos haviam se passado.

Antes de dormir, Anny pensou também em Pepeu e no quanto ele era especial para ela. Sabia que estava cumprindo sua missão. O rapaz já não sentia desespero ao pensar em Ângela e parecia aceitar melhor as dificuldades de sua jornada. Porém, ela não podia deixar que ele fosse para os Estados Unidos. Por alguma razão Angel fora clara ao dizer que o rapaz não estava pronto para a verdade que encontraria lá. Anny precisava dizer-lhe isso, sem ferir o amigo. Ela pensou também que nunca havia lhe dado nada de presente, nem sabia quando era seu aniversário. Resolveu que faria um presente com as próprias mãos. Algo que o fizesse lembrar-se sempre dela e dos momentos que passaram juntos. Era hora de voltar a fazer tricô.

■

Assim que adormeceu, Anny foi imediatamente para o Reino Xadrez, onde tudo continuava como sempre fora, mesmo agora que a rainha deixara a infância.

Ela percorreu seus gramados brancos e pretos, brincou com os animais, saudou os súditos de cristal. Admirou ao longe o imponente castelo que se erguia no horizonte. O castelo do qual era rainha, o castelo que representava o poder que ela tinha sobre si mesma, sobre seus sentimentos. O reino era ela, e ela era o reino.

Ao redor do palácio, lá estava ele: o pontinho azul-celeste que representava a esperança da jovem rainha; o único pontinho repleto de cor no reino. Esperança em seu futuro, fé no caminho. Era a borboleta azul. Linda, poderosa; ao mesmo tempo que frágil e pequena... Era como Anny. Ela era a alma da rainha, a voar livre, transbordando fé.

A jovem continuava a caminhar alegremente, sempre parando para contemplar as flores quadriculadas, quando uma figura se aproximou. Era uma figura conhecida, que ela adorava, mas com a qual não conversava já há algum tempo:

– Olá, senhor Bispo! Fico muito feliz que esteja aqui.

O Bispo fez uma reverência à rainha e disse:

– Vim saudá-la, Vossa Majestade, hoje é o dia do vosso aniversário. Há quinze anos nascia nossa bela rainha!

– Obrigada! – disse Anny, sorridente.

– Mas vim também fazer-lhe um pedido.

– Pode pedir qualquer coisa, senhor Bispo – respondeu Anny.

– Agora que Vossa Majestade completou quinze anos, já não é uma criança. Olho para você, minha querida rainha, e vejo os traços da infância abrirem caminho para uma linda jovem, que resultará em uma bela e bondosa mulher. Diante desse fato, devo dizer-lhe que fazer aniversário é uma grande graça que recebemos, e diante de cada graça recebida, temos nossas obrigações, como você sabe. É chegada a hora de Vossa Majestade fazer a grande escolha.

– Qual escolha? – indagou Anny.

– Sobre o futuro de nosso reino. Eu lhe disse há alguns anos que tudo aqui era real dentro de você. Portanto, foi você que nos manteve vivos. Somos o seu *eu* mais verdadeiro. Somos você, as suas fantasias e os seus sentimentos, que ganham forma quando você adormece. No entanto, essa era uma tarefa relativamente fácil para uma criança, que acredita e luta por suas fantasias. Mas será uma tarefa difícil para uma jovem e ainda mais complexa para uma adulta. Poucos adultos conseguem manter as fantasias de criança acesas em seu interior. Por isso, vim perguntar-lhe, minha rainha, se esta é a última vez em que nos vemos.

Anny ficou calada por um instante, olhou ao seu redor e contemplou o lindo reino branco e preto. O riacho, o castelo, os animais. A borboleta azul-celeste. Tudo estava da forma que sempre estivera. Não era preciso pensar para responder a pergunta do sábio Bispo. A resposta sempre estivera no coração da rainha:

– Não – ela disse.

– Perdão, o que disse, minha rainha? – perguntou o Bispo.

– Eu disse que não, esta não é a última vez em que nos veremos. Eu aceito o desafio de crescer e aprender as coisas lindas e necessárias da idade adulta, porém aceito o desafio ainda maior, de levar para sempre as coisas boas da infância comigo, como acreditar nos meus sonhos. Isto aqui, este reino, me deu forças quando eu precisei, não posso deixá-lo para trás. Talvez minhas visitas não sejam mais tão frequentes, mas eu prometo que nunca deixarei que o reino se acabe e, com ele, toda a magia que existe e que deve existir dentro de mim.

– Eu sabia! – disse o Bispo – Sabia que Vossa Majestade era diferente e que não se esqueceria de nós.

– Se vocês são parte do meu ser – falou Anny –, continuem a cuidar de mim.

Ao ouvir aquelas palavras, o Bispo caiu aos pés de Anny e chorou, por causa da bondade que vinha da jovem rainha:

– Há algo que possamos fazer por Vossa Majestade? – ele perguntou entre soluços.

Anny disse, mais uma vez, sem ser necessário pensar:

– Há, sim, uma coisa.

– Qualquer coisa, minha rainha – disse o Bispo.

– Há anos meu jogo de xadrez de cristal foi destruído e, desde então, sinto muita falta de jogar. Eu peço que hoje, no dia do meu aniversário, eu possa jogar uma bela partida de xadrez!

– O seu desejo é uma ordem! – disse o Bispo, levantando-se e fazendo uma nova reverência.

Naquele exato instante, dois exércitos, organizadamente, entraram no cenário. Eram as peças que se enfrentariam no jogo. De um lado, estava o exército preto e, de outro, os súditos de cristal do exército branco. As peças marchavam em direção ao enorme tabuleiro central, tudo era gigante aos olhos de Anny. Os passos coordenados das peças ecoavam por todo o reino, anunciando o duelo de xadrez que se formaria em instantes.

Ao aproximarem-se do gigante tabuleiro no meio do Reino Xadrez, cada uma das peças ocupou seu devido lugar no jogo, inclusive o sábio Bispo, que compunha o exército preto.

Quando tudo estava organizado, Anny perguntou:

– Com quem irei jogar?

E foi nessa hora que se ouviu o galopar de um cavalo ao longe e ele surgiu entre as colinas quadriculadas: o cavaleiro bondoso que Anny conhecera na primeira vez em que estivera no reino.

À medida que ele se aproximava, seu rosto se tornava mais familiar. Com suas bochechas rosadas e pele morena, seu lindo sorriso, em meio a lábios grossos. Anny sabia que era ele: seu fiel cavaleiro, aquele a quem ela tanto amava. Aquele que a salvou da tristeza e da solidão diversas vezes e a ensinou a ouvir o coração.

Ele fez uma demorada reverência à rainha, dizendo:

– A partida pode começar. Vossa Majestade comandará o exército preto, como sempre?

– Sim. – Anny respondeu – Portanto, cavaleiro, comece, já que, em uma partida de xadrez, é sempre o exército branco que faz o primeiro movimento.

Junto ao cavalo branco, ele assumiu sua posição no jogo:

– Perfeito! – disse o cavaleiro – Apenas, antes do primeiro movimento, quero agradecê-la, Vossa Majestade, pela oportunidade de viver este momento especial: a nossa última partida de xadrez.

– Última? – indagou a rainha Anny.

– Sim. – respondeu o fiel cavaleiro – Em breve, pegarei meu cavalo e seguirei meu destino. Esta é nossa última partida de xadrez. Mas lembre-se de que estarei sempre com Vossa Majestade, a guiá-la... E isso significa o mundo.

A primeira peça do exército branco se movimentou.

Aquele foi, dos momentos mágicos, talvez o mais mágico que Anny viveu.

Ela dava as coordenadas e as enormes peças de cristal moviam-se no tabuleiro, obedecendo às suas ordens.

O tempo foi passando de forma tão saborosa que eles pareciam estar ali há dias; talvez semanas. Anny divertia-se fazendo algo que amava: jogar xadrez. Ela aprendera com o pai e tivera o tabuleiro, muitas vezes, como única companhia, o que fizera dele um refúgio, um ombro amigo. Era maravilhoso poder jogar outra vez.

Ela e o cavaleiro jogaram, jogaram e jogaram, até que o rei do exército branco foi derrubado, dando a vitória à Anny.

Foi com pesar que ela derrubou o rei oponente; não queria que a partida acabasse. Era sua última partida com aquele que tanto amava.

Como o tempo passa ligeiro, levando tudo consigo!

Levaria, desta vez, as tardes e mais tardes de jogos de xadrez junto ao fiel cavaleiro.

Bobagens! Aquelas tardes estariam sempre vivas no coração da bondosa rainha! Nem o tempo as roubaria. Nos tabuleiros viveria para sempre seu coração, junto ao do cavaleiro.

Uma vez ele lhe dissera: estaria sempre em seus sorrisos, em seu brilho no olhar e em seus passos de dança.

O amor que a rainha sentia pelo fiel cavaleiro continuaria a ser seu refúgio na tristeza e seu abrigo na solidão, mesmo se ele não estivesse por perto. Aquele sorriso inesquecível viveria para sempre em sua memória, portanto o cavaleiro não poderia deixá-la verdadeiramente. Eles eram irmãos porque haviam escolhido ser; somente isso bastava.

Após a histórica partida, todas as peças se cumprimentaram, pois, segundo a rainha, o jogo era apenas para diversão e a paz deveria existir entre os exércitos, para que o reino continuasse lindo e harmônico.

Ela estava radiante, afinal tornara-se a melhor jogadora de xadrez de todos os tempos. Finalmente era a campeã que sempre quisera ser para orgulhar o pai. Pena que o rei Jefferson não estivesse ali para vê-la jogar.

O sol brilhava forte no reino e a borboleta azul fazia graça no ar, ao redor do castelo xadrez.

E foi em meio à grande festa, após o jogo, que Anny a viu: era um anjo; um anjo que ela encontrara uma vez no enorme castelo e que lhe dera uma missão. *Angel.*

Ela devia ter vindo assistir à partida de xadrez entre Anny e seu fiel cavaleiro. Cavaleiro que ela, Ângela, conhecia tão bem.

Anny não havia notado sua presença no reino durante a partida, mas certamente ela estivera ali o tempo todo.

O cavaleiro a viu, de relance, instantes antes de ela desaparecer.

Ele correu até o lugar em que ela estivera e chorou sobre o gramado, tocando o exato ponto em que, instantes atrás, avistara seu anjo.

Quando voltou ao encontro da rainha Anny, disse:

– Minha pequena, tivemos uma bela última partida de xadrez.

– Não terá graça jogar sem você...

– Meu anjo apareceu. – explicou o cavaleiro – Mais que nunca, meu coração diz que está chegando a hora de partir.

– Sentirei tantas saudades...

Essas foram as únicas palavras que Anny teve tempo de dizer. Ela acordou assustada. Alguém batia à porta.

– Entre – a jovem disse, ainda assimilando o que acontecia. Havia sido trazida bruscamente da terra dos sonhos para a realidade.

Hermes entrou pela porta do pequeno quarto de Anny e disse:

– Você tem visita.

Anny olhou pela janela e percebeu que já amanhecera. Trocou de roupa, se arrumou e, em poucos minutos, foi até a sala, recebendo uma grande e agradável surpresa:

– Meu Deus! Você se tornou uma jovem ainda mais linda do que eu poderia imaginar! Eu sei que estou um dia atrasado, mas espero que não seja tarde para dar-lhe um abraço de aniversário – disse Jefferson, estendendo os braços à filha

11

UM AMOR ALEÚTE

Os três, que eram agora, de certa forma, uma família inusitada, ficaram parados naquele cantinho do mundo, no silêncio berrante do vento e no frio quebrante da colina, vendo o espetáculo mais bonito que a natureza podia lhes oferecer naquela noite especial. Uma lágrima rolou pelo rosto de Nicole. Ela pensou que poderia ser pelo frio intenso, mas estava enganada. A beleza do momento havia espantado o frio que ela sentia, abrindo caminho para uma sensação reconfortante. A pequena lágrima que caiu, sozinha, pela face da jovem inglesa, era enorme em significado – trazia consigo memórias do pai que se fora e das escolhas que Charlotte fizera.

Anny estendeu igualmente os braços em direção ao pai e assim ficaram por alguns instantes, sem nada dizer.

Hermes saiu da sala, deixando-os a sós, mas não podia negar o quão comovido estava em testemunhar aquele reencontro.

Quando finalmente se separaram, Jefferson viu que as lágrimas inundavam a face de Anny e ela dizia:

– Papai, papai... Quantas saudades... Ah, papai, eu amo tanto você...

Era impossível não chorar junto à filha naquele momento.

Jefferson também se entregou à emoção de Anny e, juntos, eles ficaram ali, na sala da pequena casa, recordando como era estar nos braços um do outro, recordando o que era ser pai e filha, o que era estar com alguém que se ama mais que tudo.

Os quatros anos que se passaram só haviam feito aumentar o amor de Anny pelos pais. Não houve um só dia em que ela não chorou em silêncio no fim da tarde, sentindo a ausência deles. Não houve um só dia em que ela deixou de pedir ao Papai do Céu que olhasse por eles, onde quer que estivessem, assim como não houve um só dia em que ela deixou de ter esperanças de que eles voltariam. Ela sabia que voltariam, ela acreditava. E agora, Jefferson, seu pai, seu rei, estava à sua frente.

Naquele abraço, ela sentiu a verdade que sempre esteve presente em seu coração: o tempo não apaga o amor. Não o destrói, não o enfraquece. Pelo contrário.

Ela continuava a amar o pai, quatro anos ausente, como o amara em todos os sábados quando ele chegava à Casa Grande. Ela continuava a amar o pai de forma única e verdadeira, como se os quatro anos tivessem sido apenas quatro semanas, pois aquele amor não era estranho, não era antigo. Era como um conhecido, um amigo; era atual, vivo em seu coração.

Foi naquele abraço que ela chorou por todas as neves que haviam chegado e que não haviam trazido os pais de volta; foi naquele abraço que ela chorou por cada aniversário longe deles, por eles não a terem visto abandonar a infância, não terem acompanhado tantos momentos importantes de sua vida. E foi naquele abraço que ela soltou o choro desesperado e angustiante de alívio, por ter Jefferson, finalmente, ao seu lado.

Quando, enfim, desprenderam-se dos braços um do outro, pai e filha sentaram-se no sofá.

Jefferson acariciava a face de Anny a dizer:

– Você se tornou uma linda jovem... Linda.

– Ah, papai...

– Herdou a beleza de sua mãe, como eu havia previsto.

Anny era, de fato, dona de uma beleza delicada e única, com a face suave, os cabelos negros e estatura baixa e delgada.

Mas, aos olhos do pai, ela era ainda mais linda; era a mais linda do mundo. Ele orgulhava-se dela.

– Conte-me, minha filha, conte-me sobre sua vida – pediu Jefferson.

– Tirando a falta que sinto de você e da mamãe, está tudo bem, papai. Nicole continua a ensinar-me as lições, mas agora com maior espaçamento. Cuido dos jardins diariamente e tenho ajudado bastante nas tarefas da casa, pois a senhora Jane anda sempre muito cansada. Todos os dias assisto à televisão e ouço rádio com o senhor Hermes e, dessa forma, sei um pouco do que está acontecendo no mundo, além de matar um pouco as saudades de quando nos sentávamos na sala com a lareira aos sábados para ver televisão na Casa Grande.

Eles ficaram em silêncio por um instante, então Anny continuou:

– Bem, também tenho uma grande novidade.

– Qual é? – quis saber o pai.

– Vou começar a fazer aulas de dança!

– Sério? Que maravilha! Mas como será?

– A Desiré me deu esse maravilhoso presente de aniversário! As aulas começarão semana que vem. Será com a Marisol, a professora que a ensinou a ver o mundo e adaptar-se a ele. Os pais da Desiré a contrataram de novo para dar aulas a nós duas. Será no quintal da casa vizinha, que é grande e bonito. A Nicole já convenceu a senhora Jane a me deixar ir.

– Filha, isso é ótimo!

– Eu sei que é isso que desejo fazer por toda minha vida! Essa será minha forma de começar a preparar o futuro.

– Você será uma excelente dançarina – disse Jefferson.

– Quero que vocês se orgulhem de mim – respondeu Anny.

– Já nos orgulhamos.

A jovem ficou séria por um instante, então o pai indagou:

– Em que está pensando?

– Eu abriria mão das aulas, se fosse para partir com você. – respondeu a menina.

– Filha, eu...

– Já sei. – interrompeu-o Anny – Você não veio me buscar, não é verdade?

– Perdoe-me, Anny, mas ainda não tenho condições de levá-la comigo.

– O que aconteceu com você e a mamãe nos últimos quatros anos?

– Bem – disse Jefferson –, não tem sido fácil, Anny. Nós... Nós cometemos alguns erros no passado e, por isso, os homens maus ainda querem se vingar. Quando parti desta casa há quatro anos, fui perseguido sem perceber. Eles encontraram a mim e a Cindy e passaram a tornar nossas vidas um inferno. Conseguimos nos livrar de parte deles, mas ainda há alguns que nos perseguem e querem... Querem acabar com nossas vidas. Ontem, consegui desvencilhar-me de um deles, por isso me atrasei e só cheguei aqui hoje. Eu não seria capaz de suportar passar mais um aniversário sem vê-la. Sabe, Anny, todos os anos eu me lembrei desta data e pensei em você e em como gostaria que tudo tivesse sido diferente. Perdoe-me, eu sei que errei demais, mas imploro que me perdoe, minha filha.

– Não precisa pedir perdão, você é meu pai – ela respondeu, com as lágrimas escorrendo mais uma vez por sua face.

– Preciso, sim, eu não tinha o direito de negar a você tudo o que neguei. Eu não posso me perdoar. Mas você é infinitamente melhor que eu, acredito que tenha maior afinidade com o perdão.

– Não sou melhor que você, papai, de forma alguma.

– Você não sabe do que está falando, Anny.

– Todos nós erramos – respondeu a menina.

– Mas eu errei muito – disse Jefferson –, cometi erros terríveis. Sabe, Anny, eu sempre adiei as respostas para suas perguntas. Sempre disse que lhe contaria quem eu realmente sou e o que eu fazia, quando você crescesse. Creio que não contava antes por vergonha. Mas agora contar a verdade a você é como tirar uma parte da culpa que carrego. Há alguns anos quero contar-lhe sobre a profissão minha e de sua mãe. Você não pode continuar a pensar que como somos bons. Porque, na verdade, não somos, filha...

– Papai...

– Anny, nós sempre trabalhamos no mesmo ramo, porém, após a Guerra, aumentou o número de vinganças no mundo e nosso trabalho se expandiu, passamos a viajar cada vez mais...

– Eu não quero saber.

– Por favor, Anny, deixe-me terminar – insistiu Jefferson.

– Papai, eu não quero saber. Tire a culpa de seus ombros, perdoando a si mesmo, mas não precisa me contar sobre os seus erros. Eu perguntava o que você e a mamãe faziam porque as crianças são realmente curiosas. Mas agora não me interessa mais. Eu o conheço, papai, você pode achar que não, mas eu sei quem você é. Eu nunca o amei por pensar que você era perfeito, mas sim por amá-lo, simplesmente por amá-lo. Sim, quando criança, eu fantasiava que você era como um herói. E agora vejo que você é apenas um ser humano com defeitos tão grandes como os que todos nós temos. E mesmo assim, eu o amo mais que tudo e não preciso de explicações sobre absolutamente nada.

– Anny, você é maravilhosa, eu não merecia... Deixe-me apenas contar por que a mantive presa todos esses anos. Foi por me envolver com pessoas perigosas, por medo de que você pagasse por minhas escolhas. Eu preservei sua vida, mas a proibi de ver o mundo, me perdoe... Eu ordenava à Jane que não permitisse que você saísse de casa e acho que ela se divertia com a situação de fazê-la prisioneira.

– Deixe de bobagens, papai. Eu já disse que não quero e não preciso de explicação alguma.

Mas o pai insistia em justificar-se:

– Você nasceu em período complicado: 1938, um ano antes de a Guerra começar oficialmente. Durante o conflito, muitas famílias optaram por enviar as crianças para fora do país. Creio que aí esteja mais uma das escolhas erradas que fiz. Eu preferi mantê-la aqui conosco a enviá-la para o exterior com meus pais. Fui egoísta, Anny. Para que você tivesse um pouco de segurança, tive que fazê-la prisioneira, fosse durante a Guerra, por medo dos conflitos, fosse depois, por medo dos homens maus com os quais me envolvi.

Anny, embora ouvisse tudo atentamente, dispensava de coração as explicações do pai. De fato, chegou a lembrar-se de Raphael, em sua passagem pelo manicômio. Ele também contara sobre o perigo que existira na época da Guerra e como havia aumentado o número de crianças que eram enviadas para fora do país, assim como o de órfãos. Porém, nada daquilo mudaria o que Anny sentia por Jefferson. Ela insistiu para que mudassem o rumo da conversa:

– Agora, vamos mudar de assunto, papai, conte-me sobre a mamãe.

– Ela não pôde vir, Anny, porque seria perigoso. Mais uma vez nossas escolhas do passado nos privaram de estar reunidos. Bem, nós estamos fora do país, vivendo no campo, de onde podemos ver o azul do céu. Você vai adorar aquele lugar quando pudermos levá-la. Eu o escolhi pensando em você.

– Poderei ter um cachorro? – perguntou Anny.

– Todos que você quiser.

– Fico feliz que, apesar de tudo, vocês estejam bem, papai.

– Estamos levando a vida, Anny. E eu prometo que, assim que for seguro, virei buscá-la.

– E a mamãe tem tocado piano?

– Nunca mais tocou. Falando nisso, eu falei que compraria um piano a ela, preciso cumprir minha promessa.

– Eu adoraria ouvi-la tocar outra vez – disse Anny.

– Eu também – respondeu Jefferson.

– Papai, você quer ver como está o meu jardim?

– Claro!

E, assim, eles foram até os canteiros no fundo da casa, onde ficavam as lindas flores de que Anny cuidava diariamente com grande carinho e alegria, inclusive as duas flores especiais, da cor dos anjos: uma nascera como símbolo de seu amor pelos canteiros, já a outra, era um presente de Ângela, trazido dos sonhos para a realidade – para Jefferson, eram apenas flores brancas, embora ele admitisse que eram as mais lindas que já havia visto.

Pai e filha conversaram, riram, contaram histórias. Desiré e George até apareceram no muro para uma rápida conversa. No entanto, a jovem vizinha achou melhor não atrapalhar aquele momento, que era para ser só deles.

Para o almoço, Anny fez panquecas, como fazia aos sábados na Casa Grande.

No fim da tarde, Jefferson anunciou que teria que partir:

– Está começando a escurecer, eu preciso seguir meu caminho...

– Papai, obrigada pela visita. Foi o melhor presente de aniversário que você poderia ter me dado.

– Então, você acha que eu não trouxe um presente? – indagou Jefferson – Estava apenas esperando o momento certo para lhe entregar.

Dizendo isso, ele estendeu um pequeno embrulho à filha, que o abriu delicadamente. Seus olhos brilharam ao ver o que era: uma linda joia, um camafeu dourado, em cujo interior havia uma foto de Cindy e Jefferson.

– É a única fotografia que temos, que não se queimou junto à nossa casa. É de uma de nossas viagens. Eu e sua mãe concordamos que ela deveria ficar com você.

– Papai, quando penso que as coisas não podem melhorar, você me dá um presente desses, é um verdadeiro tesouro, nem sei o que dizer.

– Apenas guarde-o com carinho e lembre-se de que estaremos sempre com você.

Anny abraçou o pai e disse:

– Estarei aqui, papai. Estarei esperando você vir me buscar, para vivermos juntos, onde quer que seja.

– Eu virei, Anny, prometo.

Eles abraçaram-se demoradamente à porta e Anny pediu:

– Papai, fique mais um minuto, não se vá.

– Filha, não torne isso mais difícil. Não é a última vez que estamos nos vendo, eu prometo que virei com maior frequência agora.

Porém, dessa vez, por mais que quisesse, ela não conseguia acreditar na promessa do pai. Seu coração, de alguma forma, estava inquieto, triste. Ela quase podia ouvi-lo a se lamentar.

– Me deu um aperto no peito. Um aperto forte, não sei explicar.

– Deve ser impressão sua. Você sempre foi muito sensível. Agora, eu preciso realmente ir, Anny.

– Está bem. Volte logo, eu te amo papai. E agradeça a mamãe pelo presente.

– Eu direi a ela – respondeu Jefferson.

Ele abriu a porta e ia sair, quando se virou novamente para a filha:

– Anny...

– O que é, papai?

Jefferson também havia sentido um aperto forte no peito, mas achou melhor não falar.

– Eu amo você – ele disse apenas.

No dia seguinte à visita do pai, Anny ficou muitas horas contemplando o céu e pensando em como seria quando ela fosse morar no campo com seus pais e pudesse ver a imensidão azul ao lado deles. Foi nesse instante que um lindo arco-íris formou-se no horizonte, para colorir e fazer companhia aos seus pensamentos: um arco-íris de oito cores.

■

Anny dirigiu-se animada para a casa de Desiré aquela tarde. Era sua primeira aula de dança.

Desiré e Marisol já estavam no quintal, esperando por ela; até Nina estava no local, já que ela nunca se separava da dona.

A professora era uma mulher elegante, de pele branca, cabelos castanhos e curtos, um pouco ondulados. Seu nariz era bem comprido e fino, e seus olhos, verdes.

Anny aproximou-se, timidamente, e Marisol disse:

– Muito prazer, Anny, fico muito feliz em conhecê-la. A Desiré fala maravilhas a seu respeito!

– Ela fala muito bem sobre você também – disse Anny.

– Está animada para sua primeira aula?

– Muito!

– Então, vamos começar!

Desiré e Anny ficaram lado a lado e Marisol explicou o que fariam naquele dia:

- Hoje vamos aprender a conhecer nossos limites e como podemos mover o corpo, transformando isso em música, em arte! Primeiramente, vamos trabalhar com os braços, em movimentos amplos ao som da música. Quero que se libertem e façam o que tiverem vontade, sem coreografia alguma.

Marisol, então, colocou a música e ficou observando suas alunas para conhecê-las melhor.

Conforme a suave melodia dos instrumentos se formava na vitrola, Desiré e Anny movimentavam os braços livremente.

Desiré tinha movimentos coordenados e confiantes. Isso era fruto do intenso trabalho que Marisol desenvolvera com ela há alguns anos sobre postura e movimentação, apesar da ausência de visão.

Anny, por sua vez, desenhava no ar movimentos mais alternados e leves. Muito inspiradores. Parecia um anjo solto no vento... Parecia que fazia aquilo há muito tempo.

Estava livre. Livre como uma borboleta.

Ao final da primeira música, Marisol disse:

- Anny, não acredito que nunca tenha feito aula alguma! Você é muito talentosa!

- Obrigada, professora!

- Pode me chamar de Marisol: somos amigas! Estou realmente impressionada com o seu talento, minha querida. Guarde minhas palavras: muitas pessoas ainda irão assisti-la dançar.

- Esse é meu sonho - disse Anny.

- E será sua realidade. - respondeu Marisol - Você precisa apenas ser lapidada. Estou aqui para isso. Juntas, amadureceremos a artista que há dentro de você!

A primeira aula foi maravilhosa e doce, como Anny sempre havia sonhado. Seu coração pulsava cada vez mais forte e ela teve certeza de que era devido ao seu sonho. Devido à arte. Ela aprendera com Pepeu que, quando estamos no caminho certo para a realização de nossos sonhos, nosso coração bate feliz... Era isso que ela sentia: a felicidade do encontro com o seu sonho, com o seu destino.

A jovem mal podia esperar para contar sobre a primeira aula a Pepeu.

■

O tempo foi passando, e a alegria do encontro com a arte continuava a crescer em Anny.

E foi em uma dessas lindas tardes, quando ela alegremente cuidava das flores, que Nicole apareceu:

– Olá, querida, como você está?

– Muito bem, Nicole! E você?

– Também. Trouxe rosquinhas, espero que goste.

– Que delícia!

Elas sentaram-se entre as flores e, enquanto Anny comia, conversaram alegremente sobre a vida.

– Tenho adorado as aulas, me sinto tão realizada quando danço!

– Você dança muito bem, Anny! Tenho certeza de que realizará todos os seus sonhos!

– Obrigada, Nicole. Mas sinto que algo a incomoda... Você está com algum problema?

– Não... – respondeu Nicole.

– Você sabe que não precisa esconder nada de mim – disse Anny.

– Eu não quero aborrecê-la com minhas preocupações. Mas você me conhece, sabe que não estou muito bem.

– Diga-me o que é, eu quero ajudá-la.

Nicole respirou fundo, então disse:

– É minha mãe, ela vive num lugar distante e quer que eu me mude para lá. Mas não posso abandonar meus alunos. Eu amo a Inglaterra, não quero partir.

– Nunca lhe perguntei a respeito disso, mas percebo que a sra. Jane sempre se refere à sua mãe de forma negativa... – confessou Anny.

– É verdade. Tia Jane e a maioria de nossa família foram contra a mudança de vida pela qual minha mãe optou. Eu sei que ela está feliz e isso me basta, mas não posso seguir o mesmo caminho que ela – as lágrimas começaram a escorrer pela face de Nicole.

– Pode se abrir comigo, eu quero ajudá-la... – insistiu Anny.

– Está bem, vou lhe contar tudo, para que você possa me entender e ajudar. A história começa há uma década. É hora de voltar ao passado...

Dez anos antes

O ano era 1943. Charlotte observava a gélida e montanhosa paisagem, cada vez mais próxima ao navio em que ela estava. O Alasca (ou, como era conhecida pelos aleútes, a Grande Terra) parecia encantador à primeira vista.

Seu coração ainda doía ao pensar no marido, que morrera há poucos meses, deixando-a viúva, e a filha, órfã de pai.

Nicole era uma moça tão boa, sofrera muito com a morte dele. Ainda bem que, pouco tempo depois, ela conseguira ingressar nos estudos para ser uma professora – coisa com que sempre sonhara.

Charlotte orgulhava-se muito da filha, ela era tudo o que tinha na vida.

Após a morte do marido, a mulher abandonou o velho e entediante trabalho no escritório e pegou suas economias para realizar algumas aventuras incentivadas por um grande amigo.

Havia sido uma decisão repentina e sem muito ponderar – afinal, se não fosse assim, não seria exatamente uma aventura.

Enquanto olhava a surpreendente paisagem, Charlotte lembrava-se do dia em que resolvera mudar de vida...

Havia sido numa conversa com Ambrose, seu chefe e grande amigo, que tudo mudara.

Ela estava exausta e infeliz, devido a tudo que enfrentara com a morte do marido. A filha Nicole tentava parecer forte e dar-lhe suporte, contudo Charlotte sabia que ela sofria calada, e isso matava a mãe por dentro.

Quando retornou ao escritório, Ambrose percebeu que ela estava soterrada de problemas e preocupações e a chamou para uma conversa no final da tarde:

– Eu percebi que você não está bem, Charlotte, também não é para menos... – ele disse.

– Desculpe-me, Ambrose, prometo que amanhã virei com a cabeça melhor e não cometerei erros aqui no escritório.

– Não é o escritório que me preocupa. É você – respondeu ele.

– O que está dizendo? – perguntou Charlotte.

– Você não anda bem há muito tempo. A morte de seu marido foi, sem dúvida, devastadora para você e sua filha, porém antes disso você já estava infeliz aqui neste escritório. Pode esconder isso de todos, menos de mim. Eu a conheço há anos, Charlotte, sou seu amigo e quero que fique bem.

– Obrigada, Ambrose, obrigada mesmo pela preocupação...

– Não adianta apenas me preocupar – continuou o homem –, eu quero ajudá-la. E, por isso, informo que você está demitida.

– O quê? – questionou Charlotte, aturdida.

– Demitida. Claro, se você fizer questão, pode continuar conosco, mas creio que a solução para você seja sair deste emprego.

– Eu não compreendo, Ambrose, tenho feito o meu melhor aqui no escritório...

– Realmente. Você tem feito o melhor pelo escritório. Mas não o melhor por você. E é exatamente esta a minha sugestão: vá viver a vida, vá ser feliz.

Charlotte começou a chorar. Então, Ambrose ficou encabulado:

– Desculpe-me, eu não quis ofendê-la.

– Você não me ofendeu – respondeu a mulher –, você está coberto de razão, meu amigo. Eu preciso encontrar alegria nos meus dias, ando muito infeliz ultimamente. Agora que Nicole está com o futuro encaminhado e meu marido se foi, creio que talvez seja hora de buscar o meu destino.

– Eu sei que você tem algumas economias e, como seu chefe e amigo, vou dar-lhe uma bonificação pelos serviços excelentes que prestou a nosso escritório por todos esses anos. Portanto, creio que terá dinheiro suficiente para uma viagem – disse Ambrose.

– Uma viagem?

– Claro! O que seria melhor para recomeçar? Fique um tempo fora do país. Conheça uma nova terra, novos costumes, novas músicas, comidas e, o mais importante, novas pessoas...

– Mas eu vou viajar sozinha? – indagou Charlotte.

– Sim! Essa é a melhor forma de entregar-se a tudo o que há de novo. Falo por experiência própria, minha amiga.

Aquela conversa fora decisiva para mudar os pensamentos e os sonhos de Charlotte, que decidira seguir os conselhos de Ambrose. Vendo os livros de Nicole, a mulher pôde escolher o seu destino: o Alasca, uma terra cheia de mistérios, desafios e costumes diferentes – parecia perfeito!

E lá estava ela. O navio acabava de chegar em seu destino final. Do porto de Juneau – a capital do estado – ela tomaria uma condução até o hotel que reservara em um pequeno povoado no interior, à beira de um lago onde alces se banhavam.

Nos primeiros dias, Charlotte achava estranho viajar desacompanhada e pensava que havia sido tolice seguir o conselho de Ambrose. Porém, a natureza do lugar foi conquistando-a dia após dia e logo ela se rendeu aos encantos daquela terra.

Todas as manhãs, Charlotte tomava café no hotel e, então, saía para um passeio na região. Havia outros turistas no local, mas ela sentia-se constrangida demais para tentar começar alguma amizade. Resolveu curtir a viagem por si só.

Ela andou entre planícies nevadas, viu crianças brincando na neve e jovens apostando corridas de trenó. Conheceu a vegetação totalmente típica da região e ficou apaixonada por cada centímetro daquela peculiar natureza: "Há tanto para se ver no mundo e eu presa naquele escritório", pensava.

Alguns dias foram suficientes para que ela se convencesse de que aceitar a sugestão de Ambrose havia sido a melhor coisa que já fizera na vida.

À tarde, alguns guias levavam os visitantes para passeios mais arriscados. No terceiro dia no vilarejo, Charlotte se permitiu cavalgar em cavalos selvagens treinados para as neves. Eram lindos animais, e Charlotte gostou tanto que, no dia seguinte, repetiu a aventura.

Em seu cavalo, ela pôde ficar alguns instantes parada sobre uma colina, a observar a paisagem nevada. Contudo, ambas as vezes que Charlotte se distanciou do grupo de turistas que saíra a cavalo, os guias a alertaram para nunca pegar o rumo do oeste. Ela estava tão entusiasmada com o passeio que nem pensou em questionar o motivo.

As noites no vilarejo eram sempre agradáveis. Os habitantes do local estavam acostumados a receber turistas e haviam criado diversas atrações para entretê-los.

Havia música e comidas típicas, além de muita animação. Grupos de dança se apresentavam, muitos bares e restaurantes abriam suas portas, e artistas trabalhavam sob a luz do luar.

Foi numa encantadora noite, enquanto estava sentada em uma mesa, apreciando uma *stinkhead* (ou cabeça de salmão fermentada, comida típica da região) e contemplando a dança de um grupo de jovens garotas, que Charlotte resolveu arriscar. Quando o garçom aproximou-se para perguntar como estava a *stinkhead*, ela aproveitou e puxou conversa:

– Muito boa. Aliás, a comida daqui é extremamente saborosa – Ela hesitou por um instante, mas resolveu perguntar: – Eu gostaria de saber por que não é recomendado nos dirigirmos para o oeste.

– Lá fica um antigo Parque Nacional, uma reserva – respondeu, gentilmente, o garçom.

– Então seria um ótimo lugar para os turistas conhecerem – disse Charlotte.

– Seria, se não fossem eles: os aleútes[3].

– O que são aleútes? – quis saber a mulher.

– Trata-se de um povo que vem das Ilhas Aleutas, um arquipélago que vai do sul do Alasca até uma parte da Rússia. Eles são muito pacíficos e têm seu próprio estilo de vida. Mas há alguns meses aconteceu um acidente com uma garotinha aqui da vila, quando ela foi até a reserva onde vive um grupo de aleútes. Nós não falamos sobre isso.

– Eles a mataram? – perguntou Charlotte.

– Ninguém sabe ao certo o que aconteceu, mas... – o homem respirou fundo e continuou: – sim, mataram-na. E, desde então, proibimos os aleútes de virem até a vila, assim como eles nos proibiram de chegar às terras da reserva.

– Desculpe tocar nesse assunto – disse Charlotte.

– Não tem problema – respondeu o garçom, distanciando-se para atender outra mesa.

Charlotte ficou curiosa quanto ao que teria acontecido à menina que se envolvera com os aleútes, mas logo pensou que isso não era da sua conta e continuou a apreciar a noite e sua bela *stinkhead*.

---

3 É necessário esclarecer que os aleútes, de fato, existem, porém alguns dos costumes que serão retratados neste livro são ficcionais. (N. A.)

Nos dias seguintes, Charlotte continuou a fazer passeios turísticos, aproveitar a bela paisagem da Grande Terra, as festanças noturnas no vilarejo e as deliciosas comidas.

Ela tinha tempo e inspiração para pensar e repensar em sua vida e no que queria para si mesma a partir dali. Vivera os últimos vinte anos para a família e para o serviço, esquecendo-se de si mesma. Era hora de ser feliz.

Em dois dias acabaria sua aventura no Alasca, e Charlotte estava decidida a voltar para a Inglaterra e encontrar uma ocupação que lhe desse verdadeiro prazer de viver.

À tarde, ela optou por não sair com o grupo de turistas e preferiu fazer uma caminhada sozinha.

A mulher caminhou alguns quilômetros, distanciando-se do vilarejo e pensando no que poderia fazer de sua vida quando voltasse à Inglaterra. Estava tão distraída que, apenas ao ver uma placa alertando sobre a proximidade do Parque Nacional, ela se deu conta de que havia rumado para o oeste. Uma súbita vontade de quebrar as regras e bisbilhotar o proibido tomou conta de seu ser.

Aquela viagem havia despertado o espírito jovem que havia em Charlotte, e ela resolveu dar-se o direito de explorar o parque.

– Eles não devem ser maus, os aleútes... Pelo menos, assim espero – ela disse para si mesma, impulsiva e ingenuamente.

Em meio ao parque corria um pequeno riacho e Charlotte avistou uma figura abaixada a contemplar as águas. Usava uma pesada roupa com capuz, de modo que ela não conseguia ver sua face.

A pessoa parecia tão concentrada que não ouviu Charlotte se aproximar.

Quando estava bem próxima, a mulher arriscou mais uma vez e disse:

– Olá.

Era um homem. Ela pôde ver, pois ele se assustou com o seu cumprimento e levantou-se rapidamente, deixando o capuz escorregar. Tinha a pele morena e os olhos levemente puxados. Seus cabelos eram negros, bem lisos, presos até a altura dos ombros. Era um homem bonito – Charlotte pensou.

– Desculpe-me – ela disse –, eu não quis assustá-lo.

Mas ele parecia desconfiado com sua presença. Então, ela tentou uma nova abordagem:

– Desculpe se o assustei. Queria apenas conhecer o parque.

O homem continuava a fitá-la, sem nada responder.

Ela pensou que não era bem-vinda e disse:

– É melhor eu ir embora, adeus.

E foi então que o homem começou a dizer um monte de palavras estranhas num idioma que Charlotte nunca havia ouvido.

Ela o olhava sem compreender. Então, ele pareceu perceber o que estava acontecendo e caiu na gargalhada. Charlotte fez o mesmo. E ali eles permaneceram, rindo da situação constrangedora por alguns minutos.

O homem voltou a sentar-se à beira do riacho e a visitante o imitou.

Ela aproximou-se e apontou para si mesma, dizendo pausadamente e em bom som:

– CHARLOTTE – fez uma pequena pausa, e apontou para ele. – Qual o SEU nome?

O homem achou engraçado, mas pareceu entender o que a mulher estava tentando dizer e falou, também pausadamente, apontando para si mesmo:

– LIPSHA.

– Lipsha? – Charlotte indagou.

Ele assentiu com a cabeça e disse:

– Lotte?

Charlotte riu da maneira desengonçada como Lipsha pronunciou seu nome, mas resolveu que já haviam feito algum progresso e optou por não corrigi-lo.

Apesar de não falarem a mesma língua, Charlotte estava se sentindo feliz por ter uma companhia. Há dias ela vinha afastando a solidão e ocupando-se em fazer turismo pelo vilarejo, mas a verdade é que a morte do marido ainda a fazia sentir-se muito só, afinal ele havia sido seu companheiro por muitos anos.

De alguma forma misteriosa, Lipsha a fazia sentir-se menos solitária.

Com tais pensamentos, ela não pôde conter as lágrimas que vinha segurando há muito tempo.

O homem percebeu e, delicadamente, com um dedo, tentou secar uma das lágrimas que escorria pela face de Charlotte.

Ela agradeceu com o olhar. Ele compreendeu. Entretanto, novas lágrimas insistiram em cair.

Lipsha falou palavras que Charlotte não compreendeu e ela sentiu necessidade de falar também.

Ali, às margens do riacho que cruzava um Parque Nacional no interior do Alasca, Charlotte contou sua vida a um homem que não conhecia e que, principalmente, não entendia sua língua.

Mas Lipsha sabia que ela precisava falar e que ele deveria ouvir, mesmo sem compreender.

Charlotte nunca se abrira com ninguém. Nem mesmo com o marido ou com a filha, Nicole. Afinal, ela nunca quisera preocupar ninguém com seus medos e suas vontades contidas. Optou sempre por sofrer calada e fingir que tudo estava bem, quando, na verdade, não estava. Sempre faltara algo em sua vida... Algo que ela não sabia explicar. Talvez aventura, emoção. Ela amara demais o marido, mas fora sempre tudo tão certo, tão regrado, que Charlotte sentia falta de libertar-se, de ser quem ela realmente era por dentro, ao menos uma vez.

Ela contou tudo a Lipsha. Sobre a infância cheia de regras e castigos, sobre a irmã Jane, que sempre fora autoritária, sobre seu ótimo marido, que havia partido, sobre Nicole, a filha exemplar que Deus lhe dera. Contara também sobre o trabalho entediante e sobre os desejos que nunca havia realizado – e nem ao menos tentado.

Talvez uma parte dela quisesse que Lipsha pudesse compreender, dar-lhe conselhos e dizer que não era tarde para recomeçar. Mas outra parte de Charlotte apenas conseguia dizer tudo aquilo exatamente porque ele não podia compreender.

Horas se passaram. Muitas horas. Charlotte falava sem dar-se conta do tempo. E Lipsha a fitava e ouvia, sem compreender, e também sem queixar-se; ele apenas a confortava com sua gentil presença e seu doce olhar. De certa forma, estava sendo divertido para ele. E, mesmo não entendendo as palavras, ele podia compreender parte dos sentimentos daquela mulher.

Quando finalmente acabou de falar, Charlotte estava um pouco encabulada e apenas ficou em silêncio fitando a paisagem.

Lipsha esperou alguns minutos até esboçar alguma reação.

Então, lentamente, ele inclinou o corpo em direção à Charlotte, aproximando-se cada vez mais.

Ela pensou que ele iria beijá-la. Teve o súbito pensamento de impedir. Mas depois resolveu que não estava fazendo nada de errado e que aquilo poderia definitivamente representar um recomeço em sua vida.

Lipsha mantinha o rosto tão próximo ao de Charlotte que ela podia sentir sua respiração.

Mas, para sua surpresa, ele não a beijou. Ele fez algo diferente.

Lipsha suavemente encostou seu nariz no da mulher e balançou a cabeça para os lados, fazendo os narizes se roçarem de maneira delicada.

Charlotte achou aquilo engraçado, mas pensou que poderia ser a maneira como Lipsha representava seu afeto.

Ela retribuiu.

Sem saber, Charlotte estava correta. Aquele era o jeito que Lipsha e seu povo "beijavam" as pessoas queridas.

Assim que se afastaram, Lipsha olhou profundamente nos olhos de Charlotte e disse:

– *Kanuux.*

■

Charlotte remexia-se na cama do hotel, sem conseguir dormir. Ela pensava em Lipsha e nas horas que passara ao seu lado. Uma sensação estranha a atormentava. Era como se ela estivesse fazendo algo errado, afinal, seu marido falecera há pouco tempo. Todavia, o dia seguinte seria seu último no Alasca.

Involuntariamente, tudo o que seu coração queria era ver Lipsha novamente.

Ela pensou no susto que levou quando dois homens, também vestindo pesados casacos como o de Lipsha, se aproximaram do riacho naquela tarde, dizendo coisas que ela não compreendeu, mas que soaram como xingamentos.

Lipsha havia saído correndo, acompanhado dos dois homens, sem nada dizer à Charlotte, sem nem ao menos olhar para trás. Ela havia se dirigido para o hotel, com um misto de alegria e culpa, após a tarde dividida com o misterioso homem.

Tudo que deveria fazer agora era dormir. Ou pelo menos tentar, já que aquele estranho, de cabelos compridos e olhos puxados, não saía de seu pensamento e não permitia que ela pegasse no sono.

Quando acordou com o sol batendo em sua face através da janela – já que ela havia ido dormir com a cabeça tão cheia de pensamentos que se esquecera de fechar a cortina – Charlotte teve a impressão de que dormira pouquíssimas horas.

Ela tomou café da manhã e foi ver o lago dos alces. Tudo estava como estivera desde o dia em que ela chegou. Exceto pelo fato de que estava começando seu último dia naquele local. E, de uma forma estranha, ela não queria ir embora da Grande Terra.

– Você vai fazer o último passeio com os guias? – perguntou-lhe uma funcionária do hotel, que se aproximara.

Charlotte não havia percebido sua chegada e assustou-se com a súbita pergunta. Ela ainda não havia decidido como queria passar o último dia no Alasca, mas, definitivamente, não queria ir para o passeio em grupo. Apenas respondeu:

– Não, obrigada – a mulher se retirou.

Charlotte, sem olhar para trás, começou a andar. Ela não estava pensando concretamente para onde se dirigia, mas seus pés a levavam para um destino certo.

Ela andou até adentrar as terras do Parque Nacional e seu coração respirou aliviado ao ver que, às margens do riacho, estava Lipsha.

No entanto, ele não estava sozinho.

Havia um homem, com um pesado casaco marrom e cabelos compridos, sentado ao seu lado.

Charlotte se aproximou e ficou feliz ao vislumbrar um ligeiro sorriso na face de Lipsha ao vê-la chegar. Ela sentou-se ao seu lado e disse:

– Olá.

Lipsha, percebendo a saudação, respondeu em sua língua. E, para surpresa de Charlotte, o outro homem disse:

– Olá.

– Você fala a minha língua? – ela perguntou, perplexa.

– Falo, e por isso estou aqui – respondeu o homem.

Charlotte não estava compreendendo, então ele explicou-se:

– Meu nome é Ogaki. Sou um aleúte, como Lipsha. Vivemos na aldeia, aqui dentro do Parque Nacional. Sou o único que sabe falar o seu idioma, todos os outros falam apenas a língua aleúte. Ontem à noite, Lipsha me falou sobre você e pediu que eu viesse, para que pudessem conversar através de minhas traduções.

Charlotte estava ainda mais perplexa; não esperava por aquilo.

– Bem, pergunte a ele o que pretende conversar comigo – pediu a mulher.

Ogaki fez a pergunta a Lipsha em aleúte e depois respondeu:

– Ele quer saber sobre você, de onde vem, o que faz, quem você é e por que guarda tantas angústias.

– Como ele sabe que guardo angústias?

– Ele disse que você se abriu ontem e que, mesmo não compreendendo as palavras, ele compreendeu seus sentimentos. Há uma linguagem universal, mais forte que tudo. Uma linguagem que todos entendem, em qualquer canto do mundo: a linguagem dos sentimentos.

Charlotte respirou fundo e respondeu:

– Vou contar tudo sobre mim, talvez não com tantos detalhes como ontem, mas contarei tudo o que for importante. Não sei por que estou fazendo isso, mas estou com vontade de fazer. Apenas, Ogaki, primeiro me diga uma coisa – ela pediu.

– Claro – falou o aleúte, atenciosamente.

– O que significa *kanuux*? – Charlotte perguntou, lembrando-se da estranha palavra que Lipsha lhe dissera no dia anterior.

– *Kanuux*? – indagou Ogaki.

– Sim, acho que foi isso.

– Significa "coração" em aleúte.

Charlotte ficou parada alguns instantes olhando para Lipsha e pensando no dia anterior. Havia sido especial, ainda mais agora que ela compreendia aquela palavra.

Seu *kanuux* deu um salto.

Era a primeira palavra em aleúte que ela aprendia e não podia negar que era uma das mais belas.

– Por que ficou calada? – indagou Ogaki.

– Por nada, me desculpe – respondeu a mulher –, vou atender ao pedido de Lipsha e contar-lhe sobre mim, para que você possa traduzir. Mas peça que, em seguida, ele também fale um pouco de si.

Lipsha concordou e, mais uma vez, Charlotte falou sobre sua vida para aquele estranho e misteriosamente envolvente aleúte que ela conhecera há um dia e que, provavelmente, não tornaria a ver, após partir para o Reino Unido em menos de vinte e quatro horas.

Mas ela queria falar. Aquele homem fizera um sentimento novo brotar em seu peito, e fora em busca de coisas novas que ela partira da Inglaterra. Lipsha havia dado o verdadeiro sentido que ela buscava àquela viagem e, portanto, ele merecia saber quem ela era. Mesmo se eles nunca mais se vissem, mesmo se, em algumas horas, ele se esquecesse completamente dela; não importava.

Charlotte falou novamente sobre sua vida pacata, sua filha dedicada, sua irmã incompreensiva e sobre a perda do marido.

Ogaki ia dizendo simultaneamente em aleúte, a Lipsha, tudo o que Charlotte narrava.

Às vezes, ele se confundia com os idiomas, mas, no geral, Charlotte percebeu que ele falava sua língua muito bem.

– Aprendi com um velho sábio aleúte. Ele passou todo seu conhecimento para mim antes de partir. Já estou ensinando o idioma ao meu filho mais velho. É importante transmitir os conhecimentos, nunca deixá-los parados – explicou-se o tradutor.

Quando Charlotte acabou de falar, Lipsha disse algo, que Ogaki transmitiu:

– Ele disse que você tem uma história bonita, de luta. E o que ele mais admira é sua dedicação à família.

Charlotte corou ao receber o elogio de Lipsha.

– E ele disse também que você é diferente das mulheres do vilarejo. Ele havia percebido isso, quando a viu ontem, pela primeira vez.

Charlotte corou ainda mais. Por sorte fazia frio, e ela pôde disfarçar a vermelhidão das bochechas.

– É a vez de Lipsha contar sua história – a mulher pediu.

Em seguida, o aleúte começou a falar em sua estranha língua e Ogaki foi traduzindo para Charlotte:

– Lipsha nasceu nas Ilhas Aleutas, pertencentes ao Alasca. Lá, ele cresceu, aprendeu os costumes aleútes e se sobressaiu como um guia para os mais novos, sempre com paciência e vontade para ensinar. De acordo com as habilidades que demonstramos enquanto crianças, somos direcionados ao nosso futuro no grupo. Dessa forma, Lipsha tornou-se um mentor, ou professor, como vocês costumam dizer. Ele era responsável pela educação de todas as crianças do grupo, ensinando-as a caçar, fazer artesanatos e instrumentos, construir cabanas, cozinhar, aprender nosso idioma, nossas músicas e tradições e também as histórias de nossos deuses e antepassados.

Charlotte ouvia com atenção, mas resolveu interromper Ogaki:

– Mas por que você disse que Lipsha *era* responsável por tudo isso? Ele não é mais?

Ogaki reproduziu em aleúte o que Charlotte dissera e ela percebeu que havia tocado em um ponto frágil. Lipsha ficou, no mínimo, constrangido com a pergunta e, com a cabeça baixa, continuou a narrar sua história, traduzida pelo amigo:

– Há um ano, o pai de Lipsha resolveu deixar a ilha onde vivia e juntar-se aos aleútes que haviam explorado o continente. Isso ocorreu devido à "Batalha Esquecida", ou seja, quando parte das Ilhas Aleutas foi atacada em 1942, durante a Segunda Guerra Mundial. A mãe e os irmãos de Lipsha, assim como ele próprio, seguiram o pai. Chegaram à reserva, onde foram recebidos com grande entusiasmo e logo se adaptaram à vida nesta região do Alasca. Os aleútes aqui do Parque Nacional não possuíam um mentor e ficaram muito felizes com a chegada de Lipsha. Ele continuou seu trabalho de transmitir os conhecimentos necessários às crianças, porém, há alguns meses, algo terrível aconteceu, fazendo com que ele perdesse sua função.

Ogaki e Lipsha ficaram em silêncio alguns instantes.

– Tem a ver com a menina do vilarejo que morreu aqui na reserva? – indagou Charlotte.

Ogaki traduziu a pergunta a Lipsha.

Ele rapidamente levantou-se do leito do rio, lançou um olhar penetrante à Charlotte; um olhar que representava um "sim" àquela pergunta, um olhar raivoso, que abriu espaço para uma lágrima rolar.

Ele não disse nada, apenas saiu andando. Mas não era preciso dizer. Mais uma vez, a linguagem universal dos sentimentos dispensava qualquer tradução. Charlotte compreendeu que Lipsha estivera envolvido no episódio e que fora muito doloroso a ele.

– Por favor, não vá! – pediu a mulher, enquanto Lipsha se distanciava.

Ogaki traduziu o pedido de Charlotte.

– Por favor, Lipsha, volte! Você foi a única pessoa no mundo que deu ouvidos às minhas angústias, quero retribuir!

O aleúte havia parado e, ainda de costas, ouvia as palavras de Charlotte, traduzidas por Ogaki.

– Volte, este é meu último dia no Alasca. Eu... Eu gostaria de passar as últimas horas ao seu lado.

A última frase havia saído sem aviso prévio à mente de Charlotte. Ela só se dera conta do que sua boca havia dito, quando as palavras já estavam soltas no ar. Sentiu-se embaraçada. Entretanto, aquelas palavras haviam sido importantes para fazer com que Lipsha girasse nos calcanhares e voltasse para as margens do gélido riacho.

Ele tornou a sentar-se e disse, entre lágrimas:

– Ela vinha todos os dias me visitar, a menina do vilarejo. Seu pai era dono do restaurante mais fino de lá, mas tudo o que ela queria era observar a natureza junto ao meu povo. Éramos grandes amigos, apesar da diferença de idade e de costumes. Ogaki costumava traduzir nossas conversas. Ele é prova de nossa amizade. – nesse momento, Ogaki parou de traduzir as palavras de Lipsha e balançou a cabeça afirmativamente, então continuou a tradução: – Ela fez amizade com as crianças da reserva e até passou a acompanhar algumas de minhas lições. Porém, um dia terrível chegou. Um dia em que os deuses estavam furiosos e a Mãe Natureza, revoltada. Ela estava lá, a menina da aldeia, perto do grande lago do Parque Nacional, sozinha, quando a água a arrastou. Eu corri e mergulhei para salvá-la, mas era tarde demais. A Mãe Natureza parecia furiosa, as águas estavam mais agitadas que nunca e a pequena fez a grande viagem... O pai dela ficou furioso e perdeu a razão. Veio até nosso povo, declarando guerra, mas não aceitamos o combate, pois sabíamos que se tratava apenas de um momento difícil para aquele homem que acabara de perder a filha. Ele, então, com mais raiva, espalhou para todo o vilarejo que éramos bárbaros, brutais e que eu havia assassinado sua menina. Como ele é muito importante na vila, todos ficaram ao seu lado e, desde então, não podemos ir até lá e também os proibimos de entrar em nossas terras.

– Que história triste. – disse Charlotte, pensativa – Mas por isso o proibiram de ser o mentor do grupo?

– Eu fiquei muito abalado com tudo o que aconteceu e todos concordaram que era melhor me afastar. Desde então, eu venho às margens do riacho. Ele desemboca no grande lago da reserva, que arrastou a menina da aldeia. Fico a contemplar a água, esperando que meu coração se acalme e me dê uma nova direção. Assim fez o riacho: em seu leito, ontem você chegou, trazendo-me uma nova paz.

Assim como Charlotte, Lipsha não havia pensado em suas últimas palavras, entretanto, elas haviam saído e rapidamente foram traduzidas por Ogaki. Haviam vindo do coração (ou *kanuux)* de Lipsha, e isso representava a sinceridade em sua forma mais lapidada.

Charlotte corou.

Lipsha calou-se. Ele mal conseguia olhar para a mulher.

– Deixe-me ajudá-lo – ela pediu.

– Como? – indagou o aleúte.

– Tenho uma ideia.

■

– O que ela fez depois? – indagou Anny, que ouvia atentamente Nicole contar a história de Charlotte, sua mãe, e seu amor aleúte, que surgira há dez anos.

– Ela saiu do Parque Nacional, sem dizer a Lipsha seu plano. Mas foi diretamente ao vilarejo. Já estava escurecendo e quase todos os habitantes e visitantes do local estavam nas ruas para as tradicionais festividades. Até hoje não consigo imaginar essa cena. Se minha própria mãe não houvesse me contado o que fez, eu não acreditaria. Ela chamou a atenção de todos e contou a versão de Lipsha sobre a morte da menina. Falou com toda a força do seu coração e foi aplaudida. Muitos diziam que nunca acreditaram que os aleútes fossem assassinos. E, naquele momento, Lipsha foi chamado e também foi aplaudido no vilarejo, simbolizando a paz no local.

– E o que aconteceu com o pai da menina que morreu?

– Ele continua lá, com seu restaurante. Ninguém se zangou, pois todos entenderam que ele causou aquela discórdia apenas porque havia sofrido uma grande perda. Ele é um bom homem.

– Puxa, Nicole, é uma história maravilhosa!

– E ainda tem mais! – respondeu Nicole – No dia seguinte, mamãe não embarcou no navio. Ela foi para o Parque Nacional, sendo recebida como heroína por ter devolvido a paz ao local e por ter tirado a culpa do mentor Lipsha, que sempre fora inocente. Ela ficou lá por muitos dias, até começou a aprender a língua aleúte com Ogaki.

– E ela continua lá até hoje? – perguntou Anny.

– Exatamente. Ela encontrou sua nova paixão na vida: juntou-se a Lipsha e, hoje, também é uma mentora aleúte. Ela foi aceita no grupo após casar-se com ele.

– Eles se casaram? – perguntou Anny, animada.

– Sim, se casaram! Eu fui ao casamento de mamãe... Nunca havia estado em um lugar tão encantador. Eu não viajei muito em minha vida, mas, mesmo assim, posso afirmar que a mamãe escolheu um cenário perfeito para seu casamento e para reconstruir a vida com o seu amor aleúte.

De fato, o casamento de Lipsha e Charlotte havia sido alguns anos depois que eles se conheceram à beira do riacho na reserva. Charlotte passara muito tempo no Alasca, mas apenas se casou com Lipsha quando Nicole estava definitivamente encaminhada na vida, já tendo terminado os estudos e começado a trabalhar. Quando a mulher disse à família que iria se casar e viver no Alasca, foi uma total revolução. Todos ficaram abismados com a decisão dela, que sempre fora tão dedicada a uma vida regrada e crescera em meio a uma família conservadora.

Ela enfrentara maus momentos, principalmente com a irmã Jane, que tinha o temperamento mais explosivo e até chegara a insultá-la diversas vezes. Porém, apesar de saber que seria difícil ficar longe da mãe, Nicole sempre a incentivou a correr atrás daquilo que a faria feliz:

– Eu sei que é uma mudança muito drástica, mas sinto que é isso que preciso fazer. Vou sentir saudades de você, de nossa família, de nossa cidade, mas eu preciso ir em busca de minha felicidade – dissera Charlotte a Nicole.

E assim, após enfrentar a revolta da família e as inseguranças que acompanham os seres humanos em qualquer mudança de vida, Charlotte partiu para o Alasca e, em uma bonita e singela cerimônia aleúte, casou-se com Lipsha.

O casamento fora realizado no próprio Parque Nacional onde os aleútes viviam. Quase todas as pessoas do vilarejo estiveram presentes, uma vez que Charlotte havia sido responsável por selar a paz entre os habitantes do local. O chefe dos aleútes realizara a cerimônia à beira do riacho onde ela e Lipsha se conheceram e, depois, Ogaki dissera algumas palavras no idioma da noiva.

Todos dançaram, conversaram alegremente e comeram muito salmão aquele dia.

Os aleútes eram unidos e alegres. Representavam muito bem o nome que tinham: afinal, "aleúte" (ou *allíthuh*) significa "comunidade".

Nicole adorou o novo local que a mãe havia escolhido para viver. Desde as plantas rasteiras até a neve no pico das montanhas, os animais encantadoramente diferentes, as pessoas, os costumes, tudo era maravilhoso.

– Você será muito feliz aqui, mamãe – disse Nicole à Charlotte, logo após a cerimônia.

Com lágrimas nos olhos, a mãe respondeu:

– Minha filha, obrigada. Agora que você disse essas palavras, tenho certeza de que serei feliz. E obrigada por ter vindo e apoiado a minha loucura.

– Não é loucura, mamãe. Eu acho que as mudanças e até algumas ousadias são importantes na vida. Talvez um dia eu também faça "loucuras" como você diz, mas agora estou feliz, ensinando as crianças na Inglaterra. E ainda mais feliz por saber que você estará bem. Lipsha será um ótimo marido.

– Filha, sobre isso, eu gostaria de dizer algo muito importante a você... Seu pai e eu nos amamos muito. Foi horrível quando ele partiu. Não quero que pense que meus sentimentos por ele...

– Não precisa dizer nada, mamãe. Eu sei que você amou o papai, eu via isso todos os dias enquanto ele esteve conosco. Mas agora você precisa de uma nova companhia e estou feliz que tenha encontrado o Lipsha.

Aquela noite, o aleúte levou Charlotte e Nicole para o topo de uma colina. O frio era tremendo e o barulho do vento parecia uma ópera da natureza. Porém, valia a pena cada segundo ali. Lipsha, agora marido de Charlotte, preparara uma surpresa a elas: naquela época do ano, os habitantes do local estavam acostumados a ver lindas auroras boreais se formarem no céu.

Lipsha levou-as até o local de onde se podia ver melhor o fenômeno e, quando chegaram ao topo da colina, os comentários foram dispensados. Não havia palavras que explicassem o que Nicole e sua mãe estavam visualizando.

Os três, que eram agora, de certa forma, uma família inusitada, ficaram parados naquele cantinho do mundo, no silêncio berrante do vento e no frio quebrante da colina, vendo o espetáculo mais bonito que a natureza podia lhes oferecer naquela noite especial. Uma lágrima rolou pelo rosto de Nicole. Ela pensou que poderia ser pelo frio intenso, mas estava enganada. A beleza do momento havia espantado o frio que ela sentia, abrindo caminho para uma sensação reconfortante. A pequena lágrima que caiu, sozinha, pela face da jovem inglesa, era enorme em significado – trazia consigo memórias do pai que se fora e das escolhas que Charlotte fizera. Ela teve certeza de que ali era o local ao qual a mãe pertencia e de que ela voltaria diversas vezes para visitá-la. Mas também teve certeza de que sua missão ainda era no Reino Unido, ao lado das crianças que tanto amava e no país que era o seu lar. Mas nenhuma certeza jamais foi maior do que a força da natureza e a força de Deus... Ao ver a aurora boreal, ela teve certeza de que, se tudo existe, é porque existe Algo grandioso e incompreensível a nós – tão pequenos – por trás de tudo isso...

O Infinito.

Charlotte abraçou a filha e, em seguida, elas foram envoltas pelos braços fortes de Lipsha, o doce amor aleúte, que as levara para ver o espetáculo:

– Lotte – ele murmurou.

Os três permaneceram ali contemplando as luzes coloridas, oriundas de um fenômeno óptico, que causavam aquela aurora boreal. Aurora, em homenagem à deusa romana do amanhecer e ao seu filho, deus dos ventos do norte. De fato, se aquilo não fosse obra dos deuses nos quais Lipsha acreditava, e do Deus em que Nicole e Charlotte tinham fé, não seria real.

■

Nicole despertou a imaginação de Anny, que estava concentrada imaginando o espetáculo das luzes no céu noturno da Grande Terra, ou melhor, do Alasca. Ela se perguntava se um dia teria a mesma sorte de Nicole, de ver aquele presente dos deuses.

– E o que aconteceu depois? – ela indagou.

– Mamãe construiu, ou melhor, reconstruiu sua vida na reserva. E hoje ensina as crianças aleútes e algumas crianças do vilarejo. Ela passa adiante valores como a união entre os diferentes povos e a amizade que deve existir independente de credo ou costume, além do amor e respeito à natureza e tudo o que nela existe. Ela também ajuda na tribo, preparando os alimentos junto a outras mulheres, e vive feliz ao lado de Lipsha, seu amor aleúte, e de seu povo, que a acolheu como filha.

– Isso é ótimo, ela deve estar muito feliz! – disse Anny.

– Sim, ela está. E eu fico feliz por ela – respondeu Nicole –, mas ela sente muito a minha falta, e eu também. Quando nos encontramos, mamãe sempre pede carinhosamente que eu considere me mudar para o Alasca. Ela diz que não preciso viver na reserva, posso ficar na cidade e encontrar uma boa escola para trabalhar. Ontem recebi uma carta, com uma nova súplica de minha mãe, para que eu me mude para lá. Mas... Eu sinto que devo permanecer aqui. Não quero desapontar mamãe, ela é a pessoa que eu mais amo no mundo, é minha verdadeira família, e só eu sei o quanto me dói ficar longe dela, mas aqui é meu país, aqui eu vivo e aqui vive feliz o meu coração. Não posso simplesmente largar tudo e ir embora.

– Nicole – disse Anny –, eu aprendi que devemos ouvir sempre o nosso coração. Aprendi com um amigo muito especial e posso lhe garantir que isso nunca falha. Se seu coração diz que você deve ficar aqui, então explique isso à sua mãe. Ela me parece uma ótima pessoa, tenho certeza de que irá compreender se você tiver uma conversa franca com ela. Se você sente que deve ficar aqui, então é porque não existe nenhum outro lugar no mundo onde você deve estar neste momento. Não abra mão de sua felicidade, mesmo sabendo que isso implica abrir mão de outras coisas. Uma escolha sempre gera um ganho e uma perda, por isso devemos pesar os dois lados em uma balança, para decidirmos o que é melhor para nós. Eu aprendi também que ser feliz não é ter tudo o que se quer. É lutar, às vezes perder, às vezes ganhar, mas sempre seguindo o coração.

– Obrigada, Anny, você tem toda razão...

– E não se esqueça, sua decisão de permanecer aqui é válida até que seu coração a guie para outro rumo. Pode ser que daqui a um tempo você resolva ir viver junto de sua mãe, nada a impede. Você tem a sorte de poder mudar sua escolha quando lhe for conveniente.

Nicole abraçou Anny e deu-lhe um beijo na testa.

– O que seria de mim sem você? Vou escrever uma carta à mamãe e abrir o meu coração... Você me salvou hoje – disse Nicole.

– Ainda lhe devo tanto – respondeu Anny –, afinal você me salvou a vida inteira...

■

Alguns dias haviam se passado desde que Anny tivera aquela conversa com Nicole sobre Charlotte, seu amor aleúte e a importância das escolhas que fazemos durante a vida.

Porém, a impressão da conversa ainda permanecia viva em seu coração, como se Nicole estivesse narrando tudo novamente. Ela pensava em Lipsha. Mesmo que nunca o tivesse visto pessoalmente, podia imaginar sua face. Pensava no riacho da reserva, nas festas noturnas no vilarejo, nos alces se banhando no lago, na aurora boreal. Será que, assim como no arco-íris, Anny poderia enxergar sua cor especial também nesse espetáculo de cores? Como será que era uma aurora boreal vista pelos anjos?

A jovem estava sentada em meio aos canteiros do jardim. Fazia frio, mas ela não se importava, tinha muito a pensar e era ali, naquele cantinho do mundo, que os pensamentos lhe fluíam feito água em uma nascente.

Ela pensava não só na história de Nicole e Charlotte, mas também na de Hermes e Josephine – o que será que teria acontecido à moça que sumira, fazendo com que Hermes se esquecesse de viver?

Sobretudo, Anny pensava em Pepeu e Angel... No amor dos dois e na missão que lhes havia sido dada (o casal deveria levar os ensinamentos de amor ao mundo, conforme Ângela lhe contara no Reino Xadrez). Com todo privilégio concedido, surge também uma obrigação. Anny compreendia a luta de Pepeu. Ela o amava como irmão e o amaria para sempre.

Porém, mais que tudo, a jovem pensava em sua própria história. Pensava nos pais, e a saudade a sufocava tanto que chegava a doer. Era uma dor que percorria todo seu corpo e lhe subia pela garganta, chegando a fazer faltar o ar. Mas ela tinha que ser forte. Tinha que continuar a pedir ao Papai do Céu que cuidasse deles, continuar a acreditar que, um dia, estariam todos juntos. Ela estava grande para brincar em um balanço agora, mas jamais estaria grande demais para dançar ao som do piano tocado por sua mãe e jogar xadrez com o pai – isso era tudo o que ela pedia à vida.

Tudo.

■

Era uma noite fria e silenciosa. Num país distante, em uma pequena casinha, muito diferente da mansão que ele um dia possuíra e que se tornara ruínas, como tudo em sua vida – exceto pelo fato de que, diferentemente de sua casa, não fora o fogo que o destruíra, foram suas próprias escolhas –, Jefferson estava sentado, pensando em sua triste realidade.

Pensou na filha, que estava longe, e na amada esposa – ocorreu-lhe um pensamento agressivo de que talvez Cindy nunca amara a menina. Apenas a aceitara para continuar ao lado do marido, do parceiro de viagens e desafios. Ela nunca se preocupou com a segurança de Anny, nem durante a Guerra, nem quando os inimigos passaram a ameaçá-los. Fora sempre Jefferson quem se preocupara.

No entanto, um barulho súbito, vindo do exterior da casa, despertou-o de seus pensamentos.

Ele levantou-se bruscamente e caminhou até a porta da cozinha. Abriu-a e saiu, mas nada havia lá fora, exceto o vento cortante.

Quando se virou para fechar a porta, ouviu novamente o ruído. Correu para dentro, pegou o revólver e deixou-o preparado em uma das mãos.

Uma nova rajada de vento o assustou.

As janelas da casa começaram a ecoar, uma de cada vez, como se alguém as estivesse esmurrando ao lado de fora.

Jefferson sabia que o haviam encontrado e que estavam tentando fazê-lo sentir medo. Mas ele não seria tão facilmente persuadido a tal sensação.

Desde a primeira vez em que se envolvera com o crime, Jefferson passou a ser torturado por um sentimento terrível de dualidade. Trevas e luz dominavam seu interior, em uma batalha sem fim. Ele se transformara no resultado da incoerência e das dúvidas. Agora, nos momentos finais, a dualidade parecia revoltá-lo ainda mais, visto que ele nunca fora capaz de resolvê-la, ou, ao menos, encará-la com coragem.

Ele sabia que não poderia se esconder para sempre e que, um dia, acabariam por encontrá-lo. Não tinha medo. Apenas, de forma inconsciente, havia esperado por esse momento, que colocaria um fim em sua existência fria e sem propósitos, repleta apenas de *dualidade*.

Os barulhos foram ficando cada vez mais fortes e o coração de Jefferson parecia acompanhar aquela sinfonia desenfreada. Medo, definitivamente, não. Era ansiedade.

Contudo, Anny veio de encontro aos seus pensamentos, trazendo-lhe um instante de paz em meio à sua própria guerra. Ele pensou na filha e foi como se os socos nas janelas não fossem mais importantes, nem ao menos ameaçadores.

Foi como se o vento tivesse parado de soprar e nada mais lhe incomodasse – nem seus conflitos interiores.

O mundo fazia silêncio, assistindo a seus últimos pensamentos.

Anny... Ah, Anny... Tantas promessas que não seriam cumpridas... Tantas escolhas erradas e, acima de tudo, tantos momentos que permaneceriam para sempre no desejo, sem que tivessem sido verdadeiramente vividos.

Pensamentos intensos, mas que duraram apenas uma fração de segundo.

De súbito, ele voltou à realidade, ao perceber que os sons não pareciam vir de fora da casa mais, e sim do interior.

Sem medo, Jefferson foi até a sala. Pulou no cômodo apontando o revólver para uma direção, mas a bala veio de outra, atingindo-o em cheio no crânio, sem que ele tivesse como reagir. Não houve tempo para pensar em Cindy, que logo estaria de volta; no sorriso de Anny, que nunca voltaria a ver, e no abraço que nunca voltaria a receber. Ele não dissera nada à filha, mas no dia em que a Casa Grande pegou fogo, havia sido o abraço dela que o sustentara e não permitira que ele acabasse com a própria vida.

Ele teve chances, mas nunca vontade de optar pela mudança. Mudar de vida passou pela cabeça de Jefferson diversas vezes, mas mudanças sempre dão trabalho. As chances escaparam até deixarem de existir por completo.

E, apesar de ter jurado que estava decidido a mudar nos últimos anos, se ele tivesse escapado da perseguição e pudesse retomar a profissão do crime, talvez ele não pensasse duas vezes.

Talvez. Apenas talvez.

Ele não teria uma nova chance de provar nada a ninguém, nem a si mesmo, de que havia mudado.

Por fim, ele não pensou na última partida de xadrez com a filha... Última partida que nunca seria jogada.

■

Cindy andava a passos rápidos, em seu impecável sapato de salto alto e fino, pelos largos corredores do aeroporto.

Fora terrível chegar em casa e encontrar o corpo de Jefferson no chão. Mas ela não iria se lamentar por isso. Era melhor assim. Melhor deixar tudo para trás. O casamento, a filha, a vida que levou por todos aqueles anos. Era como se nada daquilo tivesse existido para ela.

Cindy estava decidida a viver disfarçada, até usar outro nome por um bom tempo. Achar um marido perfeito e que lhe desse tudo. Ela já não desejava mais trabalhar. Perdera a graça, tornara-se banal. Apenas praticaria tiro ao alvo, para não perder o costume. Parecia perfeito e, de uma forma ou outra, acabaria sendo. Ela era uma mulher deslumbrantemente linda e saberia seduzir um homem e uma nova vida de aparências. O crime, de outra forma, a aguardava, para iniciar uma nova etapa.

■

O Reino Xadrez estava calmo e bonito como sempre. A rainha Anny andava pelos lindos gramados quadriculados e cumprimentava seus alegres súditos.

Quando ela passou por um campo de flores, contudo, algo chamou sua atenção. Em meio ao branco e preto daquele lugar, havia um pequeno objeto dourado.

Ela correu até ele, tomando cuidado para não pisar nas flores, e abaixou-se para pegá-lo.

Era o camafeu, a bonita joia que ganhara do pai um dia após ter completado quinze anos.

Anny abriu o camafeu e contemplou a foto em seu interior: Cindy e Jefferson sorriam.

Ela sabia que isso seria tudo o que teria deles pelo resto de sua vida. Assim, uma sensação estranha percorreu todo seu corpo, fazendo-a cair ao chão, segurando firme a joia entre os dedos.

A jovem rainha permaneceu caída entre as flores quadriculadas, olhando para a foto dos pais e pensando em como sentia falta deles e no quanto os amava.

E foi naquele momento, em que seu coração sentia o maior amor do mundo, que algo a envolveu.

Era como um abraço. Talvez não fosse um abraço de um anjo, daqueles que parecem brisas quentes em meio ao inverno. O abraço não lhe transmitia calor, nem paz. Transmitia apenas saudade.

Ela girou-se para tentar ver a face de quem quer que estivesse ali.

Era Jefferson, seu rei, seu pai, que a visitava pela primeira vez no Reino Xadrez.

Se aquele reino era a própria Anny, como lhe dissera diversas vezes o sábio Bispo, ele só era xadrez por causa de Jefferson. Fora o pai quem dera o jogo a ela e lhe apresentara aquele mundo encantador.

Ela quis entender o motivo de o pai nunca tê-la visitado no reino antes.

Atendendo ao seu desejo, ela pôde ouvir a voz do sábio Bispo, sem que conseguisse vê-lo:

– Jefferson sempre foi um prisioneiro de si mesmo. Acorrentado a seus medos interiores, a suas escolhas questionáveis e a seus sentimentos opostos. Dessa forma, nunca foi possível que ele entrasse nos domínios quadriculados deste reinado. Ele ainda não é livre. Contudo, hoje foi lhe dada uma concessão especial, visto que Vossa Majestade merece abraçá-lo uma última vez...

Então, assim ela fez: abraçou o pai pelo espaço de uma eternidade e murmurou:

– Eu te amo, papai.

Jefferson não respondeu, ele apenas a contemplava.

Anny, observando a face do pai, notou algo diferente. Lateralmente havia um buraco em seu crânio. Mas não havia sangue; era apenas como uma cicatriz um tanto recente.

Talvez ali estivesse a explicação que complementava a do Bispo: aquela cicatriz representava o motivo da despedida do rei, ela era o motivo de os portões do Reino Xadrez terem, finalmente, sido abertos para Jefferson... Pela primeira e última vez.

Antes que a rainha pudesse questionar o buraco no crânio do pai, ele desapareceu, levando consigo as saudades.

Anny sentiu um forte aperto no peito, uma sensação ruim.

Ela contemplou o castelo ao longe. Era o palácio do Reino Xadrez, que um dia tornara-se ruínas, quando Anny sentiu que os pais corriam perigo pela primeira vez. Mas ela prometera que jamais deixaria que ele voltasse a desmoronar.

Por mais difícil que fosse, ela não se deixaria contaminar com sentimentos destrutivos, a ponto de deixar seu mundo interior, o Reino Xadrez, tornar-se um caos.

Ela permaneceu sentada por muito tempo em meio às flores, segurando a foto de Cindy e Jefferson nas mãos e refletindo sobre o que tudo aquilo significava.

Continuava a olhar para o castelo ao longe. Tão imponente; mais que nunca ele representava a enorme força que havia em seu interior. Representava seu amadurecimento, afinal, mesmo após a pior das despedidas, ela não se deixou contaminar com negatividade e não permitiu que tudo desabasse... Sentimento digno de uma verdadeira rainha.

O palácio continuava lindo, enorme e xadrez, exceto por um pontinho azul que o circundava.

Era ela, a borboleta azul, que voava ao redor do castelo, representando a alma da rainha, ao envolver-se por um largo abraço da esperança...

Então, uma chuva começou no Reino Xadrez. Não era uma forte tempestade. Afinal, não representava fúria ou descontrole. Era uma chuva fina, reconfortante; uma chuva para limpar a alma.

Representava alento, recomeço.

Era como se o céu chorasse junto com Anny, mas de uma forma suave...

Sobre o castelo se abriu uma fresta de luz entre as nuvens. Era o sol, abrindo caminho para seus raios em meio à chuva. Tudo era exatamente como no interior da jovem rainha, após a partida – sem volta – de seu rei.

12

A AJUDA VEM DE ONDE NÃO SE ESPERA

"É um milagre! É um milagre! O tempo e a vida realizam milagres!"

O ano era 1956. Anny seguia com sua pacata vida na pequena casa de Jane e Hermes, compartilhando experiências com os amigos que tanto amava, cultivando as flores do jardim e carregando a saudade dos pais. Esta, fiel e inabalável companheira que insistia em roubar-lhe algumas noites de sono.

Ela estava prestes a completar dezoito anos quando pensamentos novos começaram a penetrar sua mente. Novas preocupações haviam surgido. Logo, teria que arrumar um emprego e um rumo para sua vida.

As aulas de dança com Desiré e Marisol continuavam a acontecer, agora com intervalos maiores. Embora Anny não duvidasse de que realizaria seus sonhos, as incertezas do futuro começaram a assombrar-lhe. O que a confortava era saber que a arte sempre fizera parte de seu ser e seria assim para sempre. Os caminhos que a levariam para a realização de sua missão junto à dança e à arte estavam nas mãos engenhosas do destino.

Há cerca de três anos Jefferson e Cindy não davam notícias. Embora não soubesse exatamente o que acontecera aos pais, ela, no fundo, era capaz de sentir. Anny sabia que, no dia em que ganhara o camafeu com a foto deles, nunca mais voltaria a vê-los. Ela soube, naquele momento em que se despediu do pai à porta, que aquele era o último instante que passariam juntos fisicamente.

Não apenas pelo misterioso sonho que tivera com o rei Jefferson no Reino Xadrez, mas o coração de Anny simplesmente compreendia o que havia acontecido: sim, seu coração podia sentir a verdade. Era estranho e mágico ao mesmo tempo. Sábio era, e sempre fora, seu pequeno grande coração. E mais sábia ainda era a jovem, que sabia dar ouvidos a ele.

Contudo, onde quer que os pais estivessem, na terra dos homens ou dos anjos, ela continuaria a amá-los, e a pedir todos os dias que o Papai do Céu os protegesse, já que ela não podia estar fisicamente ao lado deles.

Jefferson havia parado de enviar dinheiro e, após muita briga e gritaria com Jane, Hermes conseguira que Anny permanecesse na casa. Ela não queria ir embora por diversos motivos: deixar Hermes ali, sozinho com Jane; mudar-se para longe de Desiré e George; afastar-se daquele local, que ficava aos fundos das ruínas da Casa Grande, do seu lar; afastar-se do singelo cenário de seus encontros com Pepeu e Nicole; ir para longe do jardim – seu cantinho preferido no mundo; não queria sair dali também porque não tinha para onde ir – ela precisava continuar com as aulas de dança e esperar que a vida lhe desse uma direção. Seu coração continuava a insistir: ainda não havia chegado o momento de partir.

Por três longos anos, ela sofreu com a ausência dos pais. A cada inverno que chegou, desde então, ela esperou pela neve, que nunca os trouxe de volta. Em cada noite de vento, ela sentiu-se balançar aos embalos de Cindy – mesmo que seu balanço também houvesse sido destruído pelo fogo, os deliciosos embalos continuavam vivos para ela.

Não houve um dia sequer em que Anny não pediu ao Papai do Céu que olhasse por eles, lá do alto; não houve um dia em que ela foi se deitar sem que a saudade fizesse seu peito doer.

Então, chegou o momento de ouvir a voz da razão e assumir que não voltaria a vê-los e que, em breve, deveria partir dali.

Escolhas – sempre com um ganho e uma perda. Era preciso pesar.

Alguém bateu à porta e Anny foi atender.

– Olá, minha querida! Que satisfação em revê-la! – saudou-a Frank.

– Olá, Frank, que surpresa agradável! Entre.

O velho amigo entrou na pequena sala e sentou-se ao lado da jovem Anny. Eles ficaram conversando sobre assuntos variados, até que Frank revelou o real motivo de sua visita:

– Na verdade, vim porque preciso contar-lhe uma novidade.

– Novidade boa ou ruim? – quis saber a jovem.

– Ótima – respondeu Frank.

– Que maravilha! Pode contar.

– Eu vim me despedir. Partirei esta noite – falou o homem.

– Partirá? Para onde? – indagou Anny.

– Para junto de Bety Lou.

– Frank, o que você está dizendo? A Bety Lou não está... morta?

– Exatamente – respondeu Frank, sorridente –, e vem me buscar esta noite.

– Como assim? – Anny estava ficando nervosa com aquela conversa.

– Querida, não precisa se preocupar. Morrer é como adormecer, a Bety disse; eu ficarei bem. Eu não poderia partir sem dar-lhe um último abraço. Claro, não é uma despedida definitiva, apenas temporária. Mas sentirei saudades de você, a netinha que Deus me enviou.

– Ah, Frank, eu não posso acreditar no que você está dizendo.

– Pois acredite, querida, é a mais pura verdade.

– E você está realmente feliz? – questionou Anny.

– Mais feliz que nunca. Vou finalmente reencontrar minha amada Bety e seguir ao seu lado. Ontem, quando observávamos as estrelas, ela contou que viria me buscar.

Anny estava séria, não sabia o que dizer.

– Você não está feliz por mim? – Frank indagou.

– É tudo muito estranho e será difícil acostumar com a vida sem você e suas visitas. Mas se está feliz, também tenho que estar.

Eles se abraçaram forte e demoradamente. Eram como uma família, exceto pelo mero detalhe de que não era o mesmo sangue que lhes corria nas veias. Anny segurou o choro e deixou que as lágrimas caíssem apenas quando Frank já havia partido, ela não queria deixá-lo chateado naquele dia que lhe parecia ser especial.

À noite, quando se deitou, Anny não pôde parar de pensar no velho médico. Ela olhou para o céu estrelado, lembrando-se de que ele possuía aquele mesmo costume. De repente, um aperto muito forte atingiu-lhe o peito, como se o seu coração soubesse que aquele era o momento em que Bety Lou viera buscar seu tão amado amigo – e vovô – Frank.

Sem que ela percebesse, uma nova estrela surgiu no céu, naquele instante tão breve.

Anny não conseguiu dormir. Ela achou melhor avisar o senhor Hermes e ir verificar como Frank estava.

E, pela primeira vez em anos, na pequena ruela em que Frank morara, aquele simpático e excêntrico velhinho não estava à janela, olhando as estrelas. Ele realmente havia partido, carregado por sua amada.

No dia seguinte, Hermes, Anny e Nicole prepararam uma cerimônia de despedida a Frank, homenageando aquele médico que tantas bondades fizera.

Enquanto olhava as porcelanas e objetos na casa do amigo, Anny se perguntava o que aconteceria àquela velha casa.

Mas a resposta veio ao seu encontro, como se Frank, de onde estivesse, lhe ouvisse os pensamentos. Ele havia deixado um documento sob um bule de porcelana. Aquela casa havia sido herança do pai de Frank, assim como algum dinheiro, fato que permitira que ele e a esposa trabalhassem principalmente por caridade. Ali, naquela simples casa, ele e Bety Lou haviam sido muito felizes. A continuação perfeita para a história do local, e para o cantinho preferido de Frank no mundo (o pomar), era que a casa seria agora um lar para os desabrigados.

Duas velhas médicas, colegas da época em que Bety e Frank cuidavam dos feridos na Primeira Guerra, chegaram para o funeral e também para assumir o comando daquele novo abrigo que, por gerações, serviria de consolo aos necessitados. Frank e Bety Lou nunca deixaram de trabalhar em favor dos desamparados – não seria agora que o fariam.

O velho retrato na parede, com a foto dos dois médicos, foi reverenciado por todos que por ali passaram e encontraram, no cantinho preferido de Frank no mundo, um abrigo, um teto, um lar.

Sim: um lar. Um local onde qualquer coração seria capaz de repousar em paz.

■

Anny acordou e viu que Hermes havia saído para trabalhar, mas percebeu que Jane não havia feito o mesmo.

Há dias a mulher não andava bem, mas quanto mais Anny perguntava como ela se sentia, mais Jane ficava mal-humorada e descontava em humilhações à jovem.

Mesmo assim, Anny ficou preocupada e bateu à porta do quarto. Não houve resposta.

Ela tornou a bater, mas, novamente, não obteve respostas. Então, resolveu entrar. Não importava que Jane provavelmente a insultaria e expulsaria dali. Ela precisava saber se a mulher estava passando bem.

Porém, para sua surpresa, não houve insultos ou xingamentos. Ao abrir a porta, a jovem deparou-se com Jane imóvel na cama.

Anny correu até ela e a sacudiu:

– Senhora Jane, senhora Jane!

A mulher abriu os olhos, vagarosamente, e disse:

– Sinto dor.

– Eu vou ajudá-la, senhora Jane, não se preocupe; a senhora ficará bem. Estou com você.

Jane lançou-lhe um olhar penetrante e tornou a fechar os olhos.

■

– Não sei como você consegue ser tão boa com a Jane, depois que ela a humilhou, escravizou e maltratou por todos esses anos, e ainda a mandou para um manicômio! – disse Hermes a Anny numa manhã antes de sair para trabalhar.

– Ela só tem a mim, senhor Hermes, não posso abandoná-la. – respondeu a jovem – Além do mais, não guardo mágoas. E, se eu não cuidar dela, ela irá morrer, pois a família toda a abandonou por ela ser uma pessoa tão amarga. Apenas Nicole ainda a visita.

– Não vou falar mais nada – disse o homem –, é melhor eu ir trabalhar.

Um médico havia avaliado o caso de Jane e diagnosticado uma doença gástrica, que necessitava de cuidados diários. Anny prontificara-se a dar os diversos medicamentos nas diferentes horas do dia, inclusive tendo que levantar-se no meio da madrugada diariamente; preparar refeições leves e observar o estado geral de Jane várias vezes por dia.

Fora isso, ela estava agora, mais uma vez, responsável por cuidar da limpeza da casa toda e ainda tinha que arrumar tempo para o jardim, as aulas de dança, o tricô e os livros.

Porém, era preciso; ela não podia deixar a velha Jane desamparada.

– Eu admiro muito você – disse-lhe Nicole uma tarde, quando foi visitá-la e saber como a tia estava –, tudo o que você tem feito para ela é emocionante de se testemunhar!

– Não estou fazendo nada, apenas prestando alguns cuidados, não é mais que minha obrigação – respondeu a jovem.

– Depois de tudo o que ela lhe fez! Você foi a pessoa que ela mais fez sofrer, e é a única que está ao seu lado.

Anny não queria receber elogios sobre o que estava fazendo. Ela realmente fazia de coração aberto. Havia perdoado Jane e sentia pena de vê-la tão abandonada agora que estava velha e doente.

O coração puro da Anny menina perdurara e, agora, se abria para a vida adulta; tão doce, sereno e bondoso como sempre fora.

– Você deveria partir – disse Nicole –, já tem dezoito anos. Deveria sair desta casa, fazer coisas que nunca fez e correr atrás do seu sonho de ser uma dançarina.

– Tenho pensado muito nisso. Mas agora não posso abandonar a senhora Jane, ela precisa de mim. – respondeu Anny – Meu coração me dizia que ainda não era o momento de partir. Agora entendo o motivo: eu precisava ficar para cuidar de Jane.

– Ela não merece – continuou Nicole –, mas sua escolha é admirável. Você é a pessoa mais especial que eu já conheci. Desde criança, já era possível perceber a bondade de seu coração.

– Obrigada, Nicole! E me diga uma coisa, é verdade? Sua mãe está mesmo vindo do Alasca?

– Sim – respondeu Nicole –, ela está vindo me fazer uma visita. Lipsha não poderá vir, mas só de poder ver a mamãe, já estou radiante de felicidade!

– Que ótimo! Traga-a aqui, para que eu possa conhecê-la!

Após despedir-se de Nicole, Anny foi ver se Jane precisava de algo.

– Preciso – respondeu a mulher –, preciso que você abra meu guarda-roupa e olhe no fundo, atrás dos meus sapatos. Lá, você poderá pegar algo que lhe pertence.

– O quê? – indagou Anny, curiosa.

Jane fitou-a, demoradamente, antes de responder.

Era como se o que estava prestes a dizer lhe causasse mais dor que sua própria doença.

– O que encontrarei em seu guarda-roupa? – insistiu Anny.

– O seu jogo de xadrez – respondeu a mulher.

■

Anny pegou delicadamente a caixa de madeira no fundo do guarda-roupa de Jane.

Ela percorreu toda a superfície com os dedos, como se quisesse verificar que não faltava nenhum pedacinho.

Então, com lágrimas brotando dos olhos, ela abriu as duas laterais da caixa: estava tudo ali, o forro de veludo cor de vinho, as peças de cristal, o tabuleiro branco e preto. Tudo estava como da primeira vez que ela abrira aquela caixa, há quase dez anos, quando a ganhara de presente do pai.

Aquele dia era uma das lembranças mais doces e lindas que Anny tinha na vida, portanto, pegar o xadrez de cristal nas mãos novamente trazia as memórias com ainda mais força. Era delicioso tê-las tão perto, ela quase podia ouvir a voz de Jefferson, explicando sobre as regras do jogo...

Chorando, a jovem disse a Jane:

– Não acredito, pensei que você tivesse destruído o meu jogo.

– Eu deveria ter feito isso, mas resolvi guardá-lo – disse a mulher, secamente.

– Você planejava devolvê-lo a mim? – indagou Anny, emocionada, alisando as peças de cristal, que pensara que nunca tornaria a ver.

– Não – respondeu Jane.

– E por que fez isso agora?

– Não sei.

■

Jane apresentava pioras constantes, embora Anny não medisse esforços para ajudá-la a se recuperar.

A jovem passava horas cuidando da casa e preparando as dietas especiais que Jane tinha que receber, devido às úlceras em seu estômago. Como se não bastasse, ela acordava de madrugada para dar-lhe os remédios nas horas exatas em que o médico havia recomendado.

Quando as forças de Jane esvaíram-se de vez, Anny passou a dar-lhe as refeições na boca.

Às vezes, ela surpreendia a mulher encarando-a de uma forma diferente, como se questionasse o porquê de ela estar fazendo aquilo, visto que ela sempre fizera de tudo para que a vida de Anny fosse um inferno. Porém, na maioria das vezes, Jane mantinha seu olhar frio e corrosivo para cima da jovem, alertando-a de que não precisava da caridade de ninguém.

Anny não se incomodava. Tentava ajudar a senhora Jane o máximo que podia, ignorando suas caras feias, pois sabia que ela estava apenas tentando se fazer de durona. Na verdade, sofria muito por dentro, pela dor da doença e, principalmente, por estar sozinha na fase mais difícil de sua vida.

– Você me odeia, não é? – questionou Jane, um dia em que Anny sentou-se ao seu lado na cama para dar-lhe comida na boca.

– O quê? – indagou a jovem, surpresa com a pergunta.

– Você me odeia – respondeu a mulher –, eu percebo que está feliz com minha desgraça.

– Não diga isso, senhora Jane, não diga isso nunca mais! Eu jamais ficaria feliz com a desgraça de alguém!

– Por que está me vigiando, então?

– Eu não estou vigiando, estou apenas cuidando da senhora, estou preocupada com a sua saúde – falou Anny.

– Como pode? Eu nunca fui boa para você...

– Não sou eu quem vai julgá-la... Eu moro na mesma casa que a senhora há quase dez anos, não lhe desejo mal algum, independente do que a senhora tenha me feito. Além do mais, eu não poderia abandoná-la agora.

– Mentirosa. Você está gostando de me ver neste estado.

– Pense como quiser. – respondeu a menina – Agora pare de falar e abra a boca para eu lhe dar a sopa.

Anny, após alimentar Jane, saiu do quarto, aborrecida, mas não tanto quanto deveria. No fundo, a mulher dizia aquelas palavras com uma pontada de culpa por tudo de errado que fizera. Ela queria que Anny a odiasse, isso iria fazê-la sentir-se menos culpada. A bondade e o carinho da jovem eram como veneno àquele coração tão vazio. Talvez por isso Anny sempre a incomodara tanto.

Sim, aí residia a verdade de tudo.

O amor que emanava de Anny, desde quando ela era muito pequena, sempre fora nocivo a Jane, tornando sua amargura e sua maldade ainda piores para com a garota ao passar dos anos.

Certa tarde, Anny estava cuidando das flores distraidamente e, quando terminou, ficou a contemplar as ruínas da Casa Grande, como sempre fazia.

Dava-lhe paz olhar para aqueles destroços. Eles provavam que um dia tudo fora verdade: Anny tivera uma casa linda e confortável e vivera ao lado dos pais. Um dia, ela tivera um balanço e um quarto de brinquedos. Um dia, ela dançara ao som da mãe ao piano e, um dia, acordara os pais com um beijo, numa manhã de sábado, para dizer-lhes que as panquecas estavam prontas.

Essas lembranças faziam bem ao seu coração. Por mais que doesse acreditar que aquilo tudo não voltaria, as ruínas eram como bálsamos que lhe traziam alívio à saudade, provando que tudo fora real, num passado não muito distante.

Ela teve uma vontade súbita de pular o muro e andar por entre aquelas ruínas. Uma última vez. Reviver de perto suas lembranças, no lugar em que, um dia, elas foram reais.

Anny não pensou duas vezes. Pulou o muro.

Ela tocou o chão do quintal da Casa Grande e seu peito se encheu de alegria. Por mais que só houvessem restado destroços, ali era seu lar. Ela estava em casa.

Anny correu por aquele quintal, como se tivesse novamente oito anos e fosse uma gostosa manhã de sábado. Ela corria e girava descontroladamente, fazendo desenhos no ar.

Sentia-se livre.

Quando a euforia diminuiu, a jovem resolveu entrar em meio às ruínas.

Era estranho estar ali, no meio de tudo o que um dia fizera parte de sua vida e, agora, estava destruído.

Ela conseguiu identificar alguns objetos em meio aos destroços que haviam restado do incêndio.

Aqui e ali, conseguiu ver os olhos de vidro de alguma boneca, pedaços rasgados de roupas, partes do piano de Cindy.

Porém, o estrago havia sido realmente grande, tanto pelo fogo, quanto pelo tempo que havia se passado.

Anny abaixou-se ao ver um tecido conhecido. Era um pequeno fragmento de uma das blusas que a mãe deixara na casa:

– Ela usou esta blusa em um dos meus aniversários. Havia sido um presente do papai. Ela estava tão linda!

Anny conseguia se lembrar perfeitamente de cada traço do rosto de Cindy e da beleza que ela esbanjara ao vestir aquela blusa, que, agora, nada mais era que um resquício das chamas.

A imagem da mãe, linda e imponente, vinha-lhe como um fantasma em meio aos destroços. Cindy sorria para a filha, trajando a refinada blusa de tecido.

Anny também se lembrava do sorriso de Jefferson, ao ver a mulher tão linda e radiante:

– Eles se amaram muito – falou, acariciando o pequeno fragmento de tecido e deixando que as lágrimas escorressem por sua face delicada.

A imagem de Jefferson agora se unia à de Cindy, formando dois elegantes vultos, pavorosamente vivos, em meio às ruínas da Casa Grande.

Cindy e Jefferson caminhavam, acenavam e riam para Anny, convidando-a às lembranças.

Dessa forma, as memórias do passado voltaram como fortes enxurradas.

Uma das recordações mais vivas que tinha era de certo sábado. Não um daqueles sábados perfeitos ao lado dos pais, jogando xadrez, vendo televisão e brincando no balanço. Não. Ela estava se lembrando do sábado em que tudo mudara.

Lembrava-se da conversa que tivera com os pais, do exato momento em que eles lhe contaram que ela teria que viver em outra casa e vê-los apenas uma vez por ano – ou nem isso.

Aquele sábado fora o dia mais longo de sua vida. Ela havia passado a tarde toda à espera deles e eles haviam se atrasado. Anny ficara sentada em sua cadeirinha – que também havia sido consumida pelo fogo – com Tiara em seu colo, a olhar pela janela. E quando, no fim do dia, eles chegaram, havia sido para dar a triste notícia.

– Não devo pensar em coisas ruins – ela disse para si mesma –, devo guardar apenas as boas lembranças.

No entanto, era impossível conter as memórias, assim como as lágrimas, naquele local.

Não apenas as figuras fantasmagóricas de Cindy e Jefferson, mas também cenas vividas naquela casa passavam ao redor de Anny, como se ela assistisse ao passado projetado nas ruínas.

Ela podia ver seus primeiros passos; suas primeiras palavras. Assistia a cada volta dos pais em diversos sábados. Jefferson sempre trouxera presentes.

Via Melanie, as aulas com Jane, a mãe ao piano, o quarto de brinquedos... O balanço.

Ah! O Balanço!

Pôde ouvir as canções de Cindy novamente e assistir ao momento em que ganhara o xadrez de cristal.

Parecia um filme e, de certa forma, era: um filme de sua vida.

Tudo era vivo em seu coração. E tudo era vivo nas ruínas – elas tinham o cheiro do passado. Tinham as cores da saudade.

Anny soluçava, abaixada em meio aos destroços, tentando encontrar qualquer vestígio que restara; quando as imagens do passado se desfizeram e ela percebeu que não estava sozinha.

– Minha pequena, não fique assim. Não lhe faz bem voltar para este local – disse Pepeu, que havia acabado de chegar.

– Ainda bem que você está aqui, Pepeu, me dê um abraço.

O rapaz foi rapidamente para junto de Anny e envolveu-a em um forte abraço. Por vários minutos ela ficou a chorar nos braços do amigo.

Então, com o maior carinho que possa existir no mundo, ele olhou--a bem no fundo dos olhos e enxugou-lhe as lágrimas:

– Está melhor? – Pepeu indagou.

Anny balançou a cabeça afirmativamente.

– Desculpe, foram as lembranças... Elas estão por toda parte deste lugar – ela disse.

– Eu sei, pequena, por isso vim ver se você queria companhia.

– Obrigada, Pepeu, fico feliz que esteja aqui comigo. Qualquer momento que eu possa dividir com você se torna mais fácil.

Anny levantou-se e continuou falando sobre o passado:

– Você se lembra, Pepeu, da primeira vez em que nos vimos?

– Claro que me lembro!

– Eu pensei que você fosse um anjo... De certa forma, eu estava certa.

– Por que você está falando isso? – indagou Pepeu.

– Por causa da Angel... Ela é um anjo, como você mesmo disse e, sendo assim, ela só poderia se apaixonar por outro.

– Obrigado, Anny. Eu sinto cada dia mais a falta dela... Andei pensando e acho que vou para a América.

– Não vá! – disse Anny. – Você não pode ir.

– Por que não?

Era chegado o momento da conversa que Anny adiara por muitos anos, com medo de ferir o querido amigo. Mas, finalmente, seu coração dizia que ela devia falar, sem medo algum. Pepeu estava, enfim, pronto.

– Há alguns anos eu encontrei a Ângela... – disse Anny – Em um dos meus sonhos. Ela falou comigo. Eu não sei se foi real, mas sei que preciso lhe contar tudo o que ela disse.

– Os sonhos são sempre reais de alguma forma. – disse Pepeu, levantando-se energicamente – Por favor, me conte tudo!

As palavras deslizavam facilmente por sua boca:

– Com todo privilégio, como o amor de vocês, vem também uma obrigação – ela falou.

– Sim – disse Pepeu, chorando –, a Angel costumava dizer isso.

– Essas foram suas exatas palavras – afirmou Anny.

– Então foi mesmo realidade, você falou com ela!

– Ela disse que a obrigação que lhes foi dada era a de levar o amor aos homens, em todas as suas formas... Mas que vocês foram impedidos.

– Mas podemos recomeçar! Eu devo ir atrás dela!

– Não, Pepeu... Ela disse que você deveria seguir o seu caminho e esperá-la, pois logo estariam juntos novamente. A missão de vocês não foi cancelada, foi apenas adiada... Você deve ser forte, esperar, e não ir ao encontro de Angel. Se você for, será dolorido demais, você encontrará uma verdade para a qual ainda não está pronto. Espere, o tempo se encarrega de tudo.

– Eu perdi a noção do tempo. Já nem sei há quantos anos a espero! Tempo, espaço... Nada é real sem ela – Pepeu chorava copiosamente.

Anny andou até o amigo e disse-lhe, carinhosamente:

– Ela disse que você deve confiar... Logo irão se reencontrar.

– Eu fiquei tanto tempo junto ao mar, a esperar por ela... Mas nunca consegui voltar para os Estados Unidos – disse Pepeu.

– São os mistérios que o rondam, Pepeu, e o fazem tão especial. Você não deve ir para a América, não deve buscar uma verdade para a qual não está pronto. Deve buscar apenas o seu caminho. A Angel virá até você, quando for a hora.

Pepeu deteve-se um momento, remoendo aquelas palavras. Então, lembrou-se do passado, do início de tudo, e disse:

– Foi tudo culpa dele...

– De quem? – perguntou Anny.

– Do ensandecido que me atropelou, fazendo com que eu fosse para o hospital e nunca mais encontrasse a Ângela – disse Pepeu.

– E você se lembra de quem foi?

– Não, não tive tempo de ver o rosto de quem dirigia, nem da outra pessoa que estava ao seu lado no carro – falou o rapaz –, mas sei que foi um carro vermelho.

– Isso você já havia dito.

– Mas lembrei um novo detalhe. Com muito esforço, junto ao mar, juntei algumas pequenas memórias daquele dia. Foi um Cadillac vermelho.

Anny engoliu a seco aquelas palavras.

Os pensamentos rodopiaram em sua mente, feito um turbilhão. Ela se lembrou do carro de Jefferson; era exatamente um Cadillac vermelho... Mas não poderia ser verdade, ela não podia acreditar.

Milhares de pensamentos rodopiavam. Ela via cenas variadas, ouvia conversas, gritos.

Jefferson sempre saía de carro e dizia que ia até o aeroporto para, então, pegar o avião e viajar a trabalho junto de Cindy. Será que, em um desses dias, ele havia atropelado um jovem e bondoso rapaz?

Anny não queria acreditar, mas, agora, tudo fazia sentido. A aparição repentina e misteriosa de Pepeu em sua vida e a forte ligação entre eles.

Houve um sonho... Sim, há dez anos houve um sonho, em que ela viu o carro do pai, um forte estampido e o surgimento de um rapaz bondoso, sorrindo em sua direção.

Agora ela se lembrava perfeitamente do sonho: Pepeu era aquele rapaz. Ela o havia realmente visto em seus sonhos, pouco antes de conhecê-lo.

Eles faziam parte da vida um do outro, estavam ligados de alguma forma... Jefferson destruíra os sonhos de ambos e a vida se encarregara de uni-los, para que, juntos, eles tivessem novos sonhos e vivessem o amor fraterno. Jefferson não permitira que Anny tivesse irmãos de sangue, mas fizera Pepeu chegar até ela. E Jefferson não deixara que o rapaz realizasse sua missão de viver o amor ao lado de Angel, então, de outra forma, ele vivera o amor ao lado de Anny.

Era como se aquele acidente tivesse colocado Anny no caminho de Pepeu, de uma forma *mais forte que a própria vida*. Sem saber, Jefferson dera aos dois algo muito precioso, algo que seria eterno. Ao mesmo tempo em que Pepeu e Anny não puderam realizar diversos sonhos, eles tinham agora um ao outro, como irmãos, para sempre.

Murmúrios; gritos. Vozes se misturavam na mente de Anny. Angel gritava por Pepeu. Cindy parecia zangada. Cenas diversas se embaralhavam. Os Anjos da Guerra. O aeroporto. O cavaleiro branco de cristal a cavalgar nos gramados do Reino Xadrez. O Cadillac vermelho.

A jovem desmaiou e Pepeu correu para segurá-la.

■

Anny abriu os olhos lentamente. Pepeu estava bem à sua frente. Eles ainda estavam em meio aos destroços da Casa Grande.

– O que aconteceu? – ela perguntou.

– Você desmaiou – respondeu Pepeu –, eu fiquei muito assustado.

– Eu desmaiei?

Então, vagarosamente, Anny começou a lembrar-se do motivo do desmaio. Lembrou-se do Cadillac vermelho e da conclusão à qual havia chegado.

Irmãos. Para sempre.

Ela lembrou-se daquele sentimento que tinha por Pepeu e que era, sim, mais forte que a própria vida.

Suavemente, deslizou a mão sobre a face do rapaz - a face mais linda e bondosa que já vira; a face de seu fiel cavaleiro:

- Eu te amo, Pepeu, você é meu irmão.

- Eu também te amo, pequena, amo muito.

Eles sorriram, e Anny conseguiu, lentamente, levantar-se.

- Obrigado, pequena... Obrigado por ter me contado sobre seu sonho com a Angel, eu vou fazer o que ela pediu, vou esperar pacientemente para cumprirmos nossa missão, não irei mais procurá-la; seguirei o meu destino até que ela venha ao meu encontro.

- Eu fico feliz, Pepeu. Tenho certeza de que logo vocês estarão juntos e poderão cumprir sua missão.

Ela deu mais uma olhada em volta, despedindo-se dos destroços da Casa Grande. Sabia que era a última vez que estaria naquele local:

- Eu preciso ir. Deve estar quase na hora do remédio da senhora Jane. Mas, antes, venha comigo, preciso lhe entregar algo - Anny disse enquanto ia, junto de Pepeu, pular o muro pela última vez.

■

Pepeu ficou a esperar entre os canteiros, enquanto Anny entrou para buscar algo em seu quarto. Pensou, olhando as flores, que elas haviam sido companheiras suas também.

Afinal, ele havia testemunhado o empenho com que Anny cuidara delas, até que se reabrissem para a vida. Ele era a testemunha do amor da pequena por aquele cantinho no mundo.

Olhando demoradamente para cada uma das flores, Pepeu percebeu, pela primeira vez, que ali se tornara também o seu cantinho especial no mundo. Cantinho de Anny; cantinho seu. Cantinho onde ele sempre fora capaz de libertar suas mais profundas emoções, conhecer a si próprio, cuidar de sua pequena amiga-irmã - e ser, por ela, cuidado também.

Cenário de suas mágicas, encenações e histórias divertidas. Cenário de suas mais profundas lembranças.

Aquele jardim era tão pequeno no tamanho, mas tão grande no significado.

Era o Infinito que voltava a pertencer-lhe.

Sem que ele percebesse, Anny estava de volta, estendendo-lhe um presente:

– Eu mesma que fiz, espero que goste. É apenas uma lembrança, ainda preciso treinar para fazê-las melhor.

– Você está brincando? É o presente mais bonito que já ganhei!

Era uma nova boina marrom, do estilo da que Pepeu sempre usava. Mas era feita de tricô.

Ele, imediatamente, colocou a nova boina na cabeça, e Anny disse:

– Eu gostaria de entregá-la no dia do seu aniversário, mas você nunca me disse a data.

– Nem eu sei em que dia faço aniversário – respondeu Pepeu.

– Falando nisso – disse a jovem –, eu reparei que o tempo é bondoso com você. Você não envelheceu nesses dez anos! Tem a mesma cara de menino...

– O Tempo me abandonou no dia em que sofri o acidente – explicou Pepeu.

Realmente, aquela era a única explicação que o rapaz podia dar, porque, na verdade, nem ele compreendia certos mistérios em sua vida.

– De qualquer forma – continuou Anny –, é pouco, perto de tudo o que você fez por mim.

– Você que me salvou, Anny. Você foi também um anjo em minha vida. Mesmo agora que vou partir, cumprirei minha promessa de protegê-la. Não se esqueça disso.

A doce jovem, então, lembrou-se vividamente do sonho com Angel e da missão que lhe havia sido entregue: "Sua missão, Anny, é trazer-lhe compreensão. Contudo, você também deve saber o momento exato de libertá-lo."

Ela sabia que havia cumprido a primeira parte da missão. Ao longo dos anos, Anny representara o alívio e a compreensão para o rapaz, havia feito com que ele enxergasse que tudo na vida tem um motivo e que a verdade vem apenas quando estamos prontos para ela.

Porém, faltava a segunda parte da missão, a parte que seria dolorosa de uma forma inexplicável.

Era o momento de libertá-lo.

– Para onde você vai? – a jovem perguntou.

– Para onde meu coração me guiar. Mas não vou ao encontro de Angel. Seguirei seu conselho e aguardarei pacientemente até o dia em que a vida volte a nos unir.

Anny chorava muito:

– Eu não queria que esse momento chegasse. Não queria ter que me despedir de você. Eu o amo, Pepeu, mais que a vida.

– Eu também, Anny, eu também.

Eles se abraçaram em meio aos canteiros, onde, um dia, há alguns anos, haviam se encontrado pela primeira vez.

Um abraço que durou uma eternidade para aqueles dois jovens que se amavam como irmãos.

Era um amor puro e verdadeiro. Um amor de anjo.

Haviam sido unidos por algo que vai além das compreensões humanas; por algo forte e duradouro, capaz de mover montanhas.

Quando juntos, o tempo parava para assisti-los brincar, rir, jogar xadrez... Tantos haviam sido os momentos. Era difícil dizer adeus. Mas aquele era, de fato, o último abraço...

Doía.

Muito.

Quando, finalmente, se soltaram, Anny disse:

– Eu vou fechar os olhos, não quero ver você partir, irá machucar demais.

Para Pepeu, simplesmente não houve palavras. Elas o abandonaram naquele momento. Logo ele, um artista corajoso, um cavaleiro fiel, sentia-se o mais covarde dos homens ao ter que virar-se e ir embora dos canteiros, deixando sua rainha, para não mais voltar...

Anny fechou, de fato, os olhos, para não vê-lo partir.

Alguns instantes depois, ela os reabriu e viu que estava sozinha em meio ao jardim.

Anny chorou muito. Um choro sentido, devido à dor que a ausência de Pepeu lhe causava.

Mas ela sabia e podia sentir que eles estariam sempre juntos. Ele havia partido, mas a promessa de sentimento que fizera há muito tempo seria cumprida: ele vivia agora em seu coração. Ali ele era amado; ali era seu lar.

Ele estaria em cada sorriso de Anny, em cada brilho no olhar... Para sempre...

– Você. – ela pronunciou, entre os canteiros do jardim – Você, para mim, significa o mundo, Pepeu...

O fiel cavaleiro, o mágico eternamente apaixonado e o artista vindo da América, nunca abandonaria sua bondosa rainha, sua *pequena*.

Anny enxugou as lágrimas e entrou para cuidar de Jane.

■

O mundo além daqueles jardins na pequena casa onde Anny vivia continuava a se desenvolver e progredir após o final da Segunda Grande Guerra. Artistas nasciam, máquinas eram inventadas, pequenas guerras declaradas, países conquistavam sua independência, pessoas morriam, pessoas conseguiam seus primeiros empregos, outras se casavam e tinham filhos.

Era possível sentir o cheiro do progresso por todas as ruas da cidade, assim como de toda a Grã-Bretanha. Anny sabia que logo teria que enfrentar o mundo, mas, antes, não podia deixar Jane. Ainda mais quando ela piorava a cada dia – tanto a saúde, quanto o mau humor.

Nos intervalos em que não estava cuidando da mulher, ou da casa, Anny continuava a fazer tricô, jogar xadrez, mesmo que sozinha, agora que seu jogo estava de volta; cuidar das flores, dançar – tudo sempre com Tiara ao seu lado. Ela havia crescido, mas as coisas boas da infância ainda levava consigo, como prometera.

Ela também tinha prazer em cuidar de Hermes. Ele trabalhava menos horas por dia agora – dizia que estava ficando velho e já não tinha disposição. Mas Anny sabia que era mentira. Ela sabia que antes ele passava muitas horas no serviço para não ter que aturar Jane, mas agora que ela estava doente e não saía do quarto, ele podia passar mais horas tranquilo em casa e aproveitar os mimos da garota – a filha que a vida lhe dera de presente.

Anny lavava suas roupas, preparava suas refeições, assistia à televisão e ouvia o rádio junto dele. Hermes, o homem de olhar assustador que ela conhecera um dia, havia se tornado um bom amigo. Ele ficava ainda mais feliz quando ela fazia panquecas no almoço. De fato, ele honrou a escolha que fizera no dia em que Anny levou a grande surra de Jane: salvou a vida da garota e a si mesmo. A partir da dor, ele soube abrir o coração.

Com alegria, Anny assistiu à neve de 1956 chegar. Ela sabia que a neve não era mais uma promessa de trazer os pais, mas, mesmo assim, cada floco que caía e que enfeitava o chão trazia-lhe paz, pois, por tantos anos, a chegada da neve havia sido o momento pelo qual ela mais ansiara.

Em um dia desses, nevado, George e Desiré vieram conversar com Anny:

– Nós temos uma novidade – falou George, que era, agora, um bonito jovem – vamos nos mudar.

– O quê? – indagou Anny.

– É isso mesmo – falou Desiré, que também se tornara uma linda moça –, o papai vai ter que se mudar novamente devido ao trabalho.

– Não acredito... Quando vocês vão?

– No próximo domingo.

Anny, a princípio, ficou muito triste com a notícia. George e Desiré haviam sido os únicos amigos aproximadamente da sua idade que ela tivera. Sem contar que Desiré era uma pessoa maravilhosa, uma amiga que ela levaria para a vida toda. Com ela, Anny dividiu momentos inesquecíveis: aprendeu a sentir o mundo com as mãos e, assim, vê-lo da forma mais pura que existe, teve divertidas conversas enquanto cuidava dos jardins e também suas primeiras aulas de dança.

Quando o domingo chegou, Anny foi atender à porta com muito pesar. Eram George e Desiré, que vinham para se despedir.

– Prometemos que vamos escrever – disse Desiré, chorando, ao abraçar a amiga.

– Vai ser difícil não ver você todos os dias – disse Anny.

– A Marisol disse que poderá continuar vindo, para dar aulas a você.

– Não precisa. Logo eu também vou partir e seguir o meu caminho. – respondeu Anny – Além do mais, as aulas não seriam as mesmas sem você. Eu não sei como agradecê-la, cada aula foi como um sonho.

– Eu que agradeço pela amizade que você me deu todos esses anos. As pessoas sempre têm medo de se aproximar de mim, por eu não enxergar com os olhos. Elas sempre têm pena ou receio e agem como se eu fosse uma aberração. Você foi diferente, Anny.

– Ah, Desiré, você é muito especial. Cego é quem não consegue enxergar isso!

Os três amigos conversaram por mais um tempo, depois George anunciou que eles tinham que ir, pois os pais estavam esperando.

– Está bem. Prometo que não vou mais chorar. Estou feliz que vocês possam partir sempre ao lado de seus pais – falou Anny.

– Nós também, nossa família é muito especial. E, assim que arrumarmos a casa nova, vamos esperar sua visita – falou George.

– É claro que eu vou. Vocês não vão nem ter tempo de sentir a minha falta!

– Espero que seja assim! – disse Desiré – Agora, George, vá fazer o que combinamos.

George saiu da casa, sem que Anny entendesse o que estava acontecendo e, alguns minutos depois, voltou com algo nos braços:

– Nina! – exclamou Anny – Pensei que seus donos iam embora sem deixar que eu me despedisse de você!

– Ela anda doente, está muito velhinha já – falou Desiré.

– Mas ela continua com brilho nos olhos. – disse Anny – Certamente por ter tido a sorte de ter uma família tão boa como a de vocês. Em pensar que ela vivia nas ruas e estava quase morrendo, tenho certeza de que ela é muito grata!

– Eu que tive sorte e sou grata a ela. – falou Desiré – A Nina tem sido os meus olhos por todos esses anos, ajudando-me a ver a vida de outra forma. Vamos cuidar dela com um carinho especial, agora que está velhinha.

Anny sorriu ao ver o amor que Desiré e George tinham por sua cachorrinha.

Eles se abraçaram mais uma vez, com promessas de escreverem cartas e, sempre que possível, visitarem uns aos outros.

Quando fechou a porta, Anny estava com uma sensação diferente: havia sido uma despedida, e as despedidas são sempre difíceis, mas ela sentia que George, Desiré e Nina seriam seus amigos para sempre e ela os amaria para a vida toda. E o mais importante, Anny sabia que não era preciso estar perto para ser amigo, não era preciso estar junto para saber que se ama.

E ela estava certa; no futuro, todos os seus encontros seriam doces e divertidos, como se eles nunca tivessem se separado – isso é a verdadeira amizade.

■

Cuidando com carinho das flores, Anny percebeu que faltava uma em seus canteiros.

Sim, a flor da oitava cor do arco-íris, que Angel lhe dera em sonho, havia desaparecido.

A jovem pensou e lembrou-se de que não via a planta desde o dia em que se despedira de Pepeu em meio aos canteiros.

O rapaz, que agora era livre, havia levado consigo aquela flor... O presente de Ângela desaparecera misteriosamente do jardim, para acompanhar o bondoso cavaleiro por toda a eternidade.

Anny tocou a terra, no local em que a flor permanecera por muitos anos. Ali, a jovem chorou mais uma vez de saudades de Pepeu.

Ah! Como o amava! Como era difícil estar longe de seus abraços, de seus sorrisos sinceros e de sua mágica.

Ele era, de fato, um grande mágico: soube trazer a Anny alegria, paz, conforto, quando ela mais precisou. De certa forma ele foi capaz de atender ao desejo mais desesperado do coração da menina: trouxe a ela a oportunidade de ter uma família, tornando-se um irmão mais velho. Não poderia haver no mundo alguém que fizesse mágica melhor que ele.

Anny fechou os olhos naquele momento de dor, em que seu coração estava aos pedaços, e concentrou-se em Pepeu.

Vivenciou a mágica do rapaz novamente: a jovem pôde sentir uma brisa, mais forte que nunca, envolvê-la... Um anjo a abraçava!

Em meio àquele abraço fraternal, ainda de olhos fechados, ela escutou sons que trouxeram paz ao seu coração repleto de saudades: ouviu o galopar de um cavalo e o som do riso de Pepeu.

Era um riso tão contagiante e sincero que fez o mundo todo sorrir também, assim como a jovem Anny.

Lentamente, ela abriu os olhos.

O local em que existira a flor de Angel continuava vazio, entretanto, Anny ainda possuía uma flor da oitava cor do arco-íris: era aquela que havia nascido há muito tempo e que fizera com que Nicole pesquisasse sobre a sensibilidade de Anny ao ver uma cor a mais.

Aquela era também uma flor especial e simbolizaria para sempre o amor de Anny pelos canteiros, assim como o amor da jovem por Pepeu. Afinal, havia sido em meio ao jardim que nascera, além das flores, o sublime sentimento da rainha pelo fiel cavaleiro de sorriso bondoso.

■

Anny viu mais um ano começar, sendo que Jane estava ainda pior. Ela passara a virada do ano tendo que cuidar da mulher e, depois, conversando com Hermes sobre o seu passado – como fora no primeiro Natal que ela passou ao lado daquele velho poeta.

Era um início de ano tranquilo, como haviam sido todos os outros. Anny não sabia as inúmeras surpresas que aquele novo reinício traria.

Ela estava cheia de esperanças e sonhos, mas estava triste em ver Jane cada vez pior.

Logo nos primeiros dias do ano, Nicole chegou junto de sua mãe, Charlotte.

– Que prazer conhecê-la! A Nicole fala tanto da senhora.

Anny ficou muito feliz em conhecer Charlotte e percebeu que não havia se enganado: a mãe de Nicole era realmente um encanto.

– Conte-me sobre o Alasca – pediu Anny –, quero saber sobre os alces se banhando no lago, as auroras boreais no topo das colinas, a vida junto dos aleútes.

Charlotte contou, com alegria, sobre aquela terra encantada onde agora vivia. Anny ia imaginando cada pedacinho do lugar e, assim, aumentava sua vontade de ver o mundo.

– Estarei esperando sua visita – disse-lhe Charlotte.

– Eu vou, pode ter certeza – respondeu Anny, animada.

– Bem, agora preciso ir ver minha irmã – disse a mulher.

Então, junto de Nicole, ela foi ao quarto de Jane.

– Vocês também estão felizes em me ver neste estado, não estão? – Jane perguntou, assim que as viu.

– Minha irmã, desarme o seu coração! – falou Charlotte, aproximando-se – Eu não a via há tanto tempo...

– Claro, você esqueceu que tem família e foi viver uma aventura sem sentido, como se ainda fosse moça!

– Eu não vou mais discutir isso – respondeu Charlotte, pacientemente –, apenas não queria voltar para o Alasca deixando-a aqui, dessa forma, doente e com raiva.

– Pois não se preocupe comigo – disse Jane secamente –, não preciso da sua piedade. Vá e esqueça que eu existo, como, aliás, você já havia feito.

Nicole e Charlotte foram embora, chateadas, mas sabiam que Jane sempre fora daquele jeito – não seria agora que ela iria mudar.

Na madrugada seguinte à visita de Nicole e Charlotte, Anny acordou, como de costume, para dar os remédios à mulher.

Para sua surpresa, Jane estava acordada, mas de uma forma diferente. A mulher suava e sua respiração estava forte e desesperadora.

– Senhora Jane, o que aconteceu? – perguntou Anny, desesperando-se ao entrar no quarto.

Jane apenas a olhou, sem nada dizer.

Mas, pela primeira vez, ela a olhava nos olhos. Aquele olhar representou as milhares de palavras que nunca foram ditas e a infinita culpa que Jane levaria consigo, mesmo que inconscientemente.

Anny aproximou-se ainda mais dela, passou um pano em sua face, e disse:

– Vai ficar tudo bem, senhora Jane, eu vou chamar um médico.

– Não faça isso – disse Jane, fazendo muita força para pronunciar cada palavra.

– Mas, senhora Jane, é preciso...

– Não. Não há nada que um médico possa fazer para me ajudar. Minha hora chegou.

– Não diga isso, não desista da vida!

– Que vida? Que vida eu tive? Para que lutar? – indagou a mulher.

– Senhora Jane, aguente firme... Por favor... Não morra...

Jane piorava a cada segundo, deixando Anny mais desesperada. Ela resolveu chamar ajuda:

– Senhor Hermes! – gritou.

O homem, que dormia na sala, veio rapidamente ver por que Anny gritava no meio da madrugada.

Ao chegar ao quarto de Jane, viu uma cena que jamais esqueceria.

Anny estava debruçada chorando sobre o corpo de Jane, ainda com os últimos suspiros de vida.

A jovem que fora escravizada, aprisionada, humilhada, excluída, espancada, quase morta, quase presa para sempre num manicômio por aquela mulher, era a única que ficara ao seu lado em seus últimos meses de vida, que cuidara dela com devoção, ainda aguentando seus últimos insultos. Anny era agora a única a chorar por sua morte.

– A ajuda vem de onde não se espera, não é, Jane?

Hermes disse aquelas que seriam suas últimas palavras à infeliz mulher que fora sua companheira durante toda a vida.

Ele não se sentia feliz em vê-la naquele estado, apesar de todo tormento que ela lhe causara e, principalmente, que ele a vira causar a Anny. Era estranho vê-la naquela condição. Mas, tristeza, ele também não podia afirmar que a sentia.

Jane girou a cabeça lentamente na direção de Hermes, que estava parado à porta, lançou-lhe um último olhar, sem muita profundidade, e parou de respirar.

Anny sacudiu-a na cama, gritando:

– Senhora Jane! Não! Senhor Hermes, faça alguma coisa!

Ela chorava e balançava o corpo da mulher, já sem vida.

Hermes aproximou-se e abraçou Anny, que continuava a chorar desesperadamente.

– Acalme-se, Anny. Não há nada que possamos fazer.

Anny tremia e chorava em alto som, como se tivesse perdido alguém que muito amava.

– Eu não queria que tivesse terminado assim – ela falava.

– Eu sei – concordou Hermes –, mas há coisas que estão além de nosso controle.

Anny chorou e lamentou a morte de Jane por muito tempo e, quando finalmente se acalmou, Hermes levantou-se e fechou os olhos da mulher, que estavam abertos, fitando o vazio. Então, disse:

– Vou avisar a família dela e providenciar tudo para o enterro.

Anny soltou um último soluço e saiu do quarto junto do senhor Hermes. Havia muito para ser feito.

■

Havia se passado um mês desde a morte da senhora Jane. O enterro havia sido simples e pequeno, com alguns conhecidos e familiares.

Charlotte ainda estava na Inglaterra e teve oportunidade de ir ao enterro da irmã. E, poucos dias depois, ela voltou para o Alasca e para seu amor aleúte.

Agora, um mês depois, Anny continuava na pequena casa, cuidando de Hermes.

O homem estava sentado no sofá, quando a jovem chegou à sala:

– Anny – ele falou, sem olhá-la –, você deve partir. Não há mais motivo para continuar nesta casa.

– Eu não quero deixar o senhor aqui, sozinho e infeliz – ela disse, sentando-se ao lado de Hermes.

– Não se preocupe comigo, minha vida foi sempre assim. Foi tudo um grande desperdício. Não desperdice o seu tempo nesta casa também.

– Eu gostaria de vê-lo sorrir antes de deixá-lo.

– Mas, infelizmente, não tenho motivos para isso... – falou o homem.

– Senhor Hermes, por que o senhor não vem também?

– Eu? Ir para onde?

– Para o mundo além desta casa. Venha comigo, eu prometo que iremos procurar os seus irmãos.

– Eles estão todos mortos ou perdidos em algum canto do mundo – falou Hermes, com pesar.

– Então iremos procurar Josephine, decerto ela ainda espera o seu velho poeta...

Os olhos de Hermes brilharam ao ouvir o nome de Josephine. Anny, percebendo o entusiasmo do homem, insistiu:

– Venha comigo, senhor Hermes, o senhor é como um pai para mim, não posso deixá-lo aqui. Venha, iremos viver da arte. Eu irei dançar nos palcos e o senhor poderá voltar a escrever poemas...

– Eu não sei, Anny, meus sonhos já se perderam há muito tempo.

– Não diga isso... Não há idade para sonhar e, muito menos, para buscar sonhos antigos. Os sonhos nunca morrem – insistiu a jovem.

– Eu agradeço. – disse Hermes – E agradeço tudo o que você fez por mim durante os anos em que viveu aqui. Você foi o maior presente que a vida me deu, foi a filha que eu não tive, mas que sempre sonhei em ter e que, de alguma forma, chegou até mim. Obrigado, Anny.

A menina estava chorando ao ouvir aquelas sinceras palavras do velho poeta.

Ela o olhava, como olhou da primeira vez em que o viu. Ele era um homem bonito, inteligente, amoroso. Apenas havia sido castigado pelo destino e preso aos sonhos que nunca realizou.

– Eu vou dar uma volta. – disse Anny – Por favor, pense em meu pedido.

Dizendo isso, Anny deu um beijo na face de Hermes e dirigiu-se à porta.

Agora que ela não era mais uma prisioneira naquela casa, gostava de dar passeios pela vizinhança todos os fins de tarde, ir até praça e olhar o céu.

Porém, aquele dia, algo mágico aconteceu. Foi a mão do destino, agindo mais certeira que nunca.

Anny abriu a porta para sair, no mesmo instante em que um homem levantava a mão para bater à porta.

A jovem se assustou ao ver aquele desconhecido parado à sua frente, e disse:

– Quem é você?

– Sou o Benjamin, e você?

– Sou a Anny. Espere um momento. Você disse que é o Benjamin? Eu não posso acreditar!

Ao ouvir aquela frase, Hermes, que estava sentado no sofá da sala, girou-se, como se não pudesse acreditar no que ouvia. Ele tremia da cabeça aos pés.

Finalmente, encarou Benjamin e disse:

– Benji! Não pode ser!

O homem que acabara de chegar correu até Hermes e o abraçou:

– Meu irmão! Que bom revê-lo!

Hermes chorava, ao mesmo tempo em que ria e abraçava o irmão:

– É um milagre! É um milagre! O tempo e a vida realizam milagres!

Anny chorava ao ver aquela cena, uma das mais emocionantes de sua vida.

Minutos, que poderiam ter sido uma eternidade, se passaram, enquanto os irmãos se abraçavam e trocavam palavras de afeto.

– Hermes, o explorador! O que o tempo fez com você? – Benjamin perguntou.

– Benji, o aventureiro, eu pergunto o mesmo!

Finalmente, eles se acalmaram e conseguiram sentar-se no sofá, ainda de mãos dadas.

– Ah, meu irmão... Aconteceu tanta coisa – falou Benjamin.

– Eu podia jurar que você havia morrido na Guerra.

– Quase isso. Eu fui gravemente ferido e enviado da Alemanha para um posto médico na Suíça. Fiquei lá inconsciente por muito tempo e, quando, finalmente, recuperei a consciência, havia perdido a memória. Os enfermeiros e médicos não acreditavam em minha recuperação. Exceto uma gentil enfermeira. Ela cuidou de mim com devoção todos esses anos, sempre com fé que eu recuperaria a memória; sempre me ajudando a resgatá-la. Ela tanto fez que conseguiu recuperar as minhas lembranças.

– E qual o nome dessa santa mulher? – indagou Hermes.

– Josephine – disse Benjamin.

Hermes arregalou os dois olhos fixamente em direção ao irmão, como se não acreditasse no que ele acabara de dizer. Então, fingiu que não havia entendido:

– Que coincidência esse nome – falou Hermes, com um sorriso forçado.

– Não é coincidência, meu irmão – disse Benji –, é ela. A sua Josephine.

– O que você está dizendo?

– Ela vive na Suíça. Tornou-se enfermeira e abandonou o homem com quem o pai a obrigou a se casar, aquele tal diplomata, para viver cuidando dos feridos da Guerra.

– Ela abandonou o marido?

– Sim. E, desde que me viu, reconheceu-me imediatamente e passou a ajudar-me com devoção e entusiasmo. Todos os dias, depois que recuperei a consciência, mas não a memória, ela passou a conversar comigo sobre meu passado, minha família, e, aos poucos, minhas lembranças foram voltando. Há poucos dias, consegui lembrar onde você vivia, então, vim imediatamente para cá. Para buscá-lo. Teremos que escapar de sua mulher, onde ela está?

– Ela morreu – disse Hermes.

Ele não podia acreditar naquelas palavras, nem ao menos podia acreditar que Benji estava em sua sala, quanto mais que poderia reencontrar Josephine. Hermes levantou-se e andou de um lado para o outro na pequena sala.

– Benji, você só pode estar maluco!

Benjamin foi até ele, segurou-o nos braços e o sacudiu:

– É verdade, meu irmão, é verdade!

Anny, que assistia à cena, não conseguia conter o sorriso, tamanha era a felicidade em ouvir as novidades que Benjamin trouxera.

– Eu sei que é tudo bom demais para ser verdade – falou Benji –, mas você precisa acreditar, precisa vir comigo. A felicidade, finalmente, chegou!

– Eu estou velho para isso – disse Hermes, ainda relutante.

– Não diga bobagens. Eu vou ajudá-lo, meu irmão, vou ajudá-lo a resgatar o poeta e o menino explorador que vivem dentro de você.

Hermes entregou-se aos braços do irmão, chorando abundantemente, feito um garoto.

– Vamos, não podemos perder mais tempo! Temos um mundo a explorar, lembra-se? Eu, você e a Josephine! – falou Benjamin, enquanto Hermes o fitava, com um misto de choro e sorriso, dando vida à alegria que existia em seu interior, mas que, por longos anos, estivera escondida.

■

Nicole entrou na pequena casa correndo. Benjamin, Hermes e Anny estavam sentados à mesa, comendo deliciosas panquecas.

– Benjamin, não acreditei quando soube das novidades! Que maravilha, seja muito bem-vindo!

– Obrigado, Nicole. É bom revê-la também, afinal, já nos encontramos em tantas visitas ao meu irmão e sua esposa há alguns anos! Sente-se e prove essas delícias preparadas pela jovem Anny.

Nicole juntou-se a eles naquele jantar especial.

Os quatro riram, contaram histórias dos anos em que estiveram separados e Benjamin não poderia deixar de contar fatos engraçados de quando ele e Hermes eram jovens e viviam metidos em encrenca.

– Mas o que exatamente aconteceu com você durante a Guerra, meu irmão? – questionou Hermes.

– Ah, Herminho, irei contar-lhe com mais calma, porém, posso adiantar que vivi momentos de grande tensão, sofrimento, aventura e até encontrei o amor...

Hermes, Anny e Nicole ficaram muito curiosos. Benji resumiu rapidamente o que acontecera a ele durante a batalha. Todavia, prometeu contar mais detalhes a Hermes quando eles pegassem a estrada.

– Teremos todo o tempo do mundo – alegou.

Foi um jantar muito agradável, seguido por um tradicional chá inglês, e, ao final, Nicole disse:

– Agora que o senhor irá atrás de sua felicidade, tio Hermes, e sei que Anny fará o mesmo, eu quero anunciar que estou indo para o Alasca.

– Para sempre? – indagou Anny.

– Não, querida, apenas por um ano. Mamãe finalmente me convenceu. Além disso, será interessante para minha carreira. Ela e Lipsha têm esperanças de que, após um ano, eu decida ficar lá para sempre.

Eu acho difícil que isso aconteça. Pedi afastamento da escola por esse período, mas pretendo voltar para minhas crianças. Hoje fizeram até uma festinha de despedida para mim.

Anny sorria sinceramente ao ouvir que todos estavam seguindo os seus destinos, porém não podia deixar de preocupar-se com o próprio rumo que seguiria. Ela estava sozinha.

Os dias seguintes foram muito difíceis e, ao mesmo tempo, muito emocionantes.

Anny despediu-se de Nicole. Claro, não era para sempre, mas havia acabado uma fase muito importante, em que ela recebia a visita da amiga quase diariamente e dividia com ela deliciosos momentos.

– Obrigada por tudo, Nicole. Não há nada que eu possa fazer um dia que vá ser suficiente para agradecer tudo o que você fez por mim.

– Eu que agradeço, Anny, conhecer você foi um presente de Deus.

Elas se abraçaram e choraram, e Anny disse, antes que Nicole partisse:

– Mande lembranças à sua mãe e a Lipsha e, quando chegar o tempo de ver as auroras boreais, lembre-se de mim e do quanto eu sonho em vê-las um dia.

– Elas estarão esperando por você, querida – disse Nicole, enxugando as lágrimas –, assim como meu coração. Eu amo você, Anny.

– Eu amo muito você, Nicole, e isso é tudo, porque todos os outros sentimentos são filhos do amor.

Depois foi a vez de receber uma carta de Desiré e George:

> Anny,
>
> A casa nova é muito bonita e grande, mas o jardim não é tão legal como o outro que você conheceu. O clima aqui é menos rígido, mas sentiremos falta da neve no inverno. Mamãe e papai estão felizes e a Nina continua fiel e dedicada, embora envelhecendo rápido.
>
> Apesar de tudo ser maravilhoso, aqui não tem o mesmo brilho, por não ter você na casa ao lado.
>
> Esperamos que esteja bem e que siga os seus sonhos.
>
> Lembre-se: a arte faz parte de você! Um dia iremos às suas apresentações, que serão um sucesso!

Estamos esperando sua visita.
Com amor,

Desiré, George e Nina.

O coração de Anny ficou feliz ao ler aquelas palavras e saber que os amigos estavam bem. Ela prometeu que, o mais rápido que pudesse, iria visitá-los. Ah, claro, quando ela partisse da pequena casa, não poderia deixar de escrever contando-lhes o endereço novo.

Então, chegou, finalmente, o momento de se despedir de Hermes. O homem havia feito a barba, pela primeira vez desde que Anny o conhecera:

– Quando eu o vi pela primeira vez, com aquela barba enorme, tive medo do senhor – disse Anny, quando ele chegou à sala carregando as malas.

Hermes sorriu – foi um amplo e bonito sorriso – e disse:

– Tem certeza de que ficará bem?

– Sim, tenho certeza. Só de ver o sorriso de volta ao seu rosto, tenho certeza de que tudo pode acontecer! Ainda não pensei exatamente para onde irei, mas vou encontrar um rumo para minha vida, tenho certeza de que o Papai do Céu guardou algo muito especial para mim.

– Também tenho – disse Hermes, ficando sério repentinamente.

– O que foi, senhor Hermes? – indagou Anny.

– Anny, eu preciso lhe contar uma coisa, é muito importante. Por favor, sente-se.

Benjamin resolveu esperar no quarto, pois sabia que aquele era um momento particular.

Anny e Hermes sentaram-se no sofá. O homem respirou fundo e disse:

– Jane deixou-me uma carta.

– Uma carta?

– Sim, ela deve ter escrito nos últimos dias de vida, sem que você percebesse. Na carta ela disse que, da sua forma, esperava que eu pudesse ser feliz.

– Que coisa bonita, senhor Hermes! Eu não esperaria uma coisa dessas...

– Sim – concordou o homem –, mas o mais importante é que ela me contou algo sobre você.

– O quê? – indagou Anny, com o coração começando a acelerar.

– Anny, você lembra quando seus avós, pais de Jefferson, e tios partiram?

– Lembro-me vagamente, eu era muito pequena. Papai sempre disse que eles haviam brigado e ido embora para outro país.

– Isso é verdade. Mas havia algo que seu pai não lhe contou. Havia uma criança.

– Uma criança?

– Exatamente. – disse Hermes – Seus avós a levaram junto, para que ela crescesse longe de tudo isso. Mas você, Jefferson impediu que levassem.

– O senhor está dizendo que eu tenho um irmão?

– Uma irmã. E, segundo Jane ouviu dizer, ela se chama Mariza.

– Meu Deus! Eu não posso acreditar!

– Creio que seja verdade, Anny. Jane sempre conviveu muito próxima aos seus pais, ela soube de tudo na época. Eu me lembro vagamente dessa história, mas não o suficiente para lhe dar detalhes.

– Mas a senhora Jane teve tantas oportunidades, por que não me contou?

– Creio que Jefferson deu dinheiro a ela para nunca contar. Mas, no final de seus dias, ela quis dizer-lhe tudo o que sabia e não teve coragem. Por isso, deixou-me esta carta, para que eu lhe contasse.

– Então eu devo partir, devo procurar minha irmã Mariza! Meu Deus, não acredito, meu sonho sempre foi ter um irmão! Vou reencontrar minha família! Meus avós, tios... Mas não sei por onde começar.

– Essa informação também tenho para lhe dar.

O coração de Anny estava quase saindo pela boca, quando Hermes disse:

– Eles se mudaram, naquela época, para um país distante, chamado Brasil.

– Brasil! Nas lições, a Nicole me falou sobre esse país e também já o vi na televisão!

– Você terá mais detalhes se for até um determinado endereço em Londres.

– Como assim? – questionou Anny, sem entender.

– Junto à carta, Jane deixou o endereço do escritório de um advogado na cidade de Londres. Com certeza ele tem mais informações sobre sua família que vive no Brasil. Está aqui o endereço, sugiro que você o procure o mais rápido possível.

– Senhor Hermes, muito obrigada. Esta foi a melhor notícia que recebi na vida.

– Agradeça à Jane, a informação veio dela, eu apenas a transmiti.

Hermes abraçou a jovem:

– Muito bem, Anny, desejo-lhe boa sorte e espero revê-la – disse o homem, levantando-se do sofá.

– Obrigada, senhor Hermes, obrigada por tudo. O senhor será muito feliz junto de Josephine e Benjamin. E lembre-se: o mundo é a sua casa a partir de agora.

– Então, continuaremos a viver juntos, na mesma casa – respondeu o homem, com um sorriso repleto de esperanças, como Anny jamais havia visto.

■

Na manhã seguinte, Anny pegou o trem até Londres e foi em busca de informações sobre sua família que estava no Brasil.

Enquanto o trem se locomovia pelos trilhos entre os campos ingleses, Anny sentia-se muito feliz por saber que não estava sozinha no mundo.

Era a primeira vez que ela andava de trem. A viagem era muito agradável, seu país era realmente lindo.

Logo, ela desceu na estação de Londres e, com as poucas economias que Hermes havia lhe dado, pegou um táxi para ir até o escritório do advogado.

A cidade grande era linda e desafiadora. Anny ficou encantada – ela ainda tinha muito a conhecer, mas, agora, devia se focar em encontrar as informações de que precisava.

Quando o táxi parou em frente a uma pequena porta de madeira, Anny desceu com o coração acelerado.

Ela entrou no escritório e disse à secretária que precisava falar com o advogado.

Logo, o doutor Davidson mandou chamá-la.

Anny entrou em sua sala. Ele era um homem alto e magro, com um espesso bigode ruivo acima dos lábios.

Ela disse quem era e por que estava ali, fazendo com que Davidson arregalasse os olhos, exclamando:

– Há muitos anos espero sua visita! Seja muito bem-vinda, senhorita Anny.

– O senhor tem mesmo informações sobre minha família?

– Mais que isso! – falou o simpático advogado – Primeiro, temos que conversar sobre sua herança.

– Herança?

– Exato. Você possui uma conta no banco, com alguma quantia em dinheiro. Não tem mais que isso apenas porque sua mãe não permitiu que seu pai lhe desse tudo. Porém, o terreno onde ficava a enorme casa de sua família também é seu! Ele deve ter um bom valor.

– A Casa Grande? Não posso acreditar!

– Exatamente. – falou Davidson – Bem, quanto à sua família, foi uma história inusitada. Creio que você não se lembre da gravidez de sua mãe, certo?

– Não, não consigo me lembrar – disse Anny.

– Você era muito pequena. Na ocasião do nascimento de sua irmã, seus avós tiveram uma séria discussão com Jefferson e disseram que se mudariam do país e levariam as duas filhas dele, para que elas crescessem longe de tudo o que ele fazia. Claro, eu não sei de detalhes e, muito menos se meu cliente Jefferson fazia coisas que eram contra a lei. Mas sei que Cindy não se importou que os sogros levassem as meninas. Então, Jefferson permitiu que levassem a recém-nascida, mas você ele quis que ficasse.

– E eles foram para o Brasil?

– Sim. Entraram em contato com Jefferson apenas uma vez, dizendo que a menina tinha saúde e que se chamava Mariza. Ah, e que estava sendo alfabetizada em português.

– É tudo o que o senhor sabe?

– Sei também o nome da cidade onde eles vivem no Brasil. Tome.

Davidson estendeu um pequeno papel à Anny, com o nome da cidade onde sua família vivia.

Os olhos dela brilharam ao ler aquela palavra:

– Santos. Deve ser um lugar lindo. É assim que se pronuncia?

– Não sei. – respondeu Davidson – nunca aprendi português.

Anny não poderia imaginar que o destino a estava levando para junto do mar, já que Santos era uma linda cidade litorânea do Brasil.

– Bem, eu terei que aprender português para falar com a Mariza! – Anny riu e despediu-se do advogado – Muito obrigada, o senhor foi muito gentil e me ajudou muito!

– Fico feliz em ajudar. – respondeu o homem – Boa sorte em sua viagem! Apenas assine esses papéis antes de sair.

Quando saiu do escritório, Anny quis tomar um café numa simpática cafeteria londrina e, depois, foi pegar o trem.

Seu futuro estava começando a ganhar forma e ela sentia-se mais feliz que nunca.

■

Enquanto isso, na América

– Não pode ser! Deus levou minha Ângela! O que eu fiz para merecer tamanha desgraça? O que faremos, Chloe?

– Não sei mamãe, não sei. Mas, certamente foi a vontade de Deus – respondeu a moça, que também chorava pela perda da irmã.

– Que Deus é esse que tira a filha de uma mãe?

■

Anny sentou-se entre os canteiros junto de Tiara, ao fundo da pequena casa. Tudo estava igual, aparentemente. As flores continuavam coloridas, as estrelas já surgiam no céu.

Ela respirou profundamente olhando para a única flor da oitava cor do arco-íris que restara no jardim e pensou em sua vida. Sim, tudo parecia igual, mas estava diferente.

Pela Europa, um grupo de atores chamados Anjos da Guerra levava a arte aos que mais precisavam dela; uma mulher chamada Kath continuava em um manicômio, junto a muitas outras pessoas, em sua maioria, mulheres, vestindo um uniforme cinza e tomando banhos tão gelados que faziam a alma doer. Um antigo morador daquele manicômio, um garoto de rua chamado Raphael, conseguira finalmente escapar, junto de algumas outras crianças e, como mágica do destino, ganhara abrigo na casa que um dia fora de dois médicos: Frank e Bety Lou. Ao mesmo tempo, na América, uma mãe chorava a perda da filha – uma moça de cabelos ondulados como as ondas do mar que se quebravam na praia ao redor. Uma família vivia feliz e cuidava da pequena terra que ganhara de um jovem e bondoso ator, que pegou a estrada após a morte do pai; e uma jovem Tulipa, continuava a cuidar da mãe com sacrifício, mas com amor, e, um dia, a vida a ensinaria de novo a sorrir.

Roxie deixara descendentes tão doces como ele próprio, que continuavam a voar e cantar livres pelo céu inglês.

Nina viveria mais alguns meses junto de Desiré e George. Eles chorariam sua partida pelas saudades que iriam sentir, mas com o coração leve ao terem a certeza de que ela fora muito amada, talvez a cachorrinha mais amada que já existiu.

Nicole passaria os próximos doze meses no Alasca e, se ela ficaria lá para sempre, nem ela sabia ao certo. A maravilha da vida é que não sabemos o que vai acontecer conosco, tudo pode mudar. E o importante é que Charlotte – ou melhor, "Lotte" – e Lipsha viviam felizes no Parque Nacional, protagonizando o amor aleúte mais forte que já existiu por aquelas bandas. Ah, sim, e sempre assistindo aos espetáculos da natureza, como auroras boreais, montanhas nevadas e alces se banhando no lago, tudo regado a muita *stinkhead*, da qual Nicole virara fã.

Hermes e Benji foram para a Suíça, e o reencontro de Hermes e Josephine não poderia ter sido mais emocionante. Mas o melhor estava por vir. Os três cumpririam a promessa realizada décadas atrás, e sairiam para conhecer e explorar o mundo. Hermes transbordava alegria, nem parecia o homem que Anny conhecera. Ele vivia dizendo que nunca é tarde para se realizar os sonhos.

Cindy, por sua vez, viajava. Em um de seus voos, ela conheceu um viúvo muito rico e deu um jeito de sentar-se ao seu lado no avião e puxar conversa.

Enquanto isso, uma das filhas, que ela nem lembrava que tinha, pensava nela, entre canteiros de um jardim no interior da Inglaterra:

– É hora de partir. – Anny dizia para si mesma, entre as flores – Mamãe e papai, nunca me esquecerei de vocês, de nossa casa, de tudo o que vivemos. Eu amo vocês, mas preciso ir.

No dia seguinte, Anny lançou um último olhar à pequena casa de Jane e Hermes, às ruínas da Casa Grande e à casa ao lado, onde viveram George, Desiré e Nina.

Ela tinha poucos pertences para carregar, mas os mais importantes, que eram Tiara e o xadrez de cristal, tinham um local especial em sua mala.

Foi uma última vez ao pequeno e frio quarto. Havia deixado a cama arrumada, coberta pela fina e pequena manta vermelha. A sensação de partir não era exatamente de saudade, mas era estranha; castigava o peito, como toda despedida. Olhou o quarto em que Jane morrera; a cozinha com os armários vazios, de onde ela pegava biscoitos quando pequena; a sala onde fora castigada diversas vezes com a cinta furiosa de Jane, mas, também, onde vivera bons momentos ao lado de Hermes. Por último, olhou os jardins. Era, definitivamente, difícil dizer adeus. As flores, que foram suas companheiras por tantos anos. Os canteiros, que testemunharam tantos encontros com Pepeu.

Mas ela tinha que ir. A vida a chamava.

Anny saiu andando pela porta da frente. Porta que tantas vezes sonhara em cruzar para ver o mundo e que agora se abria para ela, trazendo uma nova esperança.

Ela iria para o Brasil, iria ver o mar, iria viver da arte, iria ter uma família novamente, iria conhecer sua irmã, Mariza, rever os avós e os tios... Ela respirou fundo, sentindo que tudo se tornaria realidade.

Ao sair na calçada, olhou um minuto para o céu. Estava azul-claro, limpo, sem nuvem alguma. Estava muito bonito de se ver. Ela deteve-se naquela visão e, de repente, viu uma luz muito forte lá no alto. Ela sorriu ao perceber o que era: eram dois anjos que haviam se reencontrado para finalmente cumprirem sua missão, de levar amor ao mundo. Dois anjos que ela tivera o privilégio de conhecer e que amava como irmãos. Um deles parecia usar uma boina de tricô e o outro tinha cabelos ondulados a voarem ao vento. Juntos, seguravam uma flor especial, cuja cor refletia ao longe, tamanha era sua beleza... Anny sabia que aqueles anjos estariam a olhar por ela.

A moça de cabelos ondulados como as ondas do mar e o fiel cavaleiro de sorriso bondoso iriam guiar seus passos para sempre.

Se eles eram reais para o resto do mundo, ou reais apenas na imaginação de Anny, não há como saber. Mas ela não se importava; gostava de acreditar nos sonhos, na fantasia, no irracional.

Às vezes, faz bem.

Afinal, real para todos, ou somente para ela, o amor que carregava pelo seu eterno cavaleiro era tão lindo, intenso e profundo, ao mesmo tempo em que era doce e suave... Era um amor que parecia uma prece – somente eles o compreendiam e, para tal, bastava o silêncio.

Anny fez sinal e um táxi parou.

Ela subiu no banco de trás do carro, levando muito consigo, mas ainda com pesar em deixar para trás o seu cantinho preferido no mundo – pelo menos até agora – o seu jardim.

– Espero que quem comprar essa casa cuide bem de minhas flores – ela pensou.

De fato, demoraria muito para aquela casa ter um novo morador e, finalmente, alguém que voltasse a cuidar da vida naqueles canteiros. Porém, haveria uma flor que não morreria jamais, uma flor da oitava cor do arco-íris, da cor dos anjos...

Aquela flor havia nascido no canteiro como símbolo do amor com que Anny sempre cuidara das plantas e aquele amor era para sempre.

Não havia livro que pudesse explicar com perfeição o motivo de Anny enxergar a cor dos anjos. Ela nunca compreenderia a grandeza do que aquilo significava. Na verdade, sua alegria e sua pureza eram tão grandes que faziam com que os olhos de sua alma fossem abertos para a vida de uma forma diferente.

Anny pediu que o taxista guiasse para o aeroporto.

Enquanto as rodas do carro giravam pelas ruas, Anny sorria ao pensar em sua vida.

Ela sabia que na existência de qualquer pessoa há espinhos e flores pelo caminho. No entanto, ela escolheu ver somente as flores, sem importar-se com os espinhos. Aí residia toda a diferença do mundo.

Tudo fora difícil, mas ela era uma vitoriosa. Todas as vezes em que alguém ameaçou lhe bater, ela ofereceu a outra face. Todas as vezes em que alguém a humilhou, ela perdoou de coração aberto. Todas as vezes em que se sentiu só, ela pediu ao Papai do Céu que enviasse anjos, e assim Ele havia feito. Todas as vezes em que sentiu saudades, ela chorou, mas não deixou que os sentimentos negativos tomassem conta de seu ser.

Ah! E quantas vezes ela riu! Quantas vezes soube ser criança. Quantas vezes sonhou e soube ser a rainha em seus próprios sonhos, em seu mundo interior. E quanto amou, e quanto amava! Amava as pessoas, a natureza, a vida. Amava a família que estava prestes a reencontrar e que seria, a partir de agora, sua razão de viver. Amava o mundo do qual fazia parte. Mesmo sem que tivesse participado de momentos históricos, ela fizera história. Ela construíra sua própria história, junto às flores, junto à neve, junto ao arco-íris de oito cores, junto aos anjos do caminho.

Poucos sabem construir história como ela. Poucos sabem amar, perdoar, sonhar, sorrir e se emocionar como ela. Poucos sabem dizer "eu te amo" tão sinceramente quanto ela.

Ela fora feliz, apesar das dificuldades. E seria ainda mais – seu coração gritava isso, naquele instante, a caminho do aeroporto.

E, no exato momento em que o táxi andava pelas ruelas inglesas, uma linda borboleta azul-celeste ganhava os ares da cidade, fazendo movimentos graciosos ao vento. Sua cor era tão viva que parecia iluminar tudo ao redor. Aquela borboleta fora, um dia, uma lagarta, uma crisálida e, agora, simbolizava a esperança que Anny tinha em seu futuro, ao voar no céu. Assim como aquela borboleta, era Anny; assim como aquela borboleta é a nossa alma – e ela sabia disso –, *livre*.

Poema escrito por Anny em 07 de dezembro de 1952, ocasião em que completou 14 anos e não recebeu, mais uma vez, a visita dos pais:

There, there
There there, in the high sky tonight
There there, a star alone is shining
There there, in the wind throughout the hills
I can hear you whispering to me
I can hear your sweet voice toward me
There there… there's my love alone, like a star
In the sky waiting, always waiting… for you.

Ali, ali
Ali ali, no alto céu esta noite
Ali ali, uma estrela sozinha está a brilhar
Ali ali, no vento que corta os morros
Eu posso ouvir você sussurrando para mim
Eu posso ouvir sua doce voz em minha direção
Ali ali, ali está meu amor sozinho, como uma estrela
No céu a esperar, sempre a esperar... Por você.

Texto escrito por Angel, ao retornar para os EUA, sozinha. Palavras que traduzem o seu coração atormentado, a esperar pelo reencontro com o fiel cavaleiro de sorriso bondoso, que certamente viria:

I am waiting for you, my love.

Spend the days and the nights praying.

Ask to heaven to protect and take care of you, while we cannot be together.

I love you in such an intense way that the air happens to be missing.

You live in me and that's everything that motivates me to start each brand new day: knowing that a part of you lays with me, in each step I take. Knowing that the shine of my eyes, deep inside, brings yours.

Life, to me, today, without you by my side, is a constant torment... it's like the waters of the sea, coming and going, making the days passing by... just passing by.

The mere reminiscence of your smile makes the sun appears each morning, and the simplest sound that reminds me the laugh of yours makes the day, at last, make a little sense.

I love you... my little slice of heaven.

Espero por você, meu amor.

Passo os dias e as noites orando.

Peço aos céus que protejam e cuidem de você, enquanto não podemos estar juntos.

Eu o amo de uma forma tão intensa que chega a faltar o ar.

Você vive em mim e isso é tudo o que me motiva a iniciar cada novo dia: saber que uma parte de você está comigo, em cada passo que eu dou. Saber que o brilho dos meus olhos, lá no fundo, carrega o seu.

A vida, para mim, hoje, sem você ao meu lado, é um constante tormento... É como as águas do mar, que vão e vêm, fazendo os dias passarem... Apenas passarem.

A mera lembrança do seu sorriso faz o sol nascer a cada manhã, e o mais singelo som que me remeta ao riso seu faz o dia, enfim, ganhar um pouco de sentido.

Eu amo você... Meu pequeno pedacinho do céu.